19 on

Duisterlicht
Queeste

Guy Prieels

Duisterlicht

Queeste

Uitgeverij Wever & Bergh
Antwerpen

Wenst u de troubadour uit deze queeste te horen zingen,
surf dan naar onze webstek www.wever-bergh.com

Het woord van een mens is al een gebarsten ketel
waarop je een wijsje tromt dat nog net een beer aan het dansen krijgt,
terwijl je de sterren zou willen ontroeren.
Gustave Flaubert – Madame Bovary

Nieuwe tijden

Ik ben gestrand op het Gouden Eiland, 51°21'00.00" noorderbreedte, 3°16'60.00" oosterlengte, amper enkele meters uitstekend boven de zeespiegel, ook gekend als het graafschap Knokke. De plek waar het zand om dromen op te bouwen meer kost per emmer dan ergens anders per ton. Voor mij ligt de bodem echter niet te blinken. Ik heb niets om handen, ben mijn vrouw kwijt en sta er even kaal voor als een kerkluis. Mijn ziel is al wat ik nog te koop heb, maar die krijgen ze niet.

Bij mijn familie, makelaars in vastgoed, ben ik persona non grata omdat ik hun zaken heb verknoeid. Een jaar of wat geleden hebben ze mij naar hier gestuurd met de opdracht aan de Noordzee duin en polder in te lijven en er de vlag van hun imperium te planten. Om te beginnen heb ik, zoals de pastoor, eerst mezelf gezegend. Verder zat ik nogal vaak in de kroeg of lag ik in een vreemd bed naar het gezang van een zeemeermin te luisteren. Het beste deel van mijn tijd en mijn geld ging op aan wijntje en trijntje. Dat verkreukelde de goede naam van de firma en de broosheid van het huwelijksgeluk. Ook mijn vrouw kreeg genoeg van mijn fratsen, pakte haar koffer en vertrok. Zij wil het huis, zij krijgt het huis. Ik sta weer bij af. Ik heb een villaatje gehuurd aan de oever van het Zegemeer en ben daar best tevreden mee.

Het enige bloed dat mij trok in ons hele geslacht was dat van mijn oma, die door iedereen Moeder werd genoemd. Zij is onlangs gestorven. Bij haar mocht ik een potje breken. Zo hard als zij voor ieder ander de teugels aantrok, zo losjes vierde zij die voor mij. Ik was haar oogappel. Dat ik dezelfde vreemde kronkel in mijn hersenen heb zitten, had er mee te maken. In stamverband vertoonden wij afwijkend gedrag omdat we hielden van kunst, boeken lazen en luisterden naar klassieke muziek. Voor de rest van mijn familie waren dat vreemde bezigheden. Kunst was iets van een andere planeet. Een gevaarlijk iets, want het werd voortgebracht door gekken en kostte handenvol geld. Boeken waren al even bedenkelijk, want die worden het eerst verbrand als een maatschappij orde op zaken wil stellen. En muziek? Dat was enkel goed om luilakken te laten dansen en onruststokers aan het zingen te zetten. We begrepen elkaar, mijn oma en ik. Ik mis haar.

Na haar dood werd mij door de familieraad altegader sterk afgeraden mij nog met vastgoed te bemoeien. En wat dan nog? Ze kunnen me wat met hun vastgoed, met hun huizen, hun flats en hun kavels. Ik geef geen donder om vastgoed. Geen rooie biet geef ik er om. Gezeur om gebarsten tegels, lekkende kraantjes en loskomend plakwerk inspireren me niet. Ik ben een krekel, geen mier. Ik luister liever naar de zee en de wind die mij alles vertellen wat ik horen wil. Ik heb mijn gitaar weer van de haak genomen, maak liedjes en zing. Voor de spiegel en voor de meisjes. Zoals in de tijd toen zingen nog mijn eerste natuur was.

Ik ben er nog niet uit wat ik in de toekomst wil gaan doen maar om den brode moet ik nodig aan de slag. Al een tijdje speel ik met de idee om een kunstgalerietje te beginnen omdat mij door een gunstig lot een aantal schilderijen in handen zijn gevallen die mijn oma heeft nagelaten. Daar malen de anderen toch niet om. Ze hebben altijd hun schouders opgetrokken voor haar kunstcapriolen en vinden al het geld, besteed aan producten van de verbeelding, in het water gegooid.

Nu had Moeder wel goed uit haar doppen gekeken en altijd geweten waar ze haar lieve centen aan besteedde. Rommel had ze nooit gekocht en als ze na een tijd begon te twijfelen aan de waarachtigheid van een kunstenaar of de kwaliteit van zijn werk, ging dat meteen weer de deur uit. Dus op dat gebied zat ik goed.

In haar legaat zaten een aantal namen die enkel tot mijn verbeelding spraken en waar de anderen sowieso hun neus voor optrokken. Een Spilliaert bijvoorbeeld, een aquarel met de onheilspellende kop van een vissersvrouw waar mijn moeder nachtmerries aan overhield. Een zelfportret van Ensor met maskers waar mijn broer alleen de vulgariteit van het Aalsterse carnaval in terugvond. Een boer van Permeke die wel leek geschilderd met de stront van de varkens die rondliepen op zijn erf. En, in een goed gesloten map, een serie etsen van iconoclast Félicien Rops, waar de ene smeerlapperij over de andere lag uitgesmeerd en die klaarlag bij de haard als papier om het vuur aan te maken.

Verder nog enkele kleinere goden die verdienstelijk werk hadden geleverd zonder ooit te schitteren. Toen haar oorspronkelijke collectie tesamen met haar huis in vlammen opging tijdens de laatste dag van de oorlog, voelden de beotiërs in mijn familie zich bevrijd van wat erger leek dan de Duitse bezetting. Kostbare werken had zij sindsdien nooit meer verzameld. Die gingen we bekijken in musea en op belangrijke tentoonstellingen. Zoals men een neus ontwikkelt voor wijn moeten daar de ogen de kost krijgen.

Ze leerde me zowel de dingen zien als er doorheen te kijken. Laat je niet verblinden door de schittering van sterren want die staan enkel aan het firmament. Leer het onderscheid tussen de duurzaamheid van de stijl en de vergankelijkheid van de mode. Haar hield je niet voor het lapje. Eigenlijk bestaan er maar twee soorten kunstenaars, heeft zij mij steeds voorgehouden, de baanbrekers en de navolgers. Dat krijg je snel door. En als je bij de les blijft is er geen expert, artiest of handelaar meer die je nog wat kan wijsmaken.

Haar eigenlijke hobby, haar passie, mag ik wel zeggen, was op ontdekking gaan en overal nam ze mij mee op die tochten. Het was best spannend om te snuisteren in galeries, in veilingzalen te snuffelen en kunstbeurzen af te schuimen op zoek naar schatten die door een ander vergeten of over het hoofd waren gezien. Ik heb met haar het halve land afgedweild. Betere leerschool was er niet en het is op dezelfde manier dat ik als kleine visser mijn net zal moeten werpen om de grote snoek te vangen

Ik kan wat bijklussen met een muzikaal optreden hier en daar, zoals ik eerder puur voor mijn plezier had gedaan. Mensen vermaken uit nooddruft ligt minder in mijn aard. Ik heb steevast het gevoel dat ik de paljas sta uit te hangen. Ik ken al een redelijk succes maar dat stemt mij eerder een beetje treurig dan dat het mij voldoening schenkt. Handgeklap doet mij nadenken. 't Stelt niets voor en ik heb nog nooit het gevoel gehad dat het voor mij was bestemd. Als de leukste oom op huwelijksfeesten heb ik geen enkele roeping.

Met mijn repertorium trek ik mij nochtans behoorlijk uit de slag. Het wordt gevraagd en gesmaakt. Luisterliedjes zijn in en ik breng naast mijn eigen deuntjes voornamelijk bewerkingen die ik heb gemaakt van Franse chansons.

Ik word geboekt, ik kan het maken maar ik ben er met mijn hart niet bij. Mijn gezang wordt trouwens niet in elke hoek op applaus onthaald. Ik fluit als een merel met een schorre keel. Zo zij het maar. Ik ben wie ik ben en zo moeten ze me nemen. Zingen zoals je gebekt bent, dat is het enige ware. De rest klinkt vals, dus waardeloos.

Omdat ik blut ben en bij gebrek aan winkelruimte, ga ik dan maar aan de slag als marchand en chambre, zoals dat heet. Een duur woord dat niets anders is dan een eufemisme voor sluikhandel. Wat aansjoemelen zoals de meeste kleine verzamelaars die als zwarthandelaren beter aan de kost komen dan met hun eigenlijke werk. 't Heeft niet veel om het lijf en het is makkelijk verdiend geld. Het komt er op neer dat je zonder investering vanuit je woning als bemiddelaar probeert op te treden tussen de verkoper en de koper van een kunstwerk zonder dat die twee met elkaar in contact komen. Als dat gebeurt ben je de klos. Dan haspelen ze dat zaakje onder mekaar wel af en krijg je nog niet eens een bedankje. Je staat pas stevig in je schoenen als je bezit wat je aanbiedt.

Mijn eerste klanten vind ik onder handelaren die ik in hun zaak of tijdens een beurs opzoek en particulieren die ik al eens ontmoet op een expositie of een veiling. Ik plaats regelmatig een kleine advertentie, zo vals bescheiden mogelijk, waaruit blijkt dat ik het beste te bieden heb aan het gunstigste tarief omdat ik niet de werkingskosten heb van een groot bedrijf. Ik wacht niet tot de liefhebber bij me aan de bel komt hangen. Ik neem resoluut de telefoon, bel de mensen gewoon op en leg hen uit waarover het gaat. Dan leg mijn spullen in de auto en vlieg ik er heen! De directe aanpak is meestal nog de beste.

Nog geen maand later pik ik de kans mee om aan de Kustlaan een winkeltje te huren van een apotheker die een ruimere behuizing zoekt om zijn pillen te slijten. 't Is een benepen hok in een aftandse woning die een paar wereldoorlogen en een aantal overstromingen heeft overleefd maar wel een uitstekende locatie. Er is ook nog een kelder waar ik in de toekomst wat voorraad kan stapelen maar die ik nu al wil laten inrichten als garçonnière met bed en stromend water. Het kan maar gezellig zijn.

Mijn maat Rolfie Tonne, huisschilder en binnenarchitect à ses heures, kan onmiddellijk aan de slag met verf en kwast om die bouwval een fris tintje te geven. Ik wil een aantrekkelijke etalage, helwitte muren om de ruimte open te trekken en een zandkleurig tapijt, maar eerst moet er een aangepaste verlichting worden geïnstalleerd. Ik wil rails in het plafond en spots waarmee ik zelfs zonnestralen uit een mistlandschap kan toveren. Daarvoor moet een specialist over de vloer komen en liefst dezelfde die ook in mijn villaatje aan het Zegemeer het licht in de duisternis heeft doen schijnen. Een veelgevraagd, betrouwbaar en plichtsbewust vakman, de beste, die natuurlijk – noblesse oblige – enkele dagen op zich laat wachten. Maar geen zorgen, eens onder stoom gaat hij door als een trein. Dus maken Rolfie en ik in afwachting van zijn komst de uren zoek met gefilosofeer, het verkopen van nonsens en het om de hals brengen van een behoorlijk aantal flessen wijn. 's Avonds gaan we op kroegentocht en 's ochtends trekken we opnieuw getrouw de wacht op.

Voor de verwachte wonderdoener heb ik zelfs een gloednieuwe koffiezet in stelling gebracht. Want tijdens het werk in mijn privéwoning moest de koffie haast over de vloer stromen. Hij kon geen draad trekken, geen lamp inschroeven, geen schakelaar aankoppelen zonder een kan onder zijn neus. 't Was zijn drug. Hij dobberde op koffie. Bij zoverre dat ik hem Mokka was gaan noemen. Je kon hem niet overhalen om een biertje te drinken, laat staan het zwaardere spul. Eten deed hij ook al niet, of hoogstens gelijk de mussen. 't Is een lange, afgevaste slungel, hij valt van de graat.

Een paar dagen wachten worden algauw, tot mijn verbazing en ongeduld, een week. Je krijgt verdorie veel sneller een dokter over de vloer. Toen ik eertijds met hem een afspraak had, verscheen hij op tijd. Ik kon mijn klok op de man gelijk zetten, zo stipt was hij. En nu geeft hij verstek over de hele lijn. Geen telefoon, geen boodschap, niks. Hij daagt gewoon niet op. Ik snap het niet en begin me echt ongerust te maken. Ik besluit hem te gaan opzoeken, meneer Mokka.

Nieuwe liefdes

Ik bel aan bij een net rijhuis. Er wordt opengedaan door een blonde vrouw die mij wat verwezen aankijkt. Zij trekt haar shirt naar beneden. Haar rok heeft zij inderhaast aangeschoten want de rits zit niet op zijn plaats. Haar blonde haar is warrig en ongekamd. Zij heeft ogen van het diepste blauw dat ik ooit heb gezien, maar ze staan heel droevig en er zitten donkere kringen onder. Zij is duidelijk aan slaap toe. Het is bijna nacht in haar ogen. Ik vrees onmiddellijk het ergste. Zij kijkt me aan als iemand die geen slechter nieuws kan verwachten dan wat zij reeds heeft moeten verwerken.

'Goede morgen, mevrouw. Ik ben op zoek naar uw man. Althans, ik veronderstel dat het uw man is. Ik had hem verwacht voor een dringende klus in mijn galerietje. Wij hadden afgesproken dat hij een week geleden al zou komen en omdat hij steeds van zijn woord is maakte ik mij wat ongerust, eerlijk gezegd.'

Zij keurt mij van top tot teen en opent wijd de voordeur. 'Kom erin, meneer.' Zij loodst me het kamertje in naast de deur. Er staat een klein bureau waarop een schrijfmachine staat, een leeslamp en een foto in een zilveren lijst. Ik vraag of haar man thuis is. Zij schudt wat wezenloos het hoofd. 'Er is toch niets ergs gebeurd?' vraag ik haar. Zij doet of zij de vraag niet heeft gehoord. 'Gaat u even zitten. Ik was net koffie aan het zetten. Ik ben er aan toe. Lust u ook een kopje?' – 'Dat zal er best ingaan.'

Ik neem plaats op een van de twee stoelen en wacht. Het is verrek stil in dit huis. Ik luister naar het pruttelen van de koffiezet in de nabijgelegen keuken. Ik had hier eigenlijk al veel eerder eens op de koffie kunnen komen. Heer Mokka had me dit trouwens zelf voorgesteld toen hij mijn villaatje opkalefaterde. Rolfie had mij de man aangeraden omdat hij een uitstekende stielman is maar alle afspraken waren telefonisch afgehandeld.

Ik draai het kiekje naar me toe. Het is de trouwfoto van die kwast met zijn knappe bruid. De trouwer zag er op die heuglijke dag al zo mager uit als een Frans brood, hij is intussen nog geen gram bijgekomen. Zijn gehuurde smoking hangt wat rond zijn lijf te waaien. Naast hem zit op een boomstam Blauwoog, een en al vleselijke weelde. Een welgevuld buffet op zichzelf, om vingers en duimen bij af te likken. Zij straalt op die foto, zij geeft licht, 't is een zonnetje. Al haar dromen staan nog in het wit, er zit nog geen spatje ontgoocheling op. Die smetteloze bruidsjurk houdt met veel moeite de wildste beloftes in toom. Haar vormen vechten om uit die cocon te komen, haar dijen, nog omgeven door een wolk van tule, beginnen zich al vrij te maken, haar ogen spran- kelen. Kortom, een meisje om peren mee te gaan stelen. Ik geef die foto een halve draai om mijn stoute gedachten af te leiden. Ik moet mij voorbereiden op barslecht nieuws. Wie weet wat ik te horen krijg. Ik zet een droeve smoel op, wat niet makkelijk is met die foto zo vlak onder mijn neus.

Als de blonde terugkeert met de koffiekan, heeft zij andere kleren aangetrokken. D'r haar hangt los, zij is er met de kam door- heen gegaan. Er kan toch een flauw glimlachje af als zij mij de koffie serveert. Zij kent haar wereld, zij had mij evengoed aan de deur kunnen laten staan. Zij heeft me naar binnen gevraagd uit beleefdheid maar is er met haar hart niet bij. Ik observeer haar en merk hoe zij, alvorens te spreken, haar woorden kauwt en her- kauwt. Zij heeft een delicate openbaring te doen, daar bestaat geen twijfel over. 'Ziet u,' – begint zij – 'als mijn man er deze week niet was, zal hij er volgende week ook niet zijn.' Zij hapert en omdat ze het kennelijk echt moeilijk krijgt om mij de ware reden van zijn afwezigheid te onthullen, val ik in. 'Geen enkele hoop?' – 'Ik vermoed van niet.' – 'Hij gaat me toch niet in de steek laten nu ik zo dicht bij de opening van mijn winkeltje sta?' – 'U zult wat ge- duld moeten opbrengen tot hij weer tot werken in staat is.' – 'Heeft hij een ongeluk gehad?' – 'Hij is ziek.' – 'Ligt hij te bed?' – 'Hij is...' – 'Hij is toch niet opgenomen in het ziekenhuis?' – 'Neen.' – 'God zij dank. Ik dacht al dat het erg was.' – 'Het is heel erg.' –

'Kan ik iets doen om te helpen?' – 'Ik denk van niet. Hij heeft dat probleem, ziet u, althans ik denk dat het een probleem is maar de dokter houdt vol dat het een ziekte is en dat hij in therapie moet voor zijn drankverslaving.' – 'Hoezo? Aan de drank? Ik heb hem nooit wat anders zien drinken dan koffie.' – 'Zolang hij zich daar aan houdt, gaat alles goed.'

Het vrouwtje vertelt me dat die spons van haar meer dan zes maanden droog heeft gestaan na een implantaat. Hij was op de goede weg. En sinds twee weken is het weer misgelopen. Hij moest een groot bedrag ontvangen van een klant voor werk dat hij had geleverd. 'Ik heb nog zo tegen mezelf gezegd. Renata, ga de factuur zelf verzilveren. Geef hem de kans niet. Met geld in zijn handen kan hij niet aan de borrel weerstaan. Bovendien heeft hij een gat in zijn hand en met poen op zak hangt hij graag de grote jan uit. Hij geeft rondjes alsof de biervaten gratis uit de kelder worden gerold en met al de schuimers die aan zijn nek hangen loopt dat natuurlijk steevast uit op een zuippartij.' – 'Weet u waar hij uithangt?' – 'Dat kan overal zijn. Eergisteren ben ik per fiets op zoek gegaan naar zijn auto. Die stond dicht bij de Falstaff geparkeerd. Ik heb mijn stoute schoenen aangetrokken en ben naar binnen gegaan. Ik heb hem niet kunnen overtuigen om mee te komen maar ik ben er wel in gelukt hem zijn autosleutel afhandig te maken. Zo hoef ik tenminste niet te vrezen dat hij dronken achter het stuur kruipt.'

Mijn hart komt vol bij het aanhoren van al die ellende die zij vast niet verdient. Maar ik moet hoe dan ook blijven denken aan de komende opening van mijn galerietje. Bij mijn voorstel om haar pierewaaier op te snorren en naar huis te brengen, kijkt die meid me aan met ogen waar ik helemaal week van word. 'Zou u dat willen doen?' – 'Als u mij kunt vertellen in welke cafés hij meestal uithangt, wil ik het graag proberen. Misschien kunt u me gidsen.' – 'Ik zet in elk geval geen voet meer binnen in gelijk welke kroeg.' – 'Dat hoeft niet. Als we hem kunnen situeren breng ik u terug naar huis en ga ik hem daarna wel alleen uitroken. Ik denk wel dat ik hem tot rede kan brengen. Ik heb een goed argument.' – 'Als hij drinkt is hij voor geen rede vatbaar.' – 'Laat dat maar aan mij over.'

Ik heb nog maar mijn eerste koffie op of ik zit al in een complot met dat mooie kind. Zij fleurt er zowaar van op. Als de spots in mijn winkeltje even fel zullen oplichten als de glans in haar ogen, zit ik gebeiteld. Zij komt naast me zitten terwijl zij ons nog een kopje inschenkt. Zij wil even haar bange hart, dat in onrust en onzekerheid leeft, bij mij luchten. Er zijn zo weinig mensen die echt naar iemand luisteren en die man van haar blijkt op dat gebied potdoof te zijn. Arme ziel. Leg maar meteen je hoofd op mijn schouder zodat ik je tot steun en vertroosting kan zijn. Het voorstel ligt op het puntje van mijn tong maar ik slik het even snel in. Ik zal maar beter mijn oren uitpoken en biechtvadertje spelen, daar ben ik goed in.

Geen betere weg naar een eenzaam hart dan wat onverstaanbaar gemompel. Je hoeft zelfs je bek niet open te doen, geen woord te spreken, alleen maar ja te knikken en de ogen te sluiten bij al het geweeklaag dat leven en liefde achter zich aanslepen. Zo'n pleureuse heeft genoeg aan wat instemmend geknor en geneuzel. Als ze maar het gevoel krijgt ernstig genomen te worden en er over haar probleem diep wordt nagedacht. Ik neem me voor heel geduldig te luisteren, alsof het de allereerste keer is, naar hetzelfde gezeik dat ik al tienmaal eerder heb gehoord. Het is altijd ergens goed voor. 't Is rot maar het is niet anders.

Aan een slakkengangetje rijd ik met de mooie Renata door de stad. Zij is omgeven door een bedwelmend geurtje. 'Ruik ik daar Chanel N°5, Renata? Mag ik Renata zeggen? Weet u dat Marilyn Monroe bij het slapengaan niet meer droeg dan een vleugje van dat spul?' Zij krijgt een hoog kleurtje en slaat de ogen neer. Zou het kunnen dat zij een beetje verlegen is? Hoe moet ik haar zwijgen interpreteren? Of vertelt zij mij dat zij al even karig gekleed gaat slapen terwijl die zatte haring samen met haar naakt onder de wol mag kruipen? Dat hij zijn geile zin met haar mag doen? Ik schuif mijn hand over haar knie op gevaar af daarvoor onmiddellijk op de vingers te worden getikt. Het is geen streling maar een helende handoplegging. Ik knijp zachtjes, troostend en bemoedigend. Een bijna onstoffelijke aanraking. Zij legt haar hand op de mijne en kijkt me bedwelmend aan uit de afgrond van haar blauwe ogen. Zouden we die dronkenlap niet even kunnen vergeten? Vraag ik het haar? Ik ken een paar leuke plekjes in het Zwin waar we vogeltjes kunnen kijken. Terstond zet ik die gedachte van me af. Eerst moet ik die zak veilig thuis brengen, belofte maakt schuld.

Bij de vierde kroeg is het bingo. Van in het deurgat zie ik de bonenstaak tegen de tapkast hangen. Hij staat met de rug naar mij gekeerd en even snel als ik hem opmerk besef ik dat ik met een vervelende blok aan mijn been kom te zitten als ik vandaag ook nog de eenzaamheid wil opfleuren van de mooie Renata, alleen gehuld in een wolkje parfum. Ik kan niet het middelste en de twee uiteinden willen. Mijn keuze is snel gemaakt. Ik maak een halve draai op mijn hielen en maak me uit de voeten. Ik heb niemand gezien.

'Geen succes, Renata.' zeg ik en wip achter het stuur. Ik stel voor haar naar huis te brengen en beloof later op de dag mijn zoektocht langs de Knokse kroegen te hernemen en haar in elk geval op de hoogte brengen van het resultaat. 'Tot straks.' – 'Vergeet me niet,' zegt ze.

Zij heeft soepele enkels, welgevormde kuiten en een kont die haar jurk doet wiegen als een vlag in de lentewind. 't Is een aangekondigd feest!

Ik keer terug naar die halve zool met zijn drankverslaving en zijn implantaat. Van zodra hij mij herkent, gaat hij met zijn armen zwaaien. Hoe uitgelaten hij ook is om mij weer te zien, ik zal geen respijt kennen tot hij tegen de vlakte gaat. We kraken al de flessen die op het schap staan, als het moet. We ledigen alle vaten uit de kelder. Ik wil hem murw, bewusteloos, knock-out. Tot honderd, neen, tot duizend wil ik hem uittellen.

Ik begin met hem te trakteren op een stevige kwak jenever. Zelf houd ik het bij een biertje. Ik laat de fles voor zijn neus zetten en schenk hem borrels in die net niet over de rand van het glas puilen. We drinken duikboten. Glazen bier waar je een vol borrelglas in laat zinken. Hij kapt ze achterover, ik giet de mijne voor meer dan de helft in de plantenbak. We drinken broederschap. En maar hijsen! We doen er uren over.

Buiten valt de schemer. Ik voel dat ik een snee in de neus begin te krijgen. Ik moet opletten dat ik er zelf niet als eerste onderdoor ga. De gedachte aan Renata houdt mij op de been. Ik moet mij matigen als ik er straks wat wil van bakken maar die rukker weet niet van opgeven. Hij is alweer aan de pure jenever toe terwijl ik het bij een tapje houd. Het is reeds nacht wanneer zijn hoofd zwaarder begint te wegen dan zijn benen. Hij is rijp voor de laatste ronde. Bij de volgende kopstoot die ik hem toedien gaat hij tegen het canvas. En hop! En nog eentje! Hij gaat nog niet zo makkelijk liggen als ik dacht, het is een taaie.

Met veel moeite heb ik hem in mijn auto kunnen hijsen en met nog veel meer moeite slepen we hem er uit, Renata en ik. Het schreien en het lachen staan haar even na. Zij weet niet goed wat zij over de hele situatie denken moet. Zij maakt mij geen verwijten maar een bedankje kan er ook niet af. We zeulen met het karkas de hal en de woonkamer door tot aan een lage bank. Die sprinkhaan weegt plots een ton. We rollen hem op het zitvlak van de canapé waar hij als een loden blok blijft liggen, op zijn rug, met zijn mond wijdopen. En zijn bril? Die moet onderweg verloren zijn gegaan. Laat maar, voor wat volgen moet heeft hij geen bril nodig. We geven hem nog een duwtje en doen hem een halve draai maken zodat hij met zijn gezicht naar de rugleuning komt te liggen. Renata onderzoekt zijn zakken maar meer dan wat wisselgeld kan zij niet vinden. Hij is platzak.

Mokka ligt te snurken op de bank. Ik neus wat rond in een nog onverkende hoek. Eén wand van de salon is bijna volledig in beslag genomen door ingelijste teksten, handgeschreven gedichten, de meeste met een persoonlijke opdracht, en foto's die vertellen over poëziedagen her en der waarop Renata rondfladdert als de muze van enkele nationale gloriën. Zij kent al dat mooie volk hoogstpersoonlijk, zo blijkt, en is daar behoorlijk fier op. Ze kent hele bundels uit het hoofd. Met tere vingers streelt zij de ruggen van de boeken in het rek, geen goedkope paperbacks maar dure en in leder gebonden uitgaven van de groten uit de wereldliteratuur.

Renata zet koffie in de keuken en maakt een paar sandwiches klaar. Terug in de woonkamer toont zij mij de aquarellen die zij maakt in haar vrije tijd, leuke dingetjes met landschapjes en vogeltjes en zeetjes. Het soort schilderijtjes die je maakt om je moeder een plezier te doen. Zij is er zelf heel fier op. In de galerie zouden ze niet misstaan als onderleggers bij een snelle hap tijdens het middaguur.

Omdat ik niet overloop van enthousiasme, diept zij vanachter het buffet een goed verborgen map met houtskooltekeningen op die me heel wat meer aanspreken. Dit is een andere Renata, een puur talent. Hier komt de donkere kant aan het licht van een gekwelde vrouw die een gezicht aan haar angsten probeert te geven. Ze evoceert een sombere wereld waarin zij zichzelf voorstelt als een soort Sneeuwwitje in gevangenschap dat onderworpen is aan de wil van kwaadaardige trollen en kobolden. Haar prins zit met zijn nek in de lus van een touw dat rond een tak hangt en geeft zijn witte paard de sporen. Hij, ze bedoelt haar man, heeft die dingen nooit te zien gekregen.

'Teken of schilder jij ook?' vraagt Renata. 'Neen. Van plastisch talent ben ik helemaal gespeend. Verder dan karikaturen maken van mijn leraren ben ik niet gekomen. Ik speel wat gitaar, zing een beetje, zelfs op de bühne en niet zonder succes.' – 'Klinkt leuk. En je brengt natuurlijk serenades onder het balkon van eenzame vrouwen.' – 'Hoogst zelden. Hun mannen zijn daar meestal niet mee gediend. Ik houd me liever gedeisd. Om te schrijven kan een mens die drukte missen.' – 'Schrijf je? Waarover?' – 'Over alles en nog wat, mensen, toestanden, over mezelf.' – 'Over wat je hebt meegemaakt?' – 'Onder andere. Maar ook over wat had kunnen voorvallen maar niet is gebeurd. Of nog niet is gebeurd. Maar fataal zal voorvallen omdat het in de sterren staat.' Geen tijd meer voor verdere inleidingen en in voorspel heb ik geen zin. Ik maak me van haar meester. 'Oh, wat doe je?'

Dat laat ik je meteen zien, geil stuk vreten. Ik heb mijn hand al tussen haar benen. Zij gaat onmiddellijk wijd, laat zich uit de zetel zakken, trekt mij mee op het kleed en zuigt zich aan mij vast. Ik snijd haar open als malse boter.

Eigenlijk is het een beetje mijn eigen fout als de opening van de galerie alweer op de lange baan wordt geschoven. De lichtbrenger is nu al vier weken aan de kruik, terwijl ik aan het kutje van zijn vrouw zit. Dag in dag uit zuipt hij zich het lazerus. Hij wordt zelfs niet meer nuchter. Plots heeft zij er geen bezwaar meer tegen dat hij zich te pletter drinkt. Ik hoef ook niet meer naar hem op zoek te gaan. Zij wil dat ik bij haar blijf, de mooie Renata. Zij heeft zich in het hoofdje gehaald dat ik voor haar ben geschapen en klaar sta om zijn plaats in te nemen. Wel, dan heb ik vandaag nieuws voor haar. Sinds vanmorgen pis ik namelijk scheermesjes. Ik ben bij de dokter langs geweest en zij heeft mij met een gloeiende druiper opgezadeld, die mooie Renata.

Meer heb ik niet nodig om weer voor de volle honderd procent met mijn hoofd bij het werk te zijn. Die galerie moet af, verdomd nog aan toe, nu geen smoesjes meer. Samen met Rolfie Tonne ga ik op zoek naar die janus. Ik pak hem in de kraag terwijl hij in de Falstaff aan de tap hangt. Het gaat als vanzelf. Hij weegt niets, zegt Rolfie, terwijl hij hem over zijn schouder gooit en d'r recht van het café mee naar de werf wandelt. We sluiten hem gewoon op in de kelder tot hij nuchter wordt. We hadden er eerder moeten aan denken. Als rantsoen laat ik een brood en een doos smeerkaas achter. En bakken koffie. Als hij morgen niet aan de slag gaat, krijgt hij op zijn lazer.

Als hij zijn roes heeft uitgeslapen duwt Rolfie hem met zijn kop in een emmer koud water. Tot hij om genade smeekt. Tot hij op zijn knieën bidt om zijn bestelwagentje uit de garage naast zijn huis te halen. Ik moet de sleutel maar aan zijn vrouw gaan vragen. Dat doe ik en meteen geef ik Renata de volle lading over wat zij mij heeft aangedaan. Zij is er de kop van in. Zij begrijpt er helemaal niets van. Omdat ik er heel wat langer over doe dan voorzien om terug te keren, staat Mokka nu op zijn beurt zenuwachtig te worden. Op die manier komen we er nooit.

Als een duivel gaat hij de volgende dagen aan de slag. Met een nuchtere kop is het een tovenaar in zijn vak. Hij trekt sleuven in de muren en het plafond om netjes kabels en bedrading te verbergen en plaatst op een perfecte manier de spots waar ik ze hebben wil. Overigens komt hij zelf met verschillende goede voorstellen voor een optimale belichting. Als hij werkt, dan werkt hij, het moet gezegd. In minder dan een week is hij klaar met de klus. Nu moet Rolfie aan de slag met de verfkwast en de galerie kan open voor het publiek. Een instuif kan ik mij besparen, want als de rekening voor installatie van elektriciteit en schilderwerk betaald zijn, mag ik het hieltje van de ham kluiven. Ik kan beter wachten tot ik een basiscliënteel heb gemaakt en weer wat flappen in de schuif heb.

Renata komt aangevlinderd in een zinnenstrelende outfit. Zij ziet er patent uit. 'Stiekemerd! Een kunstgalerie opstarten zonder officiële opening! – 'Ik hou niet van tromgeroffel.' – 'En evenmin een persoonlijk telefoontje om op het toekomstig succes te komen klinken.' – 'Dat wilde ik later doen.' – 'Nu de toegang toch vrij is hield ik er aan jou persoonlijk de factuur voor de installatie van de elektriciteit te overhandigen,' zegt zij. Om me in één moeite weer te lijmen, zeker? En ik die dacht dat zij voor mij van schaamte in een mollegat zou kruipen! Zij vertoont zelfs geen spatje gêne voor de uitbrander die ik haar onlangs heb gegeven. Zij tatert honderduit over alles en nog wat en vraagt mij terloops hoe het met mijn lul gaat, op een heel vrank toontje. 'Alles kits achter de rits?' Hoor ik daar de nodige ironie in haar woorden? Wat meer medeleven voor de aanslag, gepleegd op mijn mansdeel, zou hier gepast zijn. Pijn, angst en onthouding zijn mijn deel geweest. Door haar schuld.

Gelukkig was ik er snel weer vanaf. Slik de hele doos antibiotica maar in één keer naar binnen, zegde de apotheker. Ik legde de pillen in mijn handpalm en met een glas water klokte ik alles door mijn strot. Even later begon ik uit al mijn poriën tegelijk te stinken. Ik kon alleen maar hopen dat ik goed had geluisterd naar wat die pillendraaier mij had aanbevolen. Veiligheidshalve bleef ik dicht bij de telefoon om in geval van hoge nood alsnog de hulpdiensten te bellen om mijn maag leeg te pompen. Het ging vanzelf over.

'Ik was helemaal overhoop toen je mij vertelde dat je een druiper had opgelopen. Ik wist niet wat ik hoorde.' – 'Nou, meid, toen de dokter mij dat meedeelde, schrok ik wel even, dat kan ik je meegeven.' – 'Ik ben nog het hardst van al geschrokken, want bij mij kon je hem niet hebben gehaald.' – 'Hoezo? Ik begrijp het niet.' – 'Ik begreep evenmin waarom je mij daarvan de schuld gaf. Ik heb mij nog diezelfde dag laten onderzoeken door de gynaecoloog. Ik had helemaal geen gonorroe. Nooit gehad, die dokter was formeel.'

Zij was te verbouwereerd geweest om te reageren toen ik haar dat ontstellende nieuws in het gezicht smeet. Zij had niet eens durven protesteren omdat ik zo zeker van mijzelf leek. Zij vreesde mijn woede, zij was bang dat er klappen zouden vallen. Ik sta met mijn mond vol tanden. Een gewetensonderzoek dringt zich op. Zou het niet kunnen zijn dat ik, in de periode dat wij met elkaar neukten, ook nog in het wild heb geschoten en dat ik het vergeten ben? Zij stelt mij de vraag op heel delicate wijze om mijn gevoelens niet te kwetsen.

Het is waar dat ik van een tussendoortje heb geprofiteerd bij de tweelingzusjes Kruit en Lont, zoals ze hier bekend staan. Té gek, die meiden. Ze hadden me uitgenodigd om hun collectie te bekijken. Ze hebben me alles laten zien, ook hun slaapkamer.

'En heb ik jou dan niet aangestoken?' vraag ik. Ik kan het nog steeds niet geloven. 'Ik heb geluk gehad, lieverd. Het moet zich hebben voorgedaan tijdens de week van mijn maandstonden.' – 'Ik ben blij voor jou. Sorry, hoor.' – 'Ben je nu beter?' – 'Ik ben weer de oude.' Ik kan beweren wat ik wil, Renata wil bewijzen zien. Zoals ik daar op de stoel zit knielt zij voor mij neer, ritst mijn gulp open en onderwerpt mijn edele delen aan een liefdevol onderzoek. Zij gaat schrijlings op mijn schoot zitten, de lieve schat. We maken een nummertje. Ik trakteer haar direct op een royaal voorschot voor het werk door haar man gepresteerd. Zij belooft mij morgen terug te keren om het tweede schijfje in ontvangst te nemen et ainsi de suite. Zij is bereid elke dag terug te keren tot de volledige schuld is voldaan. Zij staat er immers een tijdje alleen voor. Sinds zijn laatste delirium tremens, vlak na de afwerking van de galerie, verblijft dat roze olifantje van haar voor onbepaalde tijd in een instelling om het drinken te verleren.

Ik stel voor hem samen te bezoeken en hem bij die gelegenheid een lekkere fles cadeau te doen. Daar kan Renata niet om lachen. Allesbehalve grappig, mijn opmerking. 'Denk je dat hij het grappig zou vinden dat jij hier op mijn schoot zit te karnen?' – 'Misschien geeft hij er geen donder om. Hij heeft me het laatste jaar niet meer aangeraakt en ik wil niet dat hij in de toekomst nog

een poot naar mij uitsteekt. Ik wil scheiden van hem. Dat wil ik!'
Zij gooit al direct een lijntje uit naar de toekomst. Zij ziet mij wel
zitten. Ik trek mijn oren in als een haas die gejaagd wordt. Ik vind
een truttig excuus om haar de deur uit te werken want over dat
onderwerp wil ik niet uitweiden. Op dat gebied heb ik al ruim
mijn gading gekregen, dame.

Verradelijke beelden

Van zogauw het nieuws de ronde doet dat er weer een ui op de markt is die ze kunnen pellen om soep van te koken, komen alle handelaartjes die met kunst bezig zijn als ratten uit de grond gekropen. Je weet niet waar ze vandaan blijven komen. Het is een klein wereldje waar iedereen de ander schijnt te kennen en om er een spoor door te trekken heb je blijkbaar niet veel meer nodig dan een radde tong, een hoop lef en weinig scrupules. Veel hoef je trouwens niet te weten over al de hedendaagse creaties. De meeste potsenmakers rotzooien maar wat aan en de kunstpausen brengen hun gelovigen in het licht door daar ex cathedra een hoop hooggeleerde onzin over te spuien. Gekker dan die lui kan je het moeilijk bedenken. Ze tateren er op los, hoofdzakelijk om zichzelf in het zonnetje te zetten. Je blijft maar beter nuchter bij al die afgoderij die nergens op slaat en duurder kost dan je eigen kop waard is. (Ik weet waarover ik spreek. Toen ik in dienst ging als potentieel kanonnenvoer werd mijn waarde geschat op 10 frank per dag, de prijs van twee glazen bier. Meer was een leven niet waard. Je mocht al blij zijn dat je overeind bleef met wat je daar te vreten kreeg.)
 't Is anders geen moeilijk cliënteel dat mijn handeltje aandoet. Het bestaat hoofdzakelijk uit mensen die hun ziel hebben verkocht en ze nu bij brokjes en beetjes terug willen halen om dat gat op te vullen met kunst of wat er voor doorgaat. Niet uit liefde voor de kunst of de ziel ervan maar uit pure hebzucht. Ze hebben hun geld niet in hun handen gedragen, die lui, maar in hun hart. Voor wat anders is daar nooit plaats gemaakt. Teveel geld en te weinig dromen. Hun jeugd is voorbij, hun idealen hebben ze lang geleden versjacherd en nu zitten ze tegen de leegte aan te kijken.

Onder de eerste hazen die hun oren komen opsteken in mijn klaverveld loopt onder andere Moshe Nirenstein, een handelsreiziger. Krulsnor, lijzig stemmetje en een elleboog die mij om de tien woorden aanstoot. Hij verkoopt touw in alle diktes en lengtes, van dikke reep tot bindgaren. Maar naast al dat sjorgerief biedt hij goedkope schilderijtjes aan die hij koopt op veilingen in plaatsen waar zijn reizen hem brengen en waar hij het land mee afzeult. 'Heb je geld?' is de enige vraag die hem op de tong brandt en hem vlammen doet spuwen als je ook maar een zweem van interesse voor zijn rommel toont.

De echtelieden Pimentel, twee Heiligen der Laatste Dagen, die mij na hun tweede bezoek al pogen in te lijven bij de Kerk van Mormon mits afdracht van tien percent van mijn inkomsten om zonder zorgen de eeuwigheid door te komen.

Dokter Zonnebank, levend in de overtuiging dat er op een dag een expert uit de doden zal opstaan om zijn verzameling namaak te verheffen tot een heiligdom dat in elk groot museum van de wereld zijn plaats verdient.

Ik leer elke dag bij. Ene meneer Meier, een arrogante zak, vraagt me of ik jood ben. Neen. Zie ik er zo uit? Of laat hij iedere man die hij ontmoet zijn broek afsteken om daar zekerheid over te krijgen? Als blijkt van niet, vraagt hij zich af wat ik in een branche als deze kom doen. Alsof het kunstdomein het privé jachtgebied is van de zonen en dochters van Israël. Om het internationaal ver te schoppen moet je tenminste besneden zijn, meent hij. En homo? Neen, meneer Meier, ik ben straight. Blijkt dat je het ook met je reet helemaal kunt maken in het vak.

Meneer Meier komt enkel binnen als hij niets anders om handen heeft, als hij zijn vrouw naar de kapper heeft gebracht en in de tijd dat hij op haar moet wachten, zich toch maar loopt te vervelen. Dan laat hij zijn schouders hangen en sleept hij met zijn voeten. Nochtans heb ik hem hier al voorbij zien dartelen als een jaarling in de wei, steeds in gezelschap van dezelfde spetter en steeds in de richting van de chique winkels. Zijn dochter, dacht ik bij mezelf toen ik hen voor het eerst voorbij zag komen, maar voor de etalage van de juwelier aan de overkant stond hij ongegeneerd haar billen te kneden. Als ik hem volgende keer tijdig met haar zie aankomen, ga ik in het deurgat staan en maak meteen een praatje. Dat kind wil ik ook eens aan de haak. Donker haar en ogen, helwitte tanden en een frivole zwier in de heupen. Een Roma in Chanel.

Op een dag komt hij aanwaaien met een van zijn vrienden, een aap met een gouden ring. Jean Salmèk. 't Is een sinister individu, een textieljood. Hij rijft fortuinen binnen met bluejeans die hij in Tunesië door de Arabieren laat vervaardigen om ze hier voor het twintigvoudige te slijten onder het merk dat zijn naam draagt. Sigaar, grote bek, een onuitstaanbare betweter die naast zijn schoenen loopt van pretentie. Hij begint mij al direct de les te spellen. Wie wil ik voor de gek houden met een tros eierschalen van ene Broodthaers? Met clowneske, uit hout gezaagde figuurtjes van ene Raveel? Of met een monochroom schildersdoek waar ene Fontana de ziel heeft proberen uit te snijden met een stiletto? Wat een decadentie! De cultuur wordt uit haar hengsels gelicht, de kunstwereld draait niet meer om zijn as, hij is er af gelazerd!

Salmèk beweert dol te zijn op kunst maar houdt niet van kunstenaars. 't Zijn etterbakken. Ik moest eens weten hoe dikwijls een aantal van die heren hem al voor schut hebben gezet. Niet mooi meer, ik zou het niet geloven. Een ding weet hij en schreeuwt hij luid van de daken: een goede kunstenaar is een dooie kunstenaar! Artiesten zijn pas hun geld waard als ze het loodje hebben gelegd. Alleen dan heeft hij er een flinke duit voor over. Als ik ooit het werk van een schilder met internationale faam heb aan te bieden, een lijk wel te verstaan, ben ik zijn man.

De volgende aaseter die binnen komt sluipen is een 180 kilogram wegend zoogdier, Floris Niedrig genaamd. Een man die alles weet, iedereen kent en op de hoogte is van het laatste nieuws, een troebelwatervisser. Als ik hem zo bekijk stopt hij zijn geld alleen waar zijn mond zit. Ik moet een beeldensokkel onder zijn krent schuiven omdat hij de spekmassa die zijn benen moeten torsen niet tussen de armleuningen van een stoel kan wringen.

Hij heeft net een expertisebureau voor Kunst met grote K opgericht en komt zijn diensten aanbieden. Als ik verneem wie zijn vennoot is in de zaak gaan mijn oren tuiten. De beruchte Louis Pêche-Merle zelf. Een heerschap dat nog geen maand geleden, na anderhalf jaar petoet, vervroegd is vrijgelaten. Die vogel had van zich doen spreken in het vak, dat is het minste wat je daarvan kan zeggen. Zijn reputatie had hij gekocht met andermans geld. Pêche wou een rijk leven leiden en dacht daarvoor de kwadratuur van de cirkel te hebben ontdekt. Hij speelde op de hebzucht en hij deed dat zeer handig. Hij ging naar zo'n verzamelaar toe, beloofde de man gouden bergen en wandelde met een kunstwerk onder arm naar buiten met de belofte het voor tweemaal zijn werkelijke waarde te zullen verkopen. Iedereen gelukkig dus, voor korte tijd. Met die schat reed hij recht naar een andere collectioneur en verpatste hem in no time voor de helft of een vierde van de prijs. Alleen tegen cash uiteraard. Dergelijke buitenkans liet geen enkele schrokhals zich ontglippen. Daarna sleepten ze samen, Niedrig en zijn maat Pêche-Merle, de buit naar de meisjes. Geld moest rollen, daarvoor was het gemaakt. Als die eerste verzamelaar wat ongeduldig werd, haalde hij hetzelfde trucje uit met iemand anders en bracht hem subito presto een voorschot. Bij welke gelegenheid hij die onnozele hals op een identieke manier nog een tweede en een derde werk afhandig maakte. 't Was een vlotte handel. Toen de politie hem op de nek viel was alles leeg, de kassa en het huis. Geld weg, schilderijen foetsie.

Hun laatste specialiteit, vertelt Niedrig me doodleuk, is het in kaart brengen van verzamelingen om efficiënter gestolen of verdwenen schilderijen op te sporen. Hij meent het. Hij méént het! Het kan niet anders of Pêche-Merle moet als tipgever voor de flikken aan de slag. Misschien was het een conditie voor zijn vrijlating. Veel nieuwe vrienden zal hij zich er in elk geval niet mee maken.

Tussen de oude zakken en hun versierde kerstbomen door is een van de eerste klanten die de galerie bezoekt, een jonge vrouw. Zij straalt zoveel licht uit dat beide mannen die haar vergezellen en haar op de huid zitten als waakhonden, oplossen in haar aura en vergaan tot schimmen. Zij doet een hete woestijnwind opsteken in mijn hoofd. Mijn keel droogt uit. Mijn ogen prikkelen. Ik hallucineer. Haar van vloeibaar goud, ogen van jade, een huid van zuiver albast. Zij is de mooiste onder alle vrouwen.

Het is dezelfde engel die ik gisteren in het kwijnende licht van de ondergaande zon uit de branding zag geboren worden, terwijl ik op een terras wat verstrooid aan een aperitief zat te nippen. Was het een zinsbegoocheling of was zij echt? Zij leek wel doorschijnend. Ik was ten prooi aan een onverklaarbare emotie. Sprakeloos keek ik haar na terwijl zij over het strand liep. De elementen waren even diep onder de indruk bij zoveel onstoffelijke schoonheid. In de wijde omtrek verbleekte alles bij haar verschijning. De wind ging liggen, het zonlicht beefde en zelfs de zee werd er stil bij. In de lucht hing een broos en vluchtig geluk.

En nu schrijdt zoveel onwezenlijke schoonheid over mijn bescheiden drempel, komt recht op mij af en steekt de hand uit om zichzelf voor te stellen. Uit haar mond waait een zwoele, zuigende wind. Met haar achternaam heet ze Roseau, als ik dat goed heb gehoord. Haar stem ruist als riet. Ze spreekt niet, ze fluistert. Alsof zij mij iets heeft mee te delen dat niet bestemd is voor de oren van beide mannen die mij recht aankijken en haar flankeren als geharnaste wachters. Het zijn twee gerenommeerde dichters. Ik ken hun kop, ik ken hun woorden. Niet langer dan enkele dagen geleden heb ik ze nog staan bekijken op de foto's die de wand van Renata sieren.

De ene, de Kale met zijn gepolijste schedel, is een zoon van de zee, een zanger van het water, die zijn wereldje graag mag choqueren met boude uitspraken. Ik weet dat hij naast zijn literaire activiteit ook grote, picturale ambities koestert. Zijn gedreven dichterschap sla ik echter veel hoger aan dan zijn plastische bedrevenheid. Ik begin al te vrezen dat hij la belle Roseau voorop zal sturen om zijn waar aan te prijzen en beslag te leggen op mijn muren. Ik zie het niet zitten, zijn ding is mijn ding niet, maar ik weet ook dat ik niet in staat zal zijn om neen tegen haar te zeggen. Ik zal haar niets kunnen weigeren. Niets. Ik ben een op voorhand verloren man.

De andere, die in geheimtaal zijn gelijke niet heeft wanneer hij de diepste roerselen van de menselijke ziel door de mixer haalt, heeft een voornaam en minzaam voorkomen. Hij lijkt wel potdoof te zijn. Het hoofd licht voorover gebogen, houdt hij zijn hand als een schelp aan zijn oor wanneer hun muze beide heren verzoekt ons even alleen te laten. Van de eerste keer snapt hij het niet. Met een knipoog doet de Kale de Dove teken hem te volgen.

Ze gaan wat snuffelen tussen de spullen die tegen de muur staan opgesteld. 'Kijk niet te nauw,' zeg ik. 'Het is een rommeltje. Eigenlijk had ik beter een paar weken gewacht om de deur open te zetten tot alles geïnstalleerd en geschilderd was, maar het seizoen aan zee is te kort.' De Kale knort wat binnensmonds. De Dove, die waarschijnlijk niet eens heeft gehoord wat ik heb gezegd, beaamt de woorden die mijn lippen hebben gevormd met een glimlach. Alles had al weken geleden kunnen staan blinken, maar na het verlet van de heer Mokka is het nu de beurt aan Rolfie om mij zijn kat te sturen. Sinds meer dan een week heb ik hem niet gehoord of gezien en blijven de wanden onbeschilderd.

Juffrouw Roseau vraagt me of ik geïnteresseerd ben in het kopen van een schilderij. Hoe zou ik neen kunnen zeggen? Wat zou ik haar kunnen weigeren? Zelfs zonder een cent op zak zeg ik volmondig ja tegen haar. Ik voel mij een onnozele hals terwijl ik mijn beste voetje sta voor te zetten. Zij pauzeert even, monstert mij en laat mij verstaan dat het om meer gaat dan alleen maar centen. Zij heeft niet eender wat in de aanbieding. 't Is meer een gevoelsaffaire, ze laat zich haar hartenbloed aftappen. Daarom moet een deal met de nodige omzichtigheid worden afgehandeld en moet ik absolute discretie garanderen.

Het werk, waar zij het wil over hebben, is in het bezit van een zeer voorname familie en de eigenaar wil onder geen enkel beding dat er ruchtbaarheid wordt gegeven aan de zaak, daar mag niet het minste misverstand over bestaan. Over de prijs wordt niet onderhandeld, de betaling gebeurt in contanten en als het er ooit op aankomt zal achteraf zelfs koudweg worden ontkend dat de transactie heeft plaatsgevonden. Nou, nou. En dat alles vertelt zij mij met haar hese fluisterstem terwijl zij mij verschroeit met haar ogen die als gloeiende kolen tussen haar wimpers liggen te vunzen. La Roseau maakt de regels, la Roseau stelt de voorwaarden, la Roseau bepaalt het spel.

Zij heeft mij erg nieuwsgierig gemaakt, niet alleen naar het werk maar eveneens naar het mysterie dat er omheen hangt. 'Kan ik misschien eerst even zien waar het over gaat?' De Dove, die de map met het staatsgeheim draagt, heeft de vraag niet begrepen. De Kale, die weer naast haar is komen staan, vraagt nogal bot of ik daar het geld voor heb. Hij begint me op de zenuwen te werken. Hij komt mijn droom verstoren. Wat heeft hij hier te zoeken als hij reeds op voorhand twijfelt aan mijn mogelijkheden? 'Het kijkgeld heb in ieder geval.' – 'Ik ken alleen koopgeld.' Ik zeg hem dat alles navenant is, zowel de prijs als wat hij daarvoor te bieden heeft. Geld zou geen probleem mogen zijn als dat voor zijn waar ook het geval is. Als hij de vraagprijs lanceert zal ik gauw genoeg weten wat hij in zijn broek heeft. Indien het veel te duur uitvalt, is hij maar de zoveelste tussenpersoon in de zaak en wens ik misschien niet eens met hem te onderhandelen. Indien veel te goedkoop is het vals of gestolen. 'Laat maar eens zien wat u hebt.'

Als ik de foto bekijk die juffrouw Roseau mij aanreikt, is het alsof ik water zie branden. Is deze freule door het lot op mijn weg gezet om mij van verbazing in verrassing te doen vallen? Eerst haar komst en nu dit beeld dat zich aan mij voordoet als een klein wonder. Wat zij mij toont is niet zomaar een schilderij maar een onvolprezen meesterwerk, een icoon van het surrealisme en van de moderne kunst tout court. Dé Pijp! Niet minder dan het veelbesproken werk van René Magritte dat een pijp voorstelt, waarvan hij in het enigmatische onderschrift tegelijkertijd beweert dat het geen pijp is die je ziet: *Ceci n'est pas une pipe*. (Dit is geen pijp). Bijna even beroemd en zeker even raadselachtig als de glimlach van de Mona Lisa, waarvan wordt beweerd dat zij eigenlijk geen vrouw is maar een man.

Maar wat meer is... Aan datzelfde schilderij meen ik een vage herinnering te hebben die heel ver terug gaat, naar mijn vroegste kinderjaren, of verder nog, naar een vorig leven bijna. Heb ik het als peuter gezien bij mijn oma? Dan moet dat tijdens de oorlogsjaren zijn geweest. Is het in de oorlogsbrand gebleven? Of zag ik het bij de jood Blijwater die aan de andere kant van het stadje woonde en waar oma haar stille zaakjes mee dreef. Steentjes. Goud. Kunst. Het laatste wat hij had te verkopen was het huis waar ik later zelf in zou gaan wonen en waar mijn vrouw nu mokt achter neergelaten rolluiken. Kort nadien verdween hij en werd nooit meer teruggezien.

Voor alle duidelijkheid zegt la Roseau mij dat het niet gaat om het gekende werk maar om een tweede versie ervan. Deze verschilt van de eerste versie in die zin dat op het gekende schilderij uit 1929 de kunstenaar een pijp heeft afgebeeld met een sierlijk gekromde steel terwijl dit werk een pijp met rechte steel voorstelt. In die gebogen steel kan je de glimlach van de Mona Lisa zien, in de tweede de lijn die het mysterie onderstreept.

'En?' Daar hoor ik de zware bariton van de ridder-dichter weer, van de kaalkop natuurlijk. 'Hebt u het geld daarvoor?' Ik kijk die knaap recht en vrank in de ogen om hem te tonen dat ik niet zomaar uit het lood ben te slaan terwijl ik alle moeite van de wereld heb om mijn opwinding te verbergen. Koeltjes zeg ik: 'Ceci n'est pas un tableau. Dit is geen schilderij.' De andere valt bijna achterover. 'Hoezo?' – 'Dit is een afbeelding van het schilderij.' La Roseau schiet in de lach, hij gromt omdat ik hem op het verkeerde been heb gezet. 'Al bij al een beetje mager om reeds alleen over geld te spreken. Beschikt u ook over het schilderij? Dát bedoel ik.' En daar is zij weer met haar gloeiende kolen van ogen en haar lijzig stemgeluid. 'Maakt u zich daar maar geen zorgen over. Het werk bestaat echt, wij zijn alleen aan het onderzoeken of er interesse voor bestaat.'

Interesse? Zij beseft niet half hoe belangrijk dat ding is. Bepaalde verzamelaars zouden er een arm of een been voor geven. Huizen als Sotheby's of Christie's charteren een vliegtuig en sturen de bezitter ervan een delegatie met bloemen en een fanfare om het binnen te rijven en op het omslag van hun cataloog te mogen reproduceren.

'Ja, er moet zeker interesse bestaan. Ik kan eens polsen. Als de prijs redelijk is wil ik overwegen om het zelf te kopen.' – 'Wat is het waard?' vraagt La Roseau. Ik sla de ogen ten hemel alsof alleen de engelen daar een uitgesproken mening over hebben.

Wat het waard is? Wat de zot er voor geeft. Of iemand die prijs nu redelijk vindt of onredelijk. 'Wat is de prijs?' vraag ik. Zij kijken mij om beurten aan en dan weer elkaar. Daar hebben ze klaarblijkelijk nog niet teveel over nagedacht. Stelletje amateurs! Ze gaan tewerk met de natte vinger. 'Dat hoort ú toch te weten. U zijt de verkopers.' Ik leg hen uit dat de waarde van een kunstwerk erg relatief is en zeer persoonlijk, maar dat er altijd wel een prijs op te kleven valt.

Ze vragen mijn advies maar ik laat niet eens het achterste van mijn tong zien. We spreken af dat ik de zaak zal onderzoeken en dat zij over een weekje zullen terugkeren, de tijd die ik nodig heb om mij te documenteren en hier en daar wat rond te vragen. In alle discretie, uiteraard. Van mijn kant reken ik er op dat zij nergens anders heen lopen om het schilderij aan te bieden.

Ik vraag een kaartje aan la Roseau maar de Kale wijst even direct als onverbiddelijk mijn verzoek af. Geen kaartjes, geen uitwisseling van adressen. Hij en hij alleen zal instaan voor verdere contacten tussen partijen, zoals hij dat uitdrukt. Eustachius, de dove met zijn minzame kop, staat er bij te glimlachen en knikt. Hij heeft waarschijnlijk van onze hele conversatie geen woord opgestoken en lijkt voor de rust van allen iedereen gelijk te geven. Hij ziet er best tevreden uit

We spreken af voor volgende zondag. Ik neem zoveel als een optie tot aankoop maar kan niets op papier zetten omdat er geen concrete prijs kan worden afgesproken.

Wanneer het curieuze gezelschap de deur uit is ga ik op de bank zitten, op haar plaats, om haar warmte te voelen en in mij op te nemen. Ik sluit de ogen. Is zij er echt geweest? Heb ik haar gezien? Aangeraakt? Ik kan gerust zijn, zij heeft een tastbaar bewijs achtergelaten. Naast mij ligt een bruine envelop die zij heeft vergeten. Ik ben niet zinnens achter hen aan te lopen om dat ding af te geven, oh neen. Ik wil het bewaren tot zij spontaan terugkeert. Alleen. Indien zij het omslag ophaalt in het gezelschap van haar engelbewaarders zeg ik dat ik niets heb gevonden. Dat zij het ergens anders moet hebben achtergelaten of vergeten. Ik ben nieuwsgierig naar de inhoud.

Ik vind een uitnodiging voor de opening van een nieuwe kunstgalerie in de stad Brugge met een tentoonstelling van Vrouwelijk Naakt. Verder zijn er alleen foto's van haar in flou artistique, gedenkplaatjes. Mag ik het vermoeden koesteren dat zij die expres heeft laten slingeren?

Om van niemand te worden gestoord doe ik de deur op de knip en trek me terug in het gore, vochtige keldertje, dat dringend toe is aan een opknapbeurt. Ik sidder en beef op mijn benen als ik de foto op bijna sacrale wijze uit de enveloppe trek om mij vleselijk aan haar beeld te verlustigen.

De foto waar enkel haar gezicht is op te zien heeft op mijn verbeelding dezelfde magische werking als de Roseau van vlees en bloed. De fotograaf moet hetzelfde magnetisme hebben ervaren. De strak achterover gekamde haren, het hoge voorhoofd, de wenkbrauwbogen die zich als de vleugels van een opvliegende vogel uitstrekken en een schaduw werpen over het diffuse licht van haar ogen, de gespreide neusvleugels boven die gulzige, slurpende mond, geschapen om te zoenen en te pijpen en de pruilende onderlip die smeekt om gebeten te worden. Ik ruk me suf.

Ik loop op wollen benen. De mooie Roseau geeft mij geen respijt. Zij blijft maar komen, overdag en bij nacht. Haar beeld brengt mijn hoofd op hol, loopt weg met mijn hart en stuurt mijn handen. Als de week om is berg ik de foto's weer op en verbeid de terugkeer van haar vlees en bloed.

Ik ga op de bank zitten van waar ik haar entree niet kan missen. Haar manier van lopen fascineert me. Zij bezit dezelfde natuurlijke gratie als de vrouwen van eboniet wanneer ze met een waterkruik op het hoofd door de savanne stappen. Zij schrijdt voort op haar lange benen met een trage, bijna lome gang, waarbij zij lichtjes door de knieën veert. Haar heupen wenken zonder uit te dagen terwijl zij over de straat zweeft als in een vertraagde film. Zij loopt op wolken. Haar voeten lijken de aarde niet te raken. Zij draagt haar borstjes hoog op een steile tors en houdt alleen het hoofd lichtjes voorover gebogen alsof zij wat verlegen is.

De voorbije week heb ik meer aan juffrouw Roseau liggen denken dan goed is voor een man. Meer dan aan het schilderij met de pijp. Ik verwacht haar. Zij heeft gebeld dat ze vandaag alleen komt. Haar beide poëten laat ze thuis. Ondanks de klaarte van de spots licht de galerie helemaal op als zij binnentreedt en even ben ik verblind.

Het is schitterend weer en ze is gehuld in bijna niets meer dan een doordringend, dierlijk parfum. Kleren heeft zij nauwelijks om het mooie lijf. Zij is heel ontspannen en legt zich te spinnen in de luie zetel. Ik zie het al voor me. Vanavond gaan we iets eten in een knusse tent, nadien ergens wat drinken, achteraf een dansje om het lijfelijk contact te bevorderen, en dan samen de koffer in. Allemaal voor de kunst.

Zij legt de bloemrijke zijden sjaal af die om haar schouders gedrapeerd ligt en onthult aldus, alleen voor mij, de wijnvlek tussen haar borsten. Hartvormig. Rood en warm als bloed. Roodborstje zal zij heten.

Ik krijg geen respijt. Amper ben ik aan haar zijde gaan zitten om op adem te komen van de emotie die zij heeft teweeggebracht of daar valt Eustachius ons op de nek als een prooivogel, legt zijn klauwen op haar schouders en voert haar mee.

Ceci est une pipe

Ik pik Roodborstje op aan het station van Oostende. Daar hebben we, ergens in een bank, een afspraak met de Kaalkop. We zijn behoorlijk gespannen want vandaag wordt ons het wonder van De Pijp geopenbaard.

De eigenaar wil komaf maken met de verkoop, maar hem zullen we niet te zien krijgen. Hij verkiest volledig in de schaduw te blijven, is mij verteld. Om de grootste discretie te waarborgen aangaande zijn oorsprong zal het werk in een bankkluis worden gestopt en enkel te bezichtigen zijn als er een zeer ernstige koper opdaagt. Ongezonde nieuwsgierigheid moet worden gemeden als de pest. Geen druipneuzen, enkel rijke snufferds mogen er aan komen ruiken. Ik val dus onder de laatste categorie, voorlopig althans. Dat heb ik aan Roodborstje te danken. Zij heeft haar gezellen, de Kale en Eustachius, in de waan gebracht dat ik niet eens diep in mijn zakken hoef te tasten om de zaak direct af te ronden. Zoiets doet het boontje, dat zij voor mij heeft, alleen maar zachter smaken.

Voor het eerst in jaren zal dat schilderij het licht zien en zullen vreemde ogen het in het echt mogen aanschouwen. Mogen aanschouwen, zo heeft de Kale het gezegd. Alsof het gaat om een onaardse verschijning. Voor mij is dit in zekere zin wel zo, hoewel ik dat niet aan de dichter zijn pief zal hangen. Hij zal hoogstpersoonlijk instaan voor het transport en het opbergen van het werk. Hier, op deze en geen andere plaats, omdat de bankier een familielid en vertrouweling is van de eigenaar. Hij heeft de opdracht een eerste selectie door te voeren van de kopers. Hij zit er als het ware om je kop af te bijten. 't Is een fijne psycholoog, naar het schijnt. Bij hem ga je zo door de mand.

Ik zie de Kale met de buit al aankomen onder veel vlagvertoon, want daar is hij goed in. Daarna zullen we onder heilige stilte een verborgen zaal in de tempel van het Gouden Kalf betreden en priester Kaalkop zal mirre en wierook branden als het altaar opengaat. Zo stel ik het me voor. Daarna zal hij de stool omdoen en het icoon, dat vast in een fluwelen doek is gewikkeld, aan ons blootstellen voor een eerste dankgebed. Nadat hij ons geduld lang genoeg op de proef heeft gesteld zal hij ons de eerste code van het geheim in het oor fluisteren. Het kostenplaatje.

In plaats van er voor te knielen zal ik evenwel zijn relikwie moeten profaneren door de prijs te kraken. Het zal vloeken worden in de kerk. Wat een gedoe! Welke troef houdt die verzendraaier achter de hand? Kan hij niet gewoon kleur bekennen, het loven beginnen en het bieden aan mij overlaten?

'Wij komen het schilderij van Magritte bekijken, meneer.' – 'Dat is er nog niet.' – 'Oh...' – 'De afspraak was om tien uur. U zijt precies op tijd. Komt er in.' – 'Dank u. Mag ik u de koper voorstellen?' zegt Roodborstje met een uitgestreken gezicht. Die bankier, een jonge vent nog, staat al onmiddellijk op haar te geilen. Zij heeft het in de gaten. 'Tevens mijn verloofde,' laat zij er op volgen om hem direct de pas af te snijden. En die bankier daarop, zonder zich uit zijn lood te laten slaan: 'Dag, meneer de geluksvogel, zal ik maar zeggen.' Zo ziet hij ze graag, zijn klanten. Jong, de zakken flink gespekt en omringd door schoonheid. Zo staan ze op de reclamefolders van zijn instelling. Ik ben gesneden brood voor hem.

De bankier geeft mij een stevige poot. 't Is een vlotte jongen, helemaal in de stijl van onze dichter. Hij komt recht uit een Amerikaanse film. Dikke sigaar in zijn bek, neerhangende stropdas, losse boord en opgerolde mouwen, zo'n exemplaar dat denkt dat hij de wereld in pacht heeft. Nog geen minuut later weten we al dat Mister Wall Street zijn strepen aan de andere kant van de oceaan heeft verdiend, bij de grote jongens.

Ik heb door mijn vastgoedverleden al een beetje ervaring met bankiers en of ze nu uit een doosje komen, netjes afgeborsteld, in driedelig pak en met glimmende schoenen, of informeel gekleed lopen, het blijven verkapte beurzensnijders. Als je enkel een broek hebt om te dragen, rukken ze je die van het lijf en als je paleizen bezit luidt hun opdracht van hogerhand die van de kelder tot de zolder leeg te halen.

Haar verloofde? Juffrouw Roseau heeft mij bij verrassing gepakt. Zij wil dat ik een rol speel waar ik niet op voorbereid ben maar ik zal mijn uiterste best doen om haar niet te ontgoochelen. Plots ga ik me gedragen alsof ik al tien jaar met haar ben getrouwd, en we hebben nog niet eens de wittebroodsweken in het vooruitzicht. Toch begin ik al erg speelse gedachten in die richting te koesteren.

Over zichzelf heeft zij nog niet veel losgelaten. Roodborstje houdt het mysterie rond haar activiteiten en haar persoontje onder haar vleugeltjes. Zij woont in de buurt van Antwerpen, in de buurt, zegt ze, maar een precieze plaats of een straatnaam krijg ik niet te horen. Ik insisteer niet. Misschien wil ik het niet eens weten. Ik zal mijn best doen om in haar aanwezigheid de rol van perfecte gentleman te spelen, op en top een heer te zijn, en alle gedachten die mij op een dwaalspoor kunnen brengen uit te bannen. Dat wil niet zo goed lukken. Ik denk dat ik verliefd ben.

Om juffrouw Roseau beter te kunnen 'aanschouwen' laat de bankier ons niet in een wachtkamer zitten suffen maar inviteert ons direct in zijn kantoor en biedt ons een diepe, knusse zetel aan. Vanuit zijn bureaustoel heeft hij een prachtig zicht op de kortgerokte benen van mijn verloofde en laat duidelijk blijken dat hij van meer kan genieten in het leven dan van droge cijfers.

De firma van mijn familie kent hij van reputatie en ik laat hem geloven dat ik daar een flink stuk van in mijn zak heb. Hij begint al direct eieren onder mij te leggen. Ik blaas mijn kaken op zoals ik dat mijn klanten al vaak heb zien doen. Het werkt. De bankier denkt algauw dat ik in staat ben zijn hele handel te kopen. Met een vingerknip laat hij zijn personeel opdraven. Zijn secretaresse moet koffie voor ons zetten en een andere onderknuppel krijgt het bevel om koekjes te halen voor de juffrouw en cognac voor mij. Hij legt ons in de watten. Als ik ooit kredieten nodig heb, moet ik maar mijn mond open doen. Kredieten? Waar haalt hij het? Ik weet niet eens hoe ik al het overtollige geld moet uitgeven, zeg ik hem, terwijl ik met grote manieren de sigaar probeer op te roken die hij mij heeft aangeboden. Ik zou liever eens horen hoe hij er mij van af kan helpen, wat nu volgens hem de meest winstgevende manier van beleggen is. Teveel poen, dat is pas een probleem, het overvalt je als een lawine en je moet er veilig zien onderuit te komen.

Zo zit ik hier aan één stuk door een half uur lang uit mijn nek te kletsen, de patente snoeshaan, net zoals ik Meier eens heb horen bazuinen tegen een paar van zijn vrienden. Die mannen zaten met hetzelfde probleem. Ik wist godverdomme niet eens waar zij het over hadden. Meenden zij dat echt, van dat geld? Hoe kan iemand zo rijk zijn dat hij er tot over de oren in zit? Vertel dat eens aan de gewone man! Ik ben al blij als ik de dagelijkse kost voor het kauwen heb.

Die bankier zit me met open mond aan te gapen. Meestal krijgt hij schooiers over de vloer maar van mijn Knokse complimenten gaan zijn oren flapperen. Hij houdt zijn papiersnijder in de aanslag om me te schillen als een appeltje. Hij zet zich schrap om me te melken. Het is nu zijn beurt om te praten en al de honig die de bank in de pot heeft aan mijn baard te smeren. Net op tijd, want ik heb stilaan de grenzen van mijn fantasie bereikt en weet begot niet waar ik het met de man verder moet over hebben. Intussen daagt de Kale maar niet op.

Roodborstje en ik bekijken elkaar. Een dik uur later is haar vriend de dichter er nog niet en per telefoon is hij niet te bereiken. Wat een improvisatie! Ik ben wat wrevelig maar tegenover haar wil ik dat niet laten blijken. Op haar kan ik niet boos zijn.

De bankier ligt, net als ik, te smelten in de warmte van het licht dat Roodborstje uitstraalt en even vermoed ik dat hij haar zelfs het rekeningnummer van de Kale met saldo en al zal geven, maar om zichzelf te beschermen tegen zoveel onbereikbare schoonheid, kruipt hij weg onder zijn beroepsgeheim als een tor onder een steen. Hij blijft een cijferaar als het er op aan komt.

De Kale stuurt zijn kat. Naarmate de tijd verstrijkt wordt dat met de minuut duidelijker. Ik wil zelfs niet meer wachten tot sluitingsuur. Om geen gezichtsverlies te lijden tegenover de bankier, verlaat ik zijn kantoor met een krakende vloek aan het adres van de Kale. Even later staan we op straat.

'Malle dichter,' zegt Roodborstje, 'ik begin te geloven dat hij een spelletje speelt.' – 'Een spelletje? Wat is dat voor onzin?' – 'Ik weet het niet. Gisteravond toen hij belde om de afspraak te bevestigen klonk hij raar, een beetje te vrolijk naar mijn zin.' – 'Was hij dronken?' – 'Goed op weg in elk geval. Of al een eind over de schreef. De achtergrondmuziek kwam uit een jukebox.' – 'Hij ligt zijn roes uit te slapen, als je het mij vraagt. Potverdorie! Er zijn leukere dingen om de tijd zoek te maken dan mensen te laten opdraven voor een spookbeeld. Heb jij het werk in het echt al gezien?' – 'Neen, maar ik weet dat het bestaat.'

Weet je wat ik denk? Ik heb zo'n vaag vermoeden dat iemand met dat werk op de vlucht is. Waarom anders al die geheimzinnigheid? Dat stiekeme gedoe? Niet koosjer! In plaats van een antwoord, krijg ik er elke keer een vraag bij. De zaak heeft een aangebrand kantje. Zo begin ik er over te denken.

Ik zit er mee in mijn maag. Roodborstje haalt haar schouders op, ze tilt niet zwaar aan het verstek dat PS heeft laten gaan. PS? Zo noemt zij de Kale. PS van Post Scriptum, omdat hij na het schrijven snakt naar liefde en drank, zoals hij haar in een van zijn warmhartige brieven heeft toevertrouwd. Post scriptum amandum et bibendum est! Hij heeft enkele gedichten aan haar gewijd en het gebeurt vaak dat hij haar tijdens een drinkgelag, als de bubbels overlopen, opbelt om haar onder de bekoring te brengen van zijn woorden. Dan gaat hij zich graag te buiten aan cryptische liefdesverklaringen waarvan het haar niet altijd lukt de betekenis te doorgronden. Het vermoeden is soms boeiender dan het weten. 'Maar hij is niet mijn minnaar,' preciseert zij. Zij leest het ongeloof op mijn gezicht. 'Hoe graag hij dat ook zou willen. Idem voor zijn vriend Eustachius,' voegt zij daar met een minzaam glimlachje aan toe.

PS en Eustachius, zij houdt van beiden en eert hun geschriften maar ze zijn zowel in de liefde als in de taal soms zo moeilijk te begrijpen. 't Zijn twee handen op een buik. Ze rijmen op elkaar als het ware. En in gecodeerd taalgebruik moet de ene niet voor de andere onderdoen.

'Mag ik dan een lied voor je zingen in gewone mensentaal?' – 'Zing jij?' – 'Als ik me gelukkig voel. En dat is vandaag het geval.'

– 'Ben je dan niet ontgoocheld?' – 'Niet in het minst, om de waarheid te zeggen. Ik heb mijn gitaar in de kofferbak liggen, dus dat komt goed uit.' – 'Enig! Ik vreesde al dat je me hier ter plekke zou laten staan na onze mislukte afspraak.' – 'Jij bent mijn verloofde, remember! Jij wordt eens mijn vrouw...' – 'Niet te hard van stapel, troubadour.' – '... in goede en kwade dagen.' – 'Deze dag is wel begonnen als een van de minste.' – 'Hij kan eindigen als de beste. Nil desperandum, zeg ik altijd. Nooit wanhopen.' – 'Sorry. Het kwam spontaan in me op je als mijn verloofde voor te stellen omdat ik die bankman nogal opdringerig vond.' – 'Ik kon mij onmiddellijk inleven.' Wat een ontwapenende glimlach heeft zij.

Ik wil dat zij de rest van de dag met mij doorbrengt. Aan andere dingen wil ik niet meer denken. Fuck Post Scriptum! Fuck De Pijp! Ik rij met haar naar de duinen. Roodborstje ligt heel ontspannen op de passagierszetel en zegt dat zij zich voelt als een geschaakte bruid die op weg is om de mooiste tijd van haar leven mee te maken. Dat valt niet in dovemansoren.

Ik stop ergens in het midden van de duinengordel tussen Blankenberge en Wenduine. We klauteren naar de kam die ons zicht geeft op zowel de zee als de polders. Om het haar zo gerieflijk mogelijk te maken, spreid ik een plaid uit over het zand. Als we neerliggen verdwijnen we helemaal tussen het helmgras. Het is een zalig ogenblik.

Ik improviseer voor haar een ballade op een melodietje dat al dagenlang in mijn hoofd speelt. Zij is onder de indruk. Ik heb nooit zo goed en zo graag gezongen. Ik maal er mijn ganse repertorium door met een diep ontroerd Roodborstje als enige publiek en de zee als decor. Het is mijn beste optreden ooit. Moest ik datzelfde gevoel en diezelfde overtuiging kunnen opbrengen op een podium, dan zou ik van al dat gekoer wis en zeker een carrière kunnen bakken.

Post cantum amandum et bibendum est. Na het lied moeten wij ons overgeven aan de roes van drank en liefde. Bij gebrek aan drank laten wij ons helemaal afbranden door de gloed van de lieve lust. Wij liggen elkaar af te lebberen tot wij speeksel tekort komen. Wat een heerlijke brok natuur! Ik ben in bloedvorm. Ik zou zowaar ter plaatse open kunnen knallen.

Ik lik het zand uit haar oren en haar nek, het kruipt in mijn ogen, onder mijn nagels en tussen mijn tanden, het zit in mijn kleren en het plakt op mijn huid. Ik lig met mijn snuit tussen haar tietjes te wroeten. Ik lig als een gek tegen haar aan te schuren, ik wil haar pluimen maar Roodborstje spreidt haar staartje niet, zij houdt haar vlerkjes dicht en spant haar veertjes.

Ik wil naar een andere plek. Droogneuken is mijn ding niet. Zij wil blijven, zij heeft het hier best naar haar zin. Is er iets heerlijker dan lief te hebben in de vrije natuur, rijdend op de aarde, deinend over het water, badend in het zonlicht? Inderdaad, zaliger bestaat niet als je ook ergens met je vingers aan mag zitten. Zij laat mij alle mogelijke vrijpostigheden toe zolang het boven de kleren blijft en onder de knie. Misschien dat zij ooit eens, later, wie weet, de mijne zal zijn. Misschien. Zoals in de liedjes. Zij belooft niets.

Ik moet een list bedenken. Omdat ik fameus wat honger begin te krijgen, stel ik voor naar Knokke te rijden en daar een broodje te kopen. Daarna halen we in mijn huis handdoeken en trekken we naar het uiteinde van het Zwin om in zee te zwemmen. Ze maakt niet eens bezwaar omdat ze geen zwempak bij heeft, dat zit snor. 'Naakt?' vraagt ze plots. 'Naakt,' antwoord ik heel gedecideerd. Zij geeft me weer die stralende glimlach. 'Haal je maar niets in je hoofd,' zegt ze. 'Dat doe ik niet.' – 'Ik meen het.' Ja, meisje, bazel maar. Pruttel maar een beetje tegen, dat windt mij extra op. Je weet niet half wat je te wachten staat. Geil mij maar op door die beentjes dicht te knijpen als een verstokte maagd. Ik krijg je wel. Straks maak ik je zo gek als een mus. Misschien halen we in mijn huis niet eens de slaapkamer en spijker ik je vast op de trap. Mijn spel knelt zo hard in mijn broek dat het pijn doet.

Als ik de voordeur openmaak hoor ik de stofzuiger kabaal maken. Ik heb pas een poetsvrouw aangenomen. Verrek! Totaal vergeten dat zij vandaag aan de slag ging. Zij is de sleutel gaan ophalen bij het agentschap, het was zo afgesproken. Ik kan haar moeilijk van de eerste dag weer naar huis sturen, anders komt zij zeker niet terug. Ik zeg haar dat zij maar moet doen alsof zij thuis is. 'Mijn verloofde,' zeg ik. Het is nu mijn beurt om Roodborstje op die manier voor te stellen. Aan de poetsvrouw nog wel. 'Ik toon haar even het huis.' – 'Boven is het nog een rommeltje, hoor,' zegt ze. Hoe is haar naam? 'Hoe heet u eigenlijk, mevrouw?' – 'Lydie.' – 'Maakt niets uit, Lydie. Ik heb alleen badhanddoeken nodig.'

We bestijgen de trap. Rommel of niet, ik lok haar naar de slaapkamer. Ik ben botergeil, maar ik hoed mij er wel voor daar iets te laten van merken. Ik hang de galante jongen uit. Ik schaam mij bijna voor mijn paal die opstuwt naar haar kruis als ik haar in mijn armen neem. Ik trek mijn bekken terug maar zij gaat er naar op zoek met haar soepele lenden. Zij plooit zich als een wissen tak helemaal onder mij door. Mijn handen voelen de taaie spieren golven in haar rug als zij haar onderlijf tegen me aan wrijft als een karnton. Ik heb buskruit in mijn broek, een ontlading kan niet uitblijven. Ik moet haast maken.

Zij fluit het spelletje af omdat beneden de stofzuiger is stilgevallen. Ik had het niet eens gemerkt. Ze vindt het maar niks dat er iemand staat te luistervinken terwijl hier elk ogenblik een spetterend liefdesvuurwerk kan losbarsten. Ze wil naar het Zwin, daar hebben we de open ruimte en zullen we tenminste in alle rust van elkaar kunnen genieten.

In een slakkengangetje rijden we langs de eeuwenoude Graaf Jansdijk door de weiden naar het natuurreservaat. De ooievaars klapperen met hun bek om ons te verwelkomen. Ze zijn steeds op post om de pakjes thuis te bezorgen die hier worden gemaakt. Ik rijd zover ik kan en dan wandelen we verder te voet tot aan het strand. In de kom van een duin spreiden we onze handdoeken uit en gaan we even neerliggen om uit te blazen.

Met grote aandrang begin ik haar te knuffelen, lik haar hals en oortjes. Zij laat zich zonder pramen ontdoen van haar bovenkleding en sluit de ogen wanneer mijn bevende hand bezit neemt van haar tietjes. Met ongeduld daal ik af, nieuwsgierig naar de kleur en de begroeiing van haar geheime hofje. Ik wil de opening vinden om deze met de vingers te ontsluiten en te loven met de mond. Heeft zij roze lipjes zoals haar goudblonde haar laat vermoeden? Weldra zal ik haar bekennen en mijn dolk diep in haar schede tot rust laten komen. Ik wrik aan de koppel van haar broeksband maar zij legt haar hand heel beslist op de mijne en sluit elke toegang af. Zij geeft niet toe. Tot daar en niet verder, geen millimeter.

Ik neem het op in een lachen, wat moet ik anders? Een doorgang forceren? Ik zou het mezelf nooit vergeven. Ik wil niet ontkennen dat ik daar gedurende enkele seconden ernstig aan denk. Wie zou het mij kwalijk nemen? Die meid laat zich meetronen maar als kutje bij paaltje komt, blaast zij het feest af. Ik sta voor lul. Ik moet het beest in mij aan banden leggen. Zij wil het op een geen enkele manier met mij doen. Niet met de mond, niet met het handje, niet met het gaatje. Ik moet maar aan mijn eigen trekken zien te komen. Onder dwang van de natuur draag ik mijn liefdesmis op voor haar en pleng een eenzaam offer. Op een vlekkeloos witte handdoek van het kwaliteitsmerk De Witte-Lietaer.

Roodborstje gaat tekeer met haar tong, tuit haar lippen, slikt mijn eikel naar binnen en zet mij het beste pijpje dat mij in mijn leven is te beurt gevallen. Het lijkt of met mijn zaad ook mijn leven uit mij wegvloeit. Meteen kom ik tot het verbijsterend maar verhelderend inzicht van wat Magritte nu eigenlijk bedoelde met zijn pijp die geen pijp is. Mag ik het cru zeggen? 't Is afzuigen, met andere woorden, de liefdesdienst die een geliefde met gulzige lippen en een gretige tong aan het staande wapen van de minnaar bewijst.

Terwijl ik half lig te sterven zweef ik weg op een blauwe wolk die niet is geboren uit de zeeën maar opgestegen uit een doodgewone pijp.

Ben ik ingedommeld en schiet ik wakker uit een natte droom? Ontwaak ik uit een korte coma? Mijn buik en schaamhaar zitten onder de smurrie. Roodborstje zit op haar knieën met de handdoek tot onder haar kin tegen haar borst geklemd en kijkt me aan. Zij heeft glimmende ogen en een vochtige mond.

Op zoek

Nu ik meen de code te hebben gekraakt van de tekst op het schilderij van Magritte en weet wat er uit dat schouwtje rookt, wil ik naar het object zelf op zoek. Van langsom meer besef dat ik dat op eigen kracht zal moeten doen. Ik zal alleen op mezelf kunnen rekenen. Van de Ridder-Dichters hoef ik niet veel heil te verwachten. Ze dagen op als het hen uitkomt en tot hiertoe steeds met lege woorden en lege handen.

Ik ga bij de duivel te biechten. Ik bel Pêche-Merle op. Hij die over de zeven kunstzeeën ter kaap'ren is gevaren, elk hoekje heeft verkend in elke krocht en vele geheimen kent, moet zeker op de hoogte zijn van het bestaan van de Pijp en naar alle waarschijnlijkheid weten waar ik die kan vinden. En even waarschijnlijk zal dat zijn op een plaats waar hij zelf geen voet meer kan zetten zonder de schedel te worden ingeslagen. 'Even mijn agenda raadplegen,' zegt hij. Drukdoenerij zoals het een veel gesolliciteerd zakenman betaamt. Hij kan echter al een uur later met me afspreken. Hij stelt voor naar me toe te komen maar ik wil hem niet over de vloer. Ik ga zelf wel.

Louis Pêche-Merle, de perfecte kameleon. Goedlachs, joviaal, met de sluwe charme van de geboren oplichter. Eén brok kleverige stroop als hij vliegen moet vangen en een explosief mengsel als hij tegen de ondankbaarheid van de wereld tekeer gaat. Binnen de seconde schakelt hij met het grootste gemak over van de ene gemoedstoestand naar de andere.

Met de nodige trots toont hij mij de apparatuur die hij zich heeft aangeschaft om kunstwerken door te lichten. De allerlaatste snufjes voor het wetenschappelijk onderzoek! De perfectie! Hier staat voor veel meer dan een habbekrats, teveel ineens voor een berooide klootzak. Als ik de opmerking maak dat die hele installatie een fortuin moet hebben gekost, trekt hij achteloos zijn schouders op. ''t Is maar geld,' zegt hij 'en geld is voor mij nooit een probleem geweest.' Dat was ik even vergeten. 'Neem nu dat röntgenapparaat,' vervolgt hij, 'weet je waar ik dat vandaan heb? Van een vriend radioloog. Voor hem was het afgedankt en afgeschreven materiaal. Voor een schijntje gekocht.' Of geruild voor een werk dat hij nooit heeft betaald. 'De klanten lopen storm om hun oude werken te laten doorlichten.'

Een klant is in geen velden of wegen te bekennen. De telefoon rinkelt wel constant maar aan het lichtje van de verdeelkast te zien is het telkens de binnenlijn die functioneert. Hij laat zich verdorie opbellen uit het huis om indruk te maken. Tot vandaag verzorgt de dochter van zijn lief het secretariaatswerk, vertelt Pêche me zonder dat ik daar naar vraag, maar hij zoekt goed personeel want de zaken ziet hij op zeer korte tijd de hoogste vlucht nemen. Hij verwijdert zich even naar achteren om een brief te dicteren. Door het melkglas in de deur dat zijn bureau in tweeën snijdt, kan ik alleen vage vormen onderscheiden maar wel genoeg om te zien dat hij met zijn handen onder de rokken van dat kind zit terwijl hij de inhoud van zijn brief in haar oor fluistert.

Op het gebied van de vrouwtjes had Pêche eveneens een stevige reputatie opgebouwd. Knap kan je hem niet noemen, in feite ziet hij er niet uit, maar hij is als geen ander van de tongriem gesneden. Wat de dames uit zijn kringen van hun echtgenoot niet krijgen had hij wel ergens onder zijn mantel verborgen zitten. Zoals hij deed met hun kunstwerken ging hij er af en toe met de vrouw van een collectioneur vandoor. Over het algemeen rotverwende dames die hun lege uren vullen met geld over de balk te gooien. Het moet hem worden nagegeven dat hij de dames altijd mooi heeft teruggebracht. Alleen als dat mens een gewillige erfgename was, mocht ze blijven tot de laatste duit was opgemaakt.

Zijn laatste vriendin, Melodie, heeft hij in de goot getrokken. 't Is een wat verslenste schoonheid die nu aan de kost komt als afzuipster in een bar. Toen hij zijn dagen telde in de doos, zweette zij in de peeskamertjes van het roemruchte Glazen Straatje in de vurige Gentse buurt. Zo kon ze hem elke dag gaan bezoeken in de stadsgevangenis. Ze wilde nu eenmaal bij hem zijn, overal en voor altijd. Ik ken Melodie niet persoonlijk maar ik heb des te meer over haar horen spreken door Rolfie Tonne. Hij kwam geregeld bij haar over de vloer, toen ze nog werkte in een keet in de Warme Landen. Hoe meer ze dronk hoe zwaarmoediger ze werd. Tot ze van pure ellende in haar glas zat te snikken. Ze had haar deel van de shit over zich heen gekregen, het moet gezegd.

Ik vertel Pêche-Merle hoe ik achter de diepe betekenis ben gekomen van de boodschap die onder de Pijp staat geschreven. Hij onthaalt mijn uitleg op hetzelfde krankzinnige lachje dat vaak in griezelfilms te horen valt. Hij lacht met een kopstem, zo hard en zo hoog, alsof het in die bovenkamer van hem niet helemaal pluis is. De gedachte dat Magritte aan net hetzelfde moet hebben gedacht toen hij die tekst onder de Pijp zette windt hem op. De schilder zelf zou mijn verklaring volmondig hebben beaamd. Psychologen hadden daar al allerlei diepzinnige theorieën over ontwikkeld, kunstpausen orakelden dat je niet een pijp maar de reproductie van een pijp waarneemt en dat het daarom dus geen pijp is, en voor elke andere debiele uitleg kon je nog steeds bij de kunsthandel terecht. Magritte, een meester in het zaaien van verwarring, had daar tijdens zijn leven nog een schepje bovenop gedaan.

Ja, hoor, ik zou het best wel eens bij het rechte eind kunnen hebben. Hij heeft de kunstenaar goed gekend. 't Was een sloeber, onze René, een geile beer. Hij speelde spelletjes met zijn mooie Georgette. Je hoeft er zijn brieven maar op na te lezen. Hij wist wel hoe je de wereld moest misleiden, met zijn truttig uitzicht van burgermannetje, steeds netjes in het pak en met een stropdas om. Met een suffe bolhoed op zijn kop als hij zijn hondje uitliet. Zo kwam hij hier vaak voorbij gewandeld als hij in Knokke verbleef. En thuis liet hij zich fotograferen, gekleed als een heer van stand, aan zijn schildersezel gezeten, terwijl hij dubbele bodems aan het leggen was onder de wonderlijkste van zijn meesterwerken.

Pêche-Merle suggereert me voor de Pijp even een lijntje uit te werpen bij Paul Magritte, de jongste broer van de kunstenaar. 't

Is een musicus die ook gedichten schrijft. Hij woont op amper een boogscheut hiervandaan, in Zeebrugge, en was redelijk close met zijn broer. Misschien heeft hij zelfs nog wat leuke dingen te koop. Pêche geeft me nog wat goede raad mee. 'Ga vooral niet met mijn groeten.' Hinnikend laat hij datzelfde zotte lachje horen. Hij komt niet meer bij.

Het is zonnig weer en ik rijd naar Zeebrugge met de fiets. Zij opent de deur, hij wacht me op in de hal. Zestigers, charmante lui, heel bescheiden. De echtelieden Magritte bewonen een appartement met uitzicht op de duinen en leiden een teruggetrokken bestaan. Van het mondaine Knokke en het swingende leven in de kuststeden hebben ze zich ogenschijnlijk nooit wat aangetrokken. Ik krijg onmiddellijk een kopje thee met een koekje aangeboden.

Ik ga zijdelings op mijn doel af. Bij mijn vertelling over de Pijp rakelt Paul met enige weemoed de herinnering op aan de opmerking die zijn broer had gemaakt toen een van zijn vrienden tijdens de Duitse bezetting een boek over zijn oeuvre wilde uitgeven, waarin hij het bewuste werk zou opnemen. Daar verzette de kunstenaar zich tegen. Hij wilde dat schilderij daar onder geen beding in afgebeeld zien. Daarvoor was het ogenblik te slecht gekozen. Hij vreesde dat voor de nazi's zo'n maffe voorstelling op zichzelf al een voorwendsel kon zijn om hem krankzinnig te verklaren en op te sluiten in een gekkenhuis. Bij die smeerlappen vloog je voor minder in het asiel.

Paul laat mij rustig mijn verhaal doen maar maakt me gauw duidelijk dat ik op het verkeerde spoor zit en dat hij mij geen stap verder kan helpen. Zelfs niet de minste hint kan hij me geven. Bij het verlaten van het atelier gaat zo'n werk trouwens zijn eigen leven leiden, net als een mens. Soms duikt het om een of andere reden onder en verdwijnt het zonder een spoor achter te laten. Een aantal werken zijn op die manier verspreid na het faillissement van Galerie Le Centaure in 1932 en van enkele is, om wat voor reden ook, nooit meer iets vernomen.

Hij denkt niet dat het bij Georgette, de weduwe van René, is achtergebleven, hij herinnert zich zelfs niet het daar ooit te hebben gezien. Sinds het overlijden van zijn broer houdt Paul geen contact meer met haar, dat vrouwmens – celle-là – zoals hij het uitdrukt. De laatste maal dat zij elkaar hebben gezien was op de begrafenis van René.

Als herinnering aan het verleden toont hij mij een vroege potloodtekening, uitgevoerd in kubistische stijl die Paul voorstelt als pianist en aan hem is opgedragen. Het moet zijn gemaakt in de tijd dat de kunstenaar aan de kost kwam als tekenaar van motieven voor behangpapier. Het werkje is in bar slechte staat, een vod. Getekend op een papier van slechte kwaliteit vertoont het bovendien diepe, gekraakte plooien in kruisvorm en rafelige randen omdat het lange tijd dubbel gevouwen heeft gezeten. Zoals een liefdesbrief die iemand zijn leven lang in het geheim heeft gekoesterd en openslaat in zijn eenzaamste uur om er nieuwe hoop of troost in te vinden. Heeft Paul die tekening jarenlang als een dierbaar souvenir op zijn hart gedragen? Herinnerde het hem aan de tijd dat zij als wezen nauw met elkaar waren verbonden na het verlies van hun moeder die in het sombere water van de Samber een eind aan haar leven had gemaakt? Of hield hij het op zak om zichzelf, naamloze schaduw, bij een bepaalde gelegenheid interessant te maken en de roem van zijn broer over zich te laten schijnen omdat zij dezelfde naam droegen en van hetzelfde bloed waren? Om ook iemand te zijn in plaats van Mister Nobody. Of heeft dat papier gedurende een halve eeuw, dichtgeplooid en vergeten, in een doos gelegen tussen vergeelde foto's en is het er pas weer uit gevist nadat de meester tot godheid was verheven? Ik durf het hem niet te vragen.

Nu is de tekening op een drager gekleefd en netjes ingelijst. Ze wacht op een koper maar de bezitters zijn te trots om mij op de man af een deal voor te stellen, ik voel het. Ze naderen op hun sokken. Ze worden oud, hebben het niet breed, etcetera. Ik vraag of ze niet wat kleurrijkers in de aanbieding hebben. Van een broer mag je toch verwachten dat hij met wat anders uit kan pakken dan het onderste uit de prullenbak.

Weer kijken ze elkaar aan en na een hoofdknikje van Paul trekt zijn vrouw een lade open en haalt er een kartonnen map uit. Daarin zit alweer een blad papier waar de schilder zijn penseel enkele keren droog heeft aan gewreven. En als bij toeval zijn uit die vegen vormen ontstaan als de vage aanzet van een voorstelling die hij gehoopt heeft ooit eens af te werken. Een jonge blonde vrouw, erg bleek van huid, waarvan het lichaam half in de schaduw blijft, steunend met de hand op een koude, grijze rots tegen de achtergrond van een dieprood baldakijn. Links van haar, op de voorgrond, brandt een fel vuur en uit de rechterhoek komen sneeuwvlokken aangewaaid. Hij zal zijn dagje niet hebben gehad. Het kan bijna niet anders of hij heeft het zijn broer in een moment van ontmoediging in handen geduwd omdat het onder zijn ogen uit zou zijn. 't Is een onding. Ik voel dat ze er op gebrand zijn die halfbakken gouache liefst zo snel mogelijk te gelde te maken nu de vraag groeit en de prijzen stijgen.

'Ik durf het haast niet te vragen,' zeg ik, met een uitdrukking op mijn smoel alsof ik heiligschennis bega, 'maar ik heb me al suf gezocht naar enig betaalbaar werk van de meester. Niet makkelijk voor een jonge handelaar, dat kan ik u meegeven. Ik ben Croesus niet en de prijzen zijn niet meer bij te houden.' Ze kijken elkaar aan. Ze hebben een vis aan de haak en willen hem op het droge trekken.

Ze hebben vast al hier en daar gepolst en weten inmiddels dat zij met niet één van hun prullen terecht kunnen bij de kieskeurige verzamelaar. Ze moeten iemand vinden met modder in de ogen. Of een Nieuwe Rijke die het wil hebben omwille van de Naam om in een gesprek over kunst zoveel mogelijk nulletjes van banknoten te kunnen spuwen.

Na nog een thee en een paar zoetigheden komen we een prijs overeen en schrijf ik een cheque uit. De dekking is net toereikend maar daarna zit ik tegen de bodem van de kas aan te kijken. Vanaf nu moet ik rekenen op de stand van de sterren en hopen dat de hemel mij gunstig gezind is. Wanneer ik die twee vodden in een harde kaft op het stoeltje van mijn fiets bind, krijg ik het gevoel dat ik tijdens de heenreis evengoed mijn geld in zee had kunnen gooien. Of beter een korte stop had gemaakt bij het casino om het beginnergeluk uit te proberen. Op de bonnefooi dan maar...

Het wordt een meevaller. Dikke Floris Niedrig loodst mij binnen bij een oude vriend van hem, een fabrikant uit het Kortrijkse, die hij van advies dient. We worden ontvangen in een huis waar alle licht wordt geweerd en de rolluiken netjes naar beneden zijn gelaten. We doorkruisen gangen en kamers als door de buik van een piramide tot we door de vrouw des huizes in een kille ruimte worden achtergelaten. Eén spaarlampje aan de wand moet ons wegwijs maken. 't Is net een graftombe. Zware, donker geboende meubelen in gesculpteerde eik, oosterse tapijten op de vloer en aan de muren zeventiende-eeuwse religieuze schilderijen of slechte kopieën daarvan, het ene tafereel al lelijker dan het andere. Alleen maar narigheid. Van de hele lijdensweg van Christus, waarin alle acteurs omkomen van ellende, tot het einde der tijden. Je zal je dagen maar doorbrengen tussen deze kettingreactie van tegenspoed en tranen.

De jezusfreak helpt me al meteen af van de zwaar geteisterde tekening. Ik verkoop ze hem als ingelijst verdriet, want het kadertje mag er best wezen. Dikke Floris kletst wat uit zijn nek over het tragische lot van de pianist die net als zijn broer op het punt stond een wereldster te worden toen hij bij een ongeluk twee vingers verloor. 'Nietwaar?' zegt de dikke tegen me. En dan tegen de andere: 'Kijk maar, je kunt het duidelijk zien.' Die verminkte hand zit natuurlijk net gevangen in de plooi die dwars over de tekening heen loopt. Hij vertelt hem ook dat wij dat pareltje rechtstreeks uit de nalatenschap van Paul Magritte hebben verkregen. De dikke weer tegen mij: 'Nietwaar?' Hij kijkt me dwingend aan. Wat kan ik anders doen dan het te beamen. Arme Paul. Daarnet was hij enkel twee vingers kwijt, nu heeft hij er al het hachje bij ingeschoten ook. Het weze mij tot troost dat het niet erger kan.

Kort daarop verkoop ik de gouache in een vingerknip aan die rijke stinkerd van een Salmèk. Voor ik de tijd krijg ze deftig te laten inlijsten, rukt hij ze bijna uit mijn handen. Hij staat er bij te kwijlen. Even vrees ik nog dat het misloopt want terwijl wij op het punt staan de zaak af te handelen, krijgt hij een telefoon die hem buiten zichzelf brengt. Hij bijt zijn dikke sigaar aan stukken, trapt de poes die zijn been aait in een hoek, scheldt zijn correspondent voor rot en schijt voor hetzelfde geld zijn vrouw, zijn kinderen en zijn personeel uit. Ik heb al geen zin meer om hem gelijk wat te verpatsen. Wat een zak! Ik heb echter geen keuze. Mijn cheque is ingediend bij de bank en morgen staat het water me tot aan de lippen.

Terwijl ik wacht op het eind van de scheldkanonnade kijk ik wat rond en in de gang naar zijn bureau voel ik de bodem onder mijn voeten wegzinken. Op een van de reclamefoto's aan de wand zie ik in half profiel het snoetje met de omfloerste blik en de raadselachtige glimlach van Roodborstje, de strakke kont gehuld in nauwsluitende jeans en de blote rug naar mij gekeerd. Of toch in elk geval iemand die sterk op haar lijkt. Zou die lompe hurk haar kennen? Heeft hij misschien in ruil voor modellenwerk al van haar gunsten mogen genieten? Nu ga ik hem pas echt haten.

Terwijl zich op wondere wijze de metamorfose voltrekt van deze ruwe keperstof voor werkmansbroeken die rond haar billen verandert in een tweede huid van glanzende zijde, komt de broekverkoper op mij afgestapt en stopt mij in zeven haasten een bundel bankbriefjes toe. Hij veegt zijn hand af aan zijn mouw alsof er nog restjes zweet of bloed aan kleven. Ik vraag hem maar niet of hij Roodborstje kent. Ik maak me uit de voeten. Ik ben al blij dat ik de buit binnen heb en kan niet snel genoeg weg komen.

Kunstzinnig naakt

Met de uitnodiging die ik heb verdonkermaand uit de envelop met de foto's van Roodborstje, stap ik de nieuwe galerie binnen waar een lokale beroemdheid tentoonstelt. De meester van het vrouwelijk naakt, als je de streekkrant mag geloven. Over enkele dagen moet ik trouwens in deze mooie, dooie stad Brugge een optreden verzorgen. Een goede reden dus om de buurt te verkennen. Om de waarheid te zeggen ben ik hier in de enige en heimelijke hoop La Roseau weer te zien en het liefst van al niet in het gezelschap van de Heren Dichters. Nog steeds ken ik haar adres niet en aan telefoneren schijnt zij een hekel te hebben. Zij heeft mij verteld dat zij nog steeds inwoont bij haar moeder en niet wilt dat het arme mens voortdurend door een van haar rare vrienden om een of andere nonsensikale reden wordt lastiggevallen.

Ik loop al direct mijn bezoekers van het eerste uur tegen het lijf. Dokter Zonnebank in het gezelschap van Dikke Floris Niedrig, alsook meneer Meier met aan zijn arm diezelfde donkerharige meid waar hij zich soms mee vertoont, een spetter om je lek op te rijden. We maken een praatje. Haar moeder heeft een kroeg in de buurt van Knokke en zelf komt zij daar af en toe de tap slaan. 'Kom eens langs,' zegt de spetter. Dat heb ik goed in mijn oren geknoopt.

De galeriste die mij verwelkomt als ware ik een vriend van jaren is een meisje van veertig, goed in de lach en in het vlees, met een kort spannend rokje om d'r dikke reet. Zij heeft net een toastje verorberd en likt onder wellustig gegrom en met gesloten ogen haar vingertoppen schoon alsof het eikels zijn. Best een lekkere brok en een ontstellend contrast met de vrouwen op de schilderijen die haar muren ontsieren. De artiest zat duidelijk niet met haar in gedachten bij de creatie van zijn konterfeitsels. Aan zijn doeken hangt geen verf en aan die meiden geen vlees. 't Zijn zombies. Ze zweven tussen leven en dood, zijn modellen, 't is kantje boord. Het zijn kleurloze, donker omrande hongerlichamen in een artificiële pose met de nadruk op het schaamhaar dat overwegend zwart is met hier en daar een rooie of een blonde toef tussen om de eentonigheid te breken. Ze zitten dikker in het haar dan in het vlees.

Bij elke stap wordt het erger. Een etalage van de Grote Hongersnood, dat krijg ik te zien, een stoet van kampslachtoffers. Uitgemergelde, kleurloze kapstokken, te schriel om kleren aan op te hangen. De schilder heeft met het mes aan zijn modellen gezeten in plaats van met het penseel. Enkel nog het geraamte schiet over. Als je goed luistert hoor je uit de muren, tussen het vrolijke rumoer van de aanwezigen, een langgerekt geweeklaag opstijgen van stemmen die voor eeuwig verloren zijn en tevergeefs om verlossing smeken. Wat een verschrikking! Arme meiden! Met wat er van hun knoken nog valt af te kluiven, houd je zelfs geen hond meer zoet. Misschien kan je er soep van koken maar een stijve krijg je er niet van.

Het zal de tijdsgeest wel zijn. Twijgje draagt de kroon. De boonstaak regeert! Magerzucht is mode en alles wat een rok draagt wordt in naam daarvan geterroriseerd door een stelletje homo's die deze lekkere druiven ontpitten en afpellen tot er geen vlees meer aanzit, alleen maar om ze te doen lijken op de efeben waarvoor zij in het stof kruipen. Ik zal van geluk mogen spreken als deze wandelende takken mij de volgende nachten niet bezoeken in mijn slaap.

Over de diepere zin van deze vertoning laat ik me graag voorlichten door dat mollige mens met haar aanstekelijke eetlust. Als ik haar aanspreek denkt zij onmiddellijk een koper aan de haak te hebben. Zij slooft zich uit, zij is erg handtastelijk, ze sleurt mij aan de mouw mee van het ene onding naar het andere. Zij doet echt haar best. Volgens haar heeft de wijze van expressie, hier geëtaleerd, alles te maken met vergeestelijking, met onthechting en uitgepuurd verlangen, wat uit haar vlezige mond een ietsepietsie ongeloofwaardig klinkt. Ascese is het laatste waar ik aan denk bij het smekken van haar lippen en de heidense geilheid waarmee zij de hapjes die worden rondgebracht op haar tong legt en met geloken ogen in haar mond ontvangt. Zij slaat geen beurt over.

Wat mij opvalt is dat van geen enkele vrouw het aangezicht is te zien. Ze zijn geschilderd op de rug, opzij, in half profiel en als er al eentje in vooraanzicht is afgebeeld draait zij haar hoofd weg van de toeschouwer. Maar dat is volgens de tokkende kloek nu net het mysterie. Het eeuwig vrouwelijke dat ons fascineert maar zijn geheimen niet prijsgeeft. Hoewel ik geen zeven sluiers moet zien vallen om te weten wat zij te bieden heeft, schiet zij onbewust raak. Als versteend blijf ik staan voor het schilderij van een jonge vrouw wiens haar als een voile voor haar ogen hangt. Op haar bleke huid, tussen haar borsten, vlamt een dieprode vlek op die zij de toeschouwer aanbiedt als een bloedend hart. Volgens Hapje is het een getatoeëerde bloem, maar ik weet wel beter. Ik mag verdomd zijn als dat Roodborstje niet is die voor dat werk model heeft gestaan. Zij moet de kunstenaar kennen. Hoe komt zij anders aan de uitnodiging voor deze tentoonstelling? Daar wil ik meer over vernemen, vastbesloten als ik ben elk spoor dat naar haar leidt na te trekken. Ik kan niet snel genoeg zo dicht mogelijk bij haar komen.

Hapje lacht fijntjes als ik haar vraag wie de modellen zijn die voor de kunstenaar poseren. Zijn ze hier? Komen ze nog om zich ook in levende lijve te laten bewonderen? Benieuwd hoe ze er in het echt mogen uitzien. Zij bekijkt me laatdunkend alsof ik uit ben op een gemakkelijke wip. Als ik mijn ogen de kost wil geven, zijn er bij het aanwezige publiek genoeg welgevormde vrouwen die model kunnen staan. Ik moet toegeven dat er enkele lekkere wijven tussen lopen. Vraag is natuurlijk hoe gelukkig zij zelf zijn met het resultaat van de gedaanteverwisseling die ze op het doek hebben ondergaan.

Ik overweeg ernstig om mij dat lelijke schilderij aan te schaffen omwille van de afschuwelijke schoonheid die dat uitgerukte hart, die bloedvlek, die wijnvlek, of wat het ook moge wezen, verleent aan het model. Meier heeft het geroken want hij koopt het weg voor mijn neus. Het perfecte portret van het hete stuk dat hem vergezelt, beweert hij. Ik zie het verband niet, noch valt mij enige gelijkenis op. Zijn vriendin is donkerharig en stevig gevleesd terwijl het afgebeelde model blond is en vel over been. Hij is mij zand in de ogen aan het strooien. Hij brengt me op een dwaalspoor. Wat weet hij over Roodborstje en is het naar zijn gevoel de schilder gelukt haar ziel op de punt van zijn penseel te prikken?

Ik feliciteer hem met zijn aanwinst maar meen er geen woord van. Als ik de spetter even apart neem en vraag of zij voor het schilderij model heeft gestaan neemt zij onmiddellijk een pose aan. Zij doet daar heel geheimzinnig over. Nee dus. Alsof dat ene reet verschil maakt. Ik vraag haar of er toevallig een roos of iets dergelijks tussen haar tieten getatoeëerd staat. Ze laat me verstaan dat ik maar eens langs moet komen om dat uit te zoeken.

Hoe langer ik mij tussen de schare van bewonderaars beweeg hoe meer dames ik ontmoet die beweren dat ze voor de meester hebben geposeerd. Moeilijk hebben ze het daar niet mee omdat niemand te herkennen valt. De enige eigenschap die voor een liefhebber vergelijkend studiemateriaal zou kunnen opleveren en die hen van elkaar kan onderscheiden is de dikte en de kleur van hun kuthaar. Van pluisjeswol tot scheerkwast. Want daar heeft de meester verf noch moeite voor gespaard.

Er wordt gefezeld dat ze op zijn schildersezel afkomen als vliegen op een koeienvlaai. Dixit Dikke Floris. Naast wat plaatselijke roem als schilder heeft de man ook aan een stevige reputatie als vrouwenverleider gebouwd. Dat moet zijn geloofwaardigheid als artiest ten goede komen. Je hoort hier heel wat sterke verhalen daaromtrent. 't Is Blauwbaard zelf als je de helft van de legende mag geloven. Hij wordt met afgunst bekeken door de mannen uit zijn entourage, terwijl hun vrouwen in de rij zouden staan om zijn penseel te hanteren. Ze verdrummen elkaar om aan de beurt te komen, ze wippen uit de kleren om geschilderd en gepakt te worden. Geen wonder dat hij scherp staat als een bok. Hij doet ook alle moeite om er op te lijken. Hij rolt zijn wenkbrauwen in een krul en laat een sikje groeien. Zie hem zweven boven het grauw. Hij kijkt wat verwaand boven de koppen uit, de meester, met zijn lavallière en zijn Franse alpenmuts en hanteert warempel ook een zwarte wandelstok met zilveren handvat die hij over zijn schouder rolt. De lokale Sire die wat geblaseerd zijn scepter zwaait.

Ik laat mij door Hapje voorstellen aan de kunstenaar, zeg hem dat ik een galerietje heb geopend aan de kust en dat ik graag een bezoek zou brengen aan zijn atelier. Met het oog op de toekomst, een mens weet maar nooit. Momenteel stel ik een allegaartje ten toon, als ik het oneerbiedig mag uitdrukken, maar ik denk er aan individuele tentoonstellingen te organiseren.

Ik sta hem voor te liegen hoe geweldig ik zijn werk wel vind, hoe boeiend en vernieuwend. Ik geef geen ene moer om die shit maar ik heb er bij wijze van spreken een vinger voor over om aan de weet te komen waar ik het meisje met de rode vlek tussen haar borsten kan vinden. Dat verzwijg ik hem natuurlijk. Ik laat uitschijnen hoe jammer ik het vind dat ik net dat schilderij voor mijn neus heb zien verkopen. Ik had het zo graag gewild. Hij bekijkt me. 'Kom volgende week langs. Misschien heb ik een verrassing voor je. Spreek af met mijn vrouw, zij houdt mijn agenda bij.' Zijn agenda!

'En dat meisje,' waag ik nog, 'dat model? Wat een intrigerend figuur! En dan al die diepzinnige symboliek die er achter schuilgaat. Is dat godenkind hier in de zaal of wordt zij verwacht?' De scheppende geest lacht geheimzinnig, lurkt zuinig aan zijn sigaartje en tuurt naar de hemel alsof hem vandaar alle ingeving wordt doorgestraald. Hij speelt het handig, hij geeft geen antwoord. Het mysterie moet in stand worden gehouden. Van de meester zal ik 't niet te horen krijgen, hij past wel op.

Ik naar zijn vrouw dus. Het is dat mens dat hier snaterend, zonder gêne en zonder ondergoed, ronddartelt in een doorschijnend kleed met een heus takkenbos tussen de benen. Je kunt er niet naast kijken. 't Is een struik ter grootte van een volwassen cavia waarmee ze loopt te pronken. Zij wil duidelijk de goegemeente een beetje stangen, het is haar rol. Zij wil over de tong gaan en laat zich daarom graag bewonderen in haar doorzichtig wasgoed onder en boven.

Cavia heeft het heel druk, zij noteert verkopen en bestellingen van een aantal bewonderaars die de waar van schilder Sik hogelijk prijzen. Aan succes ontbreekt het hem kennelijk niet.

Zijn scharminkels verkopen als warme broodjes. De mensen zijn er dol op. Er wordt zelfs geruzied voor een van die meesterwerken. Voor het schilderij van het meisje met de grootste baard wordt er ei zo na op de vuist gegaan. "Schriel Naakt met Bosgezicht" zou je het kunnen noemen. Tenminste drie kopers willen het hebben. De meester houdt zich afzijdig van het gekakel. Het is zijn vrouw die de gemoederen moet bedaren. Zij neemt de mannen om beurten apart. Haar aanrakingen zijn welsprekend. Haar doorkijktenue doet wonderen. Zij fluistert wat in hun oor waar ze rode koontjes van krijgen. Er staat hen in het atelier nog een fraaier model uit te dagen, het is bijna klaar, hij moet er alleen nog de laatste hand aan leggen, het haren bos een beetje bijsnoeien. Ze moeten maar eens komen kijken. Het staat op hen te wachten, met andere woorden.

Een weekje later bel ik aan bij het naaktatelier. Het is Cavia die komt openmaken gekleed in een stofje zo licht dat je de haartjes kan tellen, ze priemen doorheen het weefsel. 'Net aan het poseren,' zegt ze, als zij mijn steelse blikken opmerkt in de richting van haar struweel dat woekert terwijl je er naar kijkt. Ook haar tieten laten zich niet in het gareel houden. Meester Sik komt mij met open armen tegemoet.

Ik volg hem naar zijn atelier, een kleine zolder in het dak van hun eerder bescheiden woning. Het is er zo bekrompen dat ik mij spontaan de vraag stel waar zijn modellen voor een pose plaats moeten nemen in dit hok. Er staat in het midden een schildersezel opgesteld en daar omheen is nauwelijks ruimte om je staande te houden. Op de ezel prijkt een doek dat bedekt is met een wit linnen. Net een altaar in de beloken tijd. Zijn vrouw zet een ingetogen kerkmuziekje op. 't Wordt dus een sacraal gebeuren, een onthulling. Ik wacht tot ze gaan knielen. Of komt dat later, als het laken wordt weggetrokken?

Wat ik naast de ezel zie, op een soort melkstoeltje, bevalt me minder. Het blad Playboy, opengeslagen op de bladzijden van de playmate of the month. Een meisje van papier, alle deksels! Hij schildert ze niet eens naar levend model! Die krentenbol haalt zijn inspiratie uit boekjes waar plenty lekkere lieverdjes zijn in afgebeeld en kijk wat hij ervan bakt! Hij belazert de kluit. 't Is een rukker, als je 't mij vraagt.

Maar de apotheose moet nog volgen. Hij maakt nog geen aanstalten om dat vod weg te trekken. Hij stelt mijn geduld wel lang op de proef, maar dat zal bij het ceremonieel horen, want Cavia komt eerst nog aangezeild met koffie en koekjes op een dienblad. We moeten ons klein maken, zo met zijn drieën in dat kruiphok. Het kopje in de ene hand, het koekje in de andere. Het mag nergens gaan jeuken nu. We zoeken onze plaats en ons evenwicht.

Het grote ogenblik! Het altaar gaat open en daar verschijnt Roodborstje of wie er moet voor doorgaan. Hij heeft het al voor de bakker. Zonder de minste moeite heeft hij een tweede versie gemaakt van het meisje met het rode hartenbloed. Deze keer heeft hij toch zichzelf overtroffen, het moet gezegd. Hij heeft dat kind in driekwart profiel uitgebeeld en haar gelaatstrekken met zwarte verf in het doek gekerfd. De arme snoes is zo mager dat ze met de konijnen door de tralies kan eten. En bovendien ziet zij er doodongelukkig uit. 't Is aan alles te merken. Aan haar ene oog, aan haar mond, aan haar houding. Ze valt om van ellende.

Als ik hem een hint geef in de richting van zijn model, weet hij niet eens waar ik het over heb. Na de koffie en de koekjes wordt het hele mysterie zonneklaar. Terwijl ik aan het bladeren ben in dat Playboyboekje val ik op de pagina waar hij zijn mosterd heeft gehaald. Een aanbiddelijk vrouwtje dat ter hoogte van haar navel een stengel vasthoudt en de knop van een roos tussen haar borsten laat rusten. Zij lacht het leven tegemoet.

Troubadour

De baas van dat bruine kroegje waar ik vanavond ben uitgenodigd om een halfuurtje te kwelen, steekt de hand uit om mij te begroeten. 'Welkom, troubadour! Ik ben Zorro.' zegt hij met een glimlach zo breed als zijn gezicht. 'Hallo, Zorro.' Zotto, zal je bedoelen. 't Is een halve gare, die snaak, dat zie je zo.

Het is Post Scriptum, dichter bij de genade Gods, die, om zijn schuld voor de gemiste afspraak in het bankkantoor af te kopen, dit optreden voor mij in deze tent heeft gearrangeerd. Er bij zeggend dat de uitbater op zijn minst een rare vogel is. Hij zou ze niet allemaal op een rijtje hebben. Het is een warme zomerdag en daar loopt hij te pronken met zijn zwarte sombrero, zowaar een oogmasker op zijn voorhoofd, een cape over de schouders, een smalle rijbroek en kniehoge lederlaarzen. Hij is druk in de weer met het programma van de avond en draaft rond als een ruiter op zoek naar zijn paard. Om de vrijwilligers aan te sporen die hem voor deze gelegenheid een handje toesteken, knalt hij zijn rijzweep tegen het beenstuk van zijn laarzen.

Nog iets. Ik moet zien aan mijn centen te komen. Zorro durft al eens zijn performers, een allegaartje van zangers, dichters en happeningartiesten, vergeten te betalen. Zoals hij ook vergeet zijn leveranciers te betalen. Voor hem is al het geld dat in zijn lade valt, zuivere winst. Hij toont mij zijn tent aan de binnenkant. 't Is niet veel soeps. Nauwelijks groter dan een hondenhok. Een ouderwetse tapkast en enkele planken op twee biervaten die het podium moeten voorstellen. 'Elke dag is het hier volle bak,' zegt hij. Ik wil hem graag geloven, twee man en een paardenkop volstaan om voor een volle zaal te spelen. Bovendien maakt hij gebruik van een probaat lokmiddel. Drie drankjes betalen en een gratis. Zelfs de vliegen komen er op af.

Hij biedt mij een glas aan en gaat onmiddellijk de vertrouwelijke toer op. Hij vraagt of ik zijn reputatie ken. Niet echt. Hij heeft mij geboekt via Eustachius, die de vriend is van Post Scriptum die dan weer de vriend is van een andere vriend. Les amis de nos amis sont nos amis. 'Ik ben een lady's man.' Zo zegt hij het. 'In kringen van de jetset heet zo iemand een playboy,' preciseert Zorro. 'In de meer bescheiden milieus, waar ik toe behoor, is dat gewoon een wijvenzot. Haha!' Zeer gevat, hoor! Echt spits!

Omdat ik maar wat meesmuilend reageer, vraagt hij of ik van de meisjes hou. 'Je bent toch niet...' Hij wikkelt een handje. Ik stel hem gerust. 'Ik ben straight.' Voor meisjes koester ik een heel gezonde belangstelling. Hij komt tegen me aanschurken als een samenzweerder en zonder dat daar enige aanleiding toe is vertrouwt hij me toe, alsof het gaat over neuspeuteren, dat hij er net een paar maanden petoet heeft opzitten omdat hij bij het bestijgen van een gouverneursdochter te hard van leer was getrokken. Hij had dat kind met zijn zweep de billen aan reepjes geslagen. Hij gniffelt. Hij geniet nog na als hij er aan denkt.

Meteen waarschuwt hij mij voor de zonderlinge plek waar ik ben terechtgekomen, de katholieke burcht Brugge. 'Schijt nooit hoger dan je gat. Hier bestaan nog rangen en standen en zolang iedereen rotzooit in zijn eigen omgeving is er niets aan de hand. Ken je plaats en houd het daarbij.' Hij spreekt vanuit zijn ondervinding als stadshengst. Hij heeft het gewaagd en wat verwaand boven zijn hol gepoept. Ze hebben hem gevonden. Als ik vandaag niet in een cel wil belanden doe ik er goed aan mijn vingers enkel aan de snaren van mijn gitaar te houden.

Tot mijn verbazing betaalt Zorro mij vooruit. Ik sta versteld van de vlotheid waarmee hij met geld omspringt. Alsof het onbedrukt papier is. Hij stopt me zelfs nog wat extra toe voor het vertier want hij staat er op dat ik het bij mijn eerste bezoek echt naar de zin heb. 'Mmm... Je houdt van meisjes...' Hij knipt met de vingers. Het gordijn achter dat kramakkige podium gaat open en er komt een leuk snoetje piepen. Hij stelt haar aan mij voor. 'Pareltje.' Blond haar, blauwe ogen, zestien jaar. En naar mij wijzend: 'Dit is Heer Halewijn. Hij zingt zijn liedekijn en al wie 't hoort wil bij hem zijn.' Hij beveelt haar zich met mij bezig te houden. Het meisje weet precies wat er van haar wordt verwacht en is zichtbaar in the mood om zichzelf te overtreffen. Terwijl ik met die onderdeur sta te praten, leunt zij met haar rug tegen mijn borst, torst mijn arm over haar schouder en legt een van haar tietjes in mijn handpalm. Ik voel het tepeltje uit het zachte vlees stulpen en hard worden als een kersenpit. Hij knipoogt, zegt dat hij nog van alles te doen heeft en laat mij over aan de goede zorgen van deze aanvallige zondares. Dat Pareltje zingt ook. In het kerkkoor. Zij geeft mij zonder dralen een demonstratie van haar talenten. 't Is een fraaie sopraan. Ze heeft net een lied ingestudeerd voor een dodendienst volgende zaterdag. 'Miserere mei, Domine, miserere...' Meeslepend. Ik zal mij over haar ontfermen.

Er is een dichteres die voorleest uit haar nieuwste bundel. Zij is jong en bevlogen en zingt van de liefde in alle toonaarden, ze gelooft er nog in. Braaf gestamel met af en toe een woord dat op sterk water heeft gelegen. Elke syllabe is gewijd aan haar geliefde. Een pukkelkop met borrelglazen in zijn bril en vettig slierthaar, een advocaat, godbetert. Het vrouwtje van één man, als je haar hoort. Zij ziet het nog allemaal zitten. Over een jaar of tien tapt zij wel uit een ander vaatje. Zij oogst redelijk wat succes. Zij heeft een knap gezicht maar haar derrière kan mij niet inspireren, zij heeft een paardenkont.

Net voor aanvang puilt dat hok helemaal uit. Er kan geen hond meer bij. De meeste mensen staan buiten met een glaasje bier in de hand van het zachte weer te genieten. Ik heb me in een hoekje dicht bij het podium genesteld met Pareltje tegen me aangeplakt. Zij volgt de instructies van Zorro naar de letter. Zij houdt zich driftig met me bezig. Veel zegt ze niet maar om de haverklap begint zij mij te likken. Zij spreekt met haar ogen, haar handen en haar tong. Zij krijgt me alles in no time uitgelegd. 't Is een echt zoenbeest. Zij zit in mijn oren, aan mijn lellen en mijn hals en heel langdurig in mijn mond. Zij doet oprecht haar best.

Het liedje van de volgende twee dichters klinkt nogal zwaarmoedig van toon. Niets om vrolijk van te worden. Pareltje schijnt daar weinig last van te ondervinden, zij laat het in elk geval niet aan haar hartje komen. Droefgeestige dingen schijnen haar op te winden want terwijl die knapen op het podium staan te bloeden van weemoed en Weltschmerz staat zij lustig met haar vinger in mijn reet te poken.

Daarna volgt een poëet die dronken wordt van zijn eigen woorden. Hij heeft vlug zijn ritme gevonden en eens op kruissnelheid laat hij zich door niets meer tegenhouden. Hij zet er de beuk in en snelt op zijn publiek af als een wervelwind. Hij windt zich zelfs behoorlijk op, maakt zich waanzinnig druk over de toestand op onze planeet en raakt maar niet uitgeraasd over al de gore ellende die ons deel is en de hel die ons te wachten staat. Het doet goed eindelijk eens iemand bezig te horen die weet waarom hij op aarde is. Als het zo doorgaat komt er snel een einde aan, brult hij. Nog een paar generaties en ons liedje is hier uitgezongen, we zijn verwittigd. Je moet geen ziener zijn om zijn stellingen bij te treden. Naar de verdommenis gaan we, zoveel is zeker, we zijn goed op weg, het is een kwestie van tijd, meer niet. Deze knaap wil het noodlot zand in de ogen strooien en zorgt daarbij onbewust voor de vrolijke noot in het deuntje van de Dodendans. Hij wil de ondergang tegenhouden. Hij meent het echt. Die jongen wil het zaakje redden en voor eeuwig draaiende houden. Je vraagt je af waar dat goed voor is. Magere Hein staat hem uit te lachen als hij buiten adem de eindmeet bereikt. Omdat hij te weinig enthousiasme ondervindt, althans niet voldoende naar zijn zin, moet zijn publiek het ontgelden. Hij begint zowaar de aanwezigen uit te schelden. Hun eigen schuld is het als de boel in de soep draait. Hij gooit met modder maar niemand voelt zich geviseerd, ze laten hem razen en eens goed het onderste uit de beerput scheppen, dat lucht op. Hij krijgt tussendoor zelfs wat applaus bij zijn onheilstijdingen. De mensen laten graag op hun kop schijten. Hij blijft zeker een halfuur aan het woord, veel langer dan waarvoor hij betaald krijgt. Ze moeten hem van het podium sleuren of hij gaat door tot het einde der tijden dat hij op dat eigenste ogenblik aan het voorspellen is.

Die tent puilt uit, er kan geen hond meer bij. Ook in het straatje, dat niet breder is dan een greppel, staat het cultuurvolk zich te verdringen tegen de tijd dat ik aan de beurt ben. Ik sla enkele frisse akkoorden aan en zing een losbandig liedje over een herderinne, zo vrij en los van zinnen, dat door galante heren met graagte haar schaapje liet scheren. Een beetje vrolijkheid mag ook. Mijn voorgangers zijn al zwaar genoeg op de hand gegaan. Daarna geef ik er een ten beste over mijn bokkensprongen achter hoeken en kanten met enkele doldwaze liefjes. Daar lusten ze altijd een taartje van. Ik word flink aangemoedigd. Ik ga door op het ritme van de frivoliteit. Terwijl ik daar zo de clown sta uit te hangen, zie ik haar verschijnen en even vluchtig weer verdwijnen achter de massieve romp van Post Scriptum. Roodborstje! Ik kort mijn liedje met twee strofen in om direct naar haar toe te kunnen maar word tot overmaat van ramp teruggeroepen voor een bisnummer. Tegen de tijd dat ik mijn laatste strofe heb afgedraaid is zij foetsie. Ook de Kale is nergens meer te bespeuren.

Ik wil Pareltje wandelen sturen, maar zo makkelijk kom ik niet van haar af. Ze blijft aan mijn vingers kleven als een vliegenvanger. Ik ben niet goed in uitvluchten, daarom zeg ik haar dat ik hier elk ogenblik mijn vrouw kan verwachten en dat zij riskeert de ogen te worden uitgekrabd. Mijn woorden maken niet veel indruk op haar. Zij houdt ervan jaloerse vrouwen te tergen. Wat bezielt die wijven? Zij trekt mij zelfs mee achter het gordijn voor een vluggertje maar daar kom ik onderuit omdat Zorro me wenkt. Ik moet haar beloven dat we later een afspraakje zullen maken.

Zorro stelt me voor aan dat gouverneurskind waarvoor hij in de bajes is gedraaid. 't Is een knappe bruid. Zij kijkt al even stom als verliefd uit haar kalverogen. Zij blijkt maar niet haar bekomst te kunnen krijgen. Daar is zij opnieuw, zoals elke week, vertrouwt de gemaskerde bandiet mij toe en toont mij het gerief dat hij in de aanslag houdt. Zij komt een verse portie halen van de zweep. Ik zeg hem dat hij zondigt tegen de gulden regel die hij mij bij aankomst heeft gespeld. Hij slaat de ogen ten hemel. Kan hij er wat aan doen als die slavinnen het hem zelf komen vragen? Hij is het slachtoffer van zijn succes bij de vrouwen, dat kan ik toch met eigen ogen getuigen, niet soms? Het is zijn verdomde lot! Als hij nog eens voor de rechtbank wordt gesleurd, rekent hij er op dat ik hem openlijk kom beklagen en vergoelijken. Het is niet zijn schuld, dat acht hij nu wel bewezen. Daar drinken we op. En opnieuw. En opnieuw.

Daar komt Post Scriptum aangewandeld. Geen spoor van Roodborstje. Hij staat me zelfs een beetje uit te lachen wanneer ik weten wil waar hij al die tijd is geweest en waar mijn schone is gebleven. Wie? Wat? Waar? Hij heeft niemand gezien. Ik moet gedroomd hebben. Heb ik het dan ook zo zwaar van haar te pakken?

'À propos,' zegt hij, 'ik heb vernomen dat je ook privéoptredens verzorgt. En met grote overtuiging.' Wat bedoelt hij daarmee? Dat ik Roodborstje tussen de lakens heb willen zingen? Dat ik op mijn eigen fluit heb mogen spelen? Hoeveel en wat heeft zij hem juist verteld?

PS bestelt een rondje. En nog een. Hijsen kan hij als de beste. Hij vindt Brugge maar een klotestad, een nest van nonnen en pastoors waar niets te beleven valt, en stelt me voor naar Oostende te rijden. Omdat de sterren in de juiste constellatie staan, wil hij een gokje wagen in het casino. 't Zit hem de laatste tijd niet mee in de liefde en daarom wil hij zijn geluk in het spel beproeven. Als het meevalt dragen we de winst naar het bordeel. Tot de laatste cent, daar legt hij de nadruk op. Hij wil zijn reputatie dat hij het geld niet laat beschimmelen alle eer aandoen.

Mijn hand is gezegend, mijn vingers hebben toverkracht. Rond de speeltafel heeft zich een groepje mensen gevormd dat het allemaal wil zien met eigen ogen. Het gebeurt zelden maar het gebeurt toch. Ze kijken er naar om hun geloof in het lot niet te verliezen, want morgen kunnen zij evengoed aan de beurt zijn en een fortuin binnenrijven.

Ik moet werkelijk voor het geluk zijn geboren hoewel ik daar voorheen nog niet zo veel heb van gemerkt. Beginnersgeluk, zeker? Alles wat ik aanraak verandert in goud. Ik lijk wel koning Midas. Poker, blackjack, roulette, geen enkel spel heeft een geheim voor mij. Het bolletje valt steevast in het juiste vakje op de juiste kleur, de dobbelstenen lijken wel getrukeerd en de kaarten doorgestoken, elke fiche die ik inzet keert terug in de vorm van een stapeltje.

PS, die diep in het rood zit, komt zijn gokwoede aan mijn zijde botvieren door mij allerlei instructies in te fluisteren. Iedereen staat klaar met goede raad maar ik luister naar niemand. Ik kies lukraak kleuren en cijfers, alsof het mij allemaal is ingegeven. Gokken doe ik zuiver vanuit een buikgevoel.

Hoewel de speelkoorts me goed te pakken heeft, blaas ik de partij af als het geluk mij voor het eerst in de steek laat. PS zit me aan te porren om door te gaan maar ik wil het lot niet uitdagen. Genoeg voor vandaag. Er ligt een berg fiches voor mijn neus die helemaal van mij zijn en die ik zonder dralen wil inwisselen voor baar geld. Het zal van pas komen. PS wil echter van geen ophouden weten tenzij ik hem beloof dat wij al dat mooie geld van hieruit recht naar de hoeren dragen. Goed, zeg ik, om van zijn gezeur af te zijn.

Hij neemt me op mijn woord. We zwalpen van het ene bordeel naar het andere en daar zijn er heel wat van in Oostende. Gele bubbeltjes, tieten en kutjes tot we er scheel van zien. 't Is flink tegen mijn zin maar PS bedient zich als in de supermarkt, hij zit overal met zijn vingers aan. 't Is een verdomd hete kater. Tot ik zeg dat het geld op is, hoewel ik nog een flinke bundel in mijn binnenzak heb opgeborgen. Een appeltje voor de echte dorst. Royaal genoeg om te dienen als voorschot op "Ceci n'est pas une pipe"...

Het is al klaar dag als we de laatste deur achter ons dichttrekken. Stralend weer. Post Scriptum zet het dak van zijn sportwagen open zodat we volop verse lucht kunnen happen. Hij jaagt die kar met rokende banden de weg op richting De Haan, waar hij een vakantiehuis heeft. Ik mag bij hem blijven logeren, in zijn Paleis der Zeven Droefheden, zoals hij het noemt. Dan halen we mijn auto, die in Brugge is blijven staan, morgen wel op. Hij raast over de weg als een gek. Ik zit hem behoorlijk te knijpen en smeek hem om wat vaart te minderen. Hij steekt nog wat gas bij. Hij joelt als een cowboy op een rodeopaard.

Ik weet niet hoe het komt, ik zal de flappen niet zorgvuldig genoeg hebben weggestoken. In elk geval heeft hij ze in één haal uit mijn zak gevingerd. 'Wij hadden toch afgesproken dat we alles zouden opmaken? Geld achterhouden! Wat zijn dat nou voor manieren?' We scheuren net over een brug. En terwijl PS uiting geeft aan zijn verontwaardiging gooit hij die hele godverdomde handel hoog de lucht in. Ik kan alleen omkijken en machteloos toezien hoe de bankbiljetten door de luchtverplaatsing van de wagen alle kanten uit vliegen, op de rijweg en aan beide kanten het dok in. Ik sommeer hem te stoppen om op te rapen wat nog te recupereren valt. Hij lacht me vierkant uit. 'Wij waren akkoord om alles op te maken. Niet? Wel, nu is het op!'

De enige vraag die ik Post Scriptum vandaag wenste te stellen, had ik willen bewaren tot het laatst. De hamvraag over de Pijp. Où est la Pipe? Ze ligt al dagen te branden op mijn tong. Ik heb er een tabaksmaak in mijn mond van gekregen. Ik had er niet iedere keer opnieuw willen over beginnen om zijn wrevel niet op te wekken. Ik spreek er je zelf wel over op het gepaste ogenblik, had hij me gezegd. Ik moest niet steeds weer over hetzelfde zeuren. Ik slik de vraag even gauw weer in wanneer hij het gaspedaal kordaat tot op tegen plank trapt en de wagen op twee banden door de bocht laat scheuren. Zot! Die kerel is gewoon knetter. Ik kan me nergens vastklampen. Ik mag voor mijn leven beginnen te vrezen.

In zaken met Pêche-Merle

Ik krijg al spijt van zogauw ik de deur achter me dicht trek. Pêche-Merle heeft me toch kunnen overhalen. Ik heb het gevoel dat ik in dezelfde val ben getrapt als de stoet andere slachtoffers voor me. Ik weet nu al dat ik me in de luren heb laten leggen. Ik ben op stro getrokken, gebusseld als een kerstekind. Ik heb wel een cheque op zak ter waarde van 250.000 Bef. Goed betaald voor een kleurtekening van Ensor, een klein maar fraai zelfportret met bizarre bloemenhoed op het hoofd. Maar een cheque die ik pas over twee maanden kan innen. Hij heeft er de datum van 1 september op vermeld. Ik heb hem aanvaard als garantie want de afspraak is dat ik hem op de vervaldatum teruggeef en cash in de plaats krijg.

Ik loop even binnen bij de bank om mijn ondermijnd zelfvertrouwen wat op te krikken. Ja, hoor, een cheque is geld. Alleen, hij mag niet geantidateerd worden, dat telt niet. Dus als ik de cheque onmiddellijk wil innen is dat voor de bank geen probleem. Voor zover er dekking is, wel te verstaan. De loketbediende geeft me de raad mijn licht op te steken bij de instelling die de cheque heeft uitgegeven. 't Is maar een stapje, nauwelijks twee straten verder.

Daar weet ik meteen genoeg. De ogen van de deskdame gaan traag van het papier naar mij en haar mond valt in een meelijwekkende plooi. Ik weet terstond wat ze me zeggen wil. Geef ik hem terug of gooi ik hem meteen in de papiermand?

Dat blijft zo een drietal dagen knagen tot ik het niet meer houd en Pêche-Merle opbel met de boodschap dat ik de verkoop zou willen annuleren omdat mijn vrouw zich bedacht heeft. 'Oh! Is je vrouw terug?' – 'Ja,' lieg ik. Pêche heeft daar alle begrip voor maar intussen heeft hij dat ding zelf verkocht en zullen de centen binnen twee maanden in mijn handen liggen. 'Binnen twee maanden?' – 'Zoals was afgesproken.' Ik heb geen tegenwoord. Om mijn moreel wat op te krikken inviteert hij mij om samen met Dikke Floris op zijn kosten een glas te gaan drinken in The Gallery, un truc à la mode, een kroeg vlakbij het casino. Misschien heeft hij nieuws voor me. Over de Pijp. Hoe kan ik weigeren?

Als ik de telefoon inhaak weet ik meteen dat hij mij een wortel heeft voorgehouden om mijn aandacht van het eigenlijke doel af te leiden, maar mijn nieuwsgierigheid neemt de bovenhand.

Ik snuif nog een ander luchtje op, een brandluchtje. Ik kan mij niet ontdoen van het nare gevoel dat Pêche mij wil gebruiken als een soort stroman om weer in het kunstmidden binnen te dringen.

The Gallery wordt opengehouden door een halve gangster uit het Brusselse milieu en er komt nogal wat chic volk over de vloer, the place to be voor de jetset. Met andere woorden de plaats voor rijke stinkerds en dure wijven. Ik was er al eerder geweest. Ik had er mijn ogen de kost kunnen geven. Jonge besjes met mondaine ambities lieten zich tijdens een tegelplakker rechtstaand neuken op de dansvloer door wie een duur horloge droeg of met de sleutelhanger van een luxewagen zwaaide. Je hoefde ze niet eens mee naar buiten te nemen of naar de toiletten te lokken.

Die nacht, na een tentoonstelling in het casino, zaten er behoorlijk wat bekende mensen. De schilder L., onder anderen, maar die was daar kind aan huis. Maître Félix zoals hij door zijn fans werd genoemd, een kwieke zestiger, kwam er vrolijk madeliefjes plukken. 't Is een fijnproever. Mulatjes vindt hij het leukst. Die schildert hij dan in het blauw, het rood of het wit, met grote ogen en dikke lippen. De knapste modellen verdringen zich om bij hem op het doek of de sofa te komen. Jacques B., beroemd chansonnier en wereldverbeteraar was er ook die nacht. Hij trok enkel zijn bek open om te zeiken en whisky als water naar binnen te hozen. Afgezien van zijn meesterlijke liederen bleek het een eindeloze doordrammer en betweter te zijn. Er waren zelfs drie vrouwen aanwezig die beweerden dat zij het Marieke waren uit het gelijknamige chanson. Van eentje kon ik alleszins getuigen dat, als zij al de zanger het alfa van de liefde had bijgebracht, bij mij reeds aan het omega bezig was. Dwerg C., bekend Frans beeldhouwer en geboren vrek, die ter gelegenheid van zijn expositie werd gefêteerd, liet zich royaal trakteren door zijn binnenlandse bewonderaars van wie hij ijverig adressen en bestellingen liet noteren. Voor hem konden de blaadjes niet groen genoeg aan de boom hangen.

Terwijl ik met dikke Floris op zoek ga naar een rustig hoekje om er de komst van Louis Pêche-Merle af te wachten bots ik op de Verschrikkelijke Tweeling, Kruit en Lont, dochters van de stijfdeftige magistraat Jozef Rooms, gevreesd door al het tuig tot ver buiten Knokke. Bon chic, bon genre. Een stel getapte hoeren. Ze doen het met elkaar, ze doen het onder hun tweetjes met anderen en ze nemen regelmatig elkaars plaats in bij hun respectieve minnaars waarvan niemand de tel kan bijhouden, rekening houdend met het tempo waaraan zij mannen verslinden en de begeestering waarmee zij zich kwijten van de taak. Hun vader zou het moeten weten! Indien het Renata niet was, zijn zij het die mij een gloeisnikkel hebben bezorgd.

Rond die tijd had ik een uitzichtloze nacht lang tussen beide tweelingmosselen geprangd gezeten. Ik was gevild tot op de stam. Als de ene ging liggen viel de andere aan. Als de andere moe was werd de ene weer wakker. En als ikzelf een rustpauze wilde nemen vielen ze allebei tegelijk aan. Ze waren niet te verzadigen. Ze namen mij voor de haan van het erf. Ik heb moeten opgeven. Ik was murw, beurs geslagen, ik lag plat. Blij dat het voorbij was en dat ik de deur achter mij dicht kon trekken. Om redenen van uitputting was ik niet meer teruggekeerd. Anders best leuke meiden die altijd in zijn voor een pleziertje en er graag een terug doen want ze hebben een bovenste beste hart. Kruit – of is het Lont? – begroet mij meesmuilend met een hangend pinkvingertje dat zij heen en weer beweegt. Lont – of is het Kruit? – verwijt mij vaandelvlucht. Voor haar behoor ik tot het soort angsthazen dat in een echte oorlog tegen de muur wordt gezet.

Floris Niedrig stormt onversaagd voorwaarts en meldt zich onmiddellijk als vrijwilliger. Hem moet je nooit pramen om zijn 180 kilo's in het vuur te jagen voor de meisjes. Moed en zelfopoffering zijn voor hem geen loze woorden. Ze staan hoog in zijn vaandel geschreven. Hij is bereid zich voor de ogen van iedereen in het strijdgewoel te werpen. Daar hebben beide sletten natuurlijk geweldige schik in. Ze maken zich op voor een wilde beschieting. Hun armen en benen liggen al door elkaar te kroelen op de sofa. Ze dagen hem uit. Ze gaan aan elkaars tepeltjes plukken en jagen dikke Floris het bloed naar het hoofd. Ik moet hem tot kalmte manen. Ik duw hem voor mij uit met de belofte dat wij de zusjes Vuurwerk een huisbezoek zullen brengen en daar uitgebreid de tijd zullen voor nemen. Dag meisjes, volgende keer beter. Dan komen we samen, het is beloofd!

Aan de pisbak probeert Floris met veel moeite die leuter van hem onder zijn vette pens vandaan te vissen. Als hij hem eenmaal te pakken heeft gekregen moet hij forfait geven. De toestand met de Tweeling heeft hem een kanjer van een erectie bezorgd die hem belet water te maken. Daarnaast heeft hij nog een andere zorg. 'Ik moet nodig vermageren,' zegt hij. 'Kan je geloven dat het jaren geleden is dat ik hem nog in het echt heb gezien?'

En dan maakt Zijne Majesteit zijn entree, Louis Pêche-Merle zelve, meneer Louis, zoals hij hier wordt genoemd. Hij plant zich wijdbeens in het deurgat, niet om aan het gedempte licht aan de binnenkant te wennen maar om zich uitgebreid te laten bewonderen. Hij is heelhuids terug uit de hel en de meesten van de aanwezigen hier zijn al vlakbij die poort gepasseerd. Voor de habitué van deze kroeg is de wet een instrument om naar zijn hand te zetten. Hier wordt het gerecht scheef bekeken. Hij trekt zich met het grootste gemak op aan zijn dubieuze reputatie. Wuivend met het handje, een kusje hier, een knipoogje daar, twee handen tegelijk schuddend.

Hij wordt door de Tweeling op hun bank getrokken en laat zich, als een lap kaas tussen een sandwich, oppeuzelen door Kruit en Lont. Af en toe hoor ik dat typische gehinnik van hem weerklinken, dat waanzinnig gelach. Hij moet het naar zijn zin hebben. Als de meisjes hem nu een Pijp voorstellen, zullen zijn gedachten niet meteen uitgaan naar een meesterwerk van de schilderkunst.

Wij hebben al behoorlijk wat gezopen, Floris Niedrig en ik.

Pêche komt zich eindelijk bij ons voegen. Hij schraapt zijn keel om het tipje van de sluier te lichten, als er plots een fors, zwartharig wijf voor me staat met de armen in de heupen geplant. Begint zij daar te schelden dat ik haar enkele maanden geleden heb lastiggevallen, op klaarlichte dag nog wel, temidden van de overbevolkte Lippenslaan in de volle drukte van het toeristisch seizoen. Haar lastiggevallen? Die halve dragonder? Alsof er een tekort heerst aan dames die uit zijn op een slippertje. In plaats van ze lastig te vallen moet je ze eerder van je afschudden. Ik heb dat mens nooit eerder gezien en de duivel mag weten waar zij het over heeft. Een lelijke kop als die van haar vergeet je niet in drie tellen. Zij heeft het uitzicht van een pasgeboren kalf en staat even wankel op haar benen. Misschien doet zij het alleen om haar man jaloers te maken of zijn aandacht van wat anders af te leiden, maar intussen heeft zij mij toch flink op de hak.

De stemming zit er onmiddellijk in. Haar man, onvervaarde witte ridder, springt haar bij, klaar om mij een lesje te leren. Hij wordt aangemoedigd. Hij rolt met zijn spierballen. Er vormt zich onmiddellijk een haagje mensen dat bloed wil zien. Die schijtlaars van een Pêche-Merle keert zich van mij af. Dikke Floris drukt zijn snor om niet in de brokken te delen maar vooral om de rekening niet te moeten betalen. Hun bange koppen geven de anderen te kennen dat ze compleet buiten hun wil om in mijn gezelschap verkeren. Ik moet geen uitleg geven. Ze kijken naar de sterren. Ze doen of ze me niet kennen, ze willen me niet kennen. Het volstaat dat de eerste de beste del een verongelijkte smoel trekt om je vrienden te verloochenen.

De kroegbaas begint me te jennen. Hij zit de vervaarlijke kop van zijn herdershond te strelen. Een vingerknip is voor dat monster genoeg om mij aan flarden te scheuren. Ik sta er alleen voor. De echtgenoot staat zichzelf op te blazen als een kikker. Hij heeft praatjes. Hij zal me wat! Ik kan de beledigingen niet langer over hun kant laten gaan. Ik heb ook mijn eergevoel. Ik daag hem uit om mij te volgen en het uit te vechten met de blote vuist. Buiten. Onder mannen.

Ik heb maar één doel en dat is zo snel mogelijk weg te komen uit die kroeg. Die echtgenoot houdt met moeite op zijn benen.

Eens buiten kan ik hem een lel verkopen en, nog voor hij weet wat hem overkomt, er als de bliksem vandoor gaan. Ik kan lopen als een haas. Ik moet de meute op snelheid pakken nog voor zij in beweging komt, mij een doorgang banen. Ik aarzel niet. Een paar helden beginnen al tegen me aan te drummen. Als ik bij de uitgangsdeur sta, roept die echtgenoot al wat minder luid. Ik sommeer hem naar buiten te komen maar hij krabbelt terug. De buit waar wij zouden om vechten is ineens geen ruzie meer waard. Hij trekt zijn staart in. Dat is buiten de helleveeg gerekend. De weigering om voor haar te vechten is een regelrechte kaakslag, veel erger dan mijn beledigend gedrag. Hij krijgt de verwijten met bakken tegelijk over zijn hoofd uitgestort! Zij maakt hem uit voor lafbek, schijtebroek, labbekak. Hij wordt helemaal bleek, haar halve trouwboek. Hij staat 'm aardig te kieren. Ze kiepert nog een lading over hem uit, gratis en voor niks. Ze verwenst zichzelf omdat zij met een zielenpoot en een zakkenwasser van zijn soort is getrouwd! Een miserabele lamlul, dat is hij! Een gore teringzak! Al wat die smerige bek van haar aan modder kan kauwen, spuwt zij uit over zijn hoofd. Zij zal mij zelf te lijf gaan als het niet anders kan. Nou, moeder, daar krijg je de kans niet toe!

Terwijl ik op het punt sta mij uit de voeten te maken word ik onverwachts bijgevallen door een notoire zuiplap die onmiddellijk een andere voorstelling van zaken geeft. Hij heeft zichzelf al voldoende moed ingedronken om tegen de stroom van verontwaardiging in te roeien. Hij neemt het voor me op. Hij kent dat loeder. Zij is niet aan haar proefstuk. Zij trekt wat te graag de aandacht naar zijn zin. Zij heeft hetzelfde trucje ook met hem uitgehaald. De waarheid is echter dat zij zelf op de mannen afgaat om aan haar trekken te komen. En hij is niet de enige, hij kent nog een geval. Eerst probeert zij een lekkere vent te versieren en als die niet toehapt schreeuwt zij dat hij haar heeft verkracht. Nietwaar, Madame Putifar? Het publiek keert zich nu als één man tegen hem. Spelbederver! Dwarsligger! Ze nemen het hem niet in dank af. Wie is hij om de eer van een dame te bezoedelen? Ik pleite. Daar zullen ze me niet gauw teruggezien.

Ik wandel te voet naar huis, het is niet ver. Net de tijd om het verhit gemoed te bedaren. Ik word moedeloos van al dat gedoe rond de Pijp. Als ik omtrent dat verdomde ding een hint krijg, daagt er al even snel iemand op om mij het spoor bijster te maken. Alsof de duivel er mee gemoeid is. Is hij dat? Bijna zou ik het gaan geloven. Iemand wil mij iets tonen dat verborgen moet blijven maar hoe meer klaarheid ik zoek, hoe dikker de rook rond mijn hoofd wordt. Straks kan ik er niet meer doorheen kijken en loop ik met mijn neus ergens tegenop.

Ik heb geen zin om te gaan slapen. Ik slenter over het gangpad dat rond het meer slingert en ga op een bank zitten die daar is neergezet voor de vermoeide wandelaar. Niets geeft meer rust dan water en niets is verraderlijker. Niets is bij donker wat het lijkt bij zonlicht. In deze zwarte poel is onlangs het aardse bestaan geëindigd van Emmeke De Soete. Emmeke was mijn buurmeisje. Het dromerige type, ze zweefde een meter boven de grond. Ik denk dat zij leed aan een onbegrepen en onmogelijke liefde. Niet goed snik, volgens de mensen, omdat zij 's nachts op de oever van het meer liep te dansen met de elfen. Zij was namelijk verliefd op een watergeest. Op die manier dacht zij hem uit te dagen. Toen hij uit de diepte oprees en haar lonkte, heeft zij zich te dicht bij de rand gewaagd.

Het wordt dag. Ik raap keitjes, gooi ze in de plas om het licht van de ochtendzon op het water te breken en observeer de spiegeling van sterretjes. Indien Renata nu bij me was zou ik haar vragen een penseel in kleuren te dopen en een liefelijke morgen te schilderen.

Valse start

Nog geen week nadat ik de Magrittegouache aan broekenslijter Salmèk heb verkocht, hangt die schreeuwlelijk al weer aan de lijn. Indien hij kon sleurde hij me bij de haren dwars door de telefoondraad helemaal tot in Brussel. Wist ik wat ik hem had verkocht? Staan mijn oren open? Allebei? Wagenwijd? Luister dan eens goed! Een vals werk van Magritte. Un faux! Ik schrik me lam. 'Een wat?' – 'Een vervalsing!' En dat uitgerekend aan hem! Weet ik wie hij is? Hij loeit als een scheepstoeter. Als ik hem binnen de vierentwintig uren niet schadeloos stel laat hij het breed uitsmeren over alle kranten. Een ongehoorde schande is het! Ik weet niet half wat ik over mijn hoofd heb gehaald! Ik ben dood in het vak. Ik mag het vergeten voor de rest van mijn dagen.

Ik protesteer verontwaardigd. 'Maar ik heb dat werk rechtstreeks van de broer van de kunstenaar.' – 'Van zijn broer? Welke broer? Al die cowboyverhalen over herkomst van kunstwerken ken ik uit het hoofd! Steevast komen jullie sjacheraars aanzetten met een lief, een zuster of een broer. Waarom sleur je er niet meteen de meid bij, terwijl je toch bezig bent? Want enkel en alleen om poetswerk te verrichten of een potje te koken hielden die sloebers van artiesten er toch geen meid op na! Die moest zich voor wat anders laten gebruiken om haar erfenis te verdienen. Een broer! Wat een mens niet allemaal te horen krijgt! Hoe langer een kunstenaar is overleden, hoe groter zijn familie wordt. Had Magritte wel een broer?' – 'Ik heb hem ontmoet. In levende lijve. Hoe komt u er bij dat werk af te doen als een vervalsing?' – 'Omdat zijn weduwe het zegt, nom d'une pipe. Daarom. Als de weduwe het zegt, wie bent u dan om te beweren dat het anders is? Zij heeft mij woordelijk gezegd en letterlijk neergeschreven, op papier, meneertje, zwart op wit: 'Ceci n'est pas un Magritte.'

'Dit is geen Magritte.' Daar heb je het! Met die uitspraak lijk ik wel helemaal in de surreële wereld van de kunstenaar verloren gelopen. René haalt postuum een kwalijke grap met me uit. Hij moet in zijn kist liggen daveren van het lachen. Want hoe dwingender ik die hufter probeer te bezweren dat hij het mis heeft, hoe harder het stormt aan de andere kant van de lijn. Het lijkt wel een losgeslagen Zuidwester. Dat raast en tiert en schuimbekt maar. Hij wil naar geen rede luisteren. Zijn centen wil hij! En zonder dralen. Een wát? Een cheque als waarborg? Neem ik hem in het ootje? Zijn geld! Al zijn geld! En meteen! Hij wil geen excuses horen, zelfs niet de minste. En dat ik hem vooral niet kom vertellen dat ik niet in staat ben hem terug te betalen. Hij laat me villen! Hij blijft maar duvelen. Hij heeft een heel repertorium aan vloeken en scheldwoorden. Hij braakt zijn gal en zijn lever uit over mijn hoofd.

Ik stamel wat. Ik kán hem niet terugbetalen. Broertje Paul heeft mijn cheque netjes geïncasseerd zoals was afgesproken en met wat gedane kosten blijft er zelfs geen schijntje over op de rekening. Ik kan hem afblaffen, hem eveneens voor rot schelden maar hoe zeker ben ik van mijn stuk? Als de weduwe het zegt... Als de weduwe het zegt moet iedereen zwijgen. Dat denk ik tenminste. Ik heb te weinig ervaring in het metier om daar anders over te denken. Intussen ziet het er naar uit dat ik de ongelukkige eigenaar ben geworden van een betwist kunstwerk. Gefeliciteerd.

'Maakt u zich maar geen zorgen, meneer. U krijgt uw geld terug. Ik bel u later voor een afspraak.' Hij pikt het niet. Als ik niet als de gesmeerde bliksem die poet in zijn schoot kom leggen, stapt hij naar de procureur. Ik begin er genoeg van te krijgen. Die stuipenkop staat mij net zo hard uit te schelden als zijn vrouw, zijn poes en zijn personeel een week geleden en evengoed zonder reden. Kan ik er wat aan doen dat de weduwe het zegt? Mijn beurt om die zakkenwasser op zijn achterste zolder te jagen. 'Doe wat je niet laten kunt. Klootzak!' Ik gooi de hoorn in de haak. Dat lucht op.

Ik moet gaan zitten. Godverdomme. Ceci n'est pas une pipe. Daar is het allemaal mee begonnen. Ik dacht al te weten waarom dat zo was maar ik heb waarschijnlijk nog maar het begin van het mysterie gezien. De harde werkelijkheid is dat ik aan geld moet zien te komen om niet in het moeras te verzinken nog voor ik vaste grond onder de voeten krijg. Ezeltje, strek je! Wie kan ik een hoop doen schijten, groot genoeg om mij te verlossen van mijn directe en toekomstige zorgen?

Bij de bank krijg ik geen wissel getrokken op een onzekere toekomst. In dat roversnest moet je vel als waarborg op de tafel komen en je bloed er bovenop. Ik kan mijn auto verkopen wat niet erg praktisch is. In Knokke kan je maar één kant uit en dat is richting binnenland. Aan de andere kant ligt het water.

Misschien Renata? Misschien heeft zij de laatste cheque die ik haar heb gegeven voor de afwerking nog niet verzilverd of althans het geld ervan nog niet helemaal opgemaakt. Misschien kan ik het weer even ontlenen en haar later teruggeven als het mij beter uitkomt. Misschien. Alle baten helpen. Ik mag niet talmen.

Terwijl ik naar haar toe rijd zit ik in naam van de liefde allerlei zoete leugens te verzinnen. Ik krijg een stijve van de dingen die ik mij voorstel met haar te doen. Ik breng haar hoofdje op hol, leg haar om en wandel met de flappen naar buiten. Nog geen kwartier later sta ik al voor haar deur te tapdansen van de zenuwen. Tot mijn stomme verbazing is het Rolfie Tonne die openmaakt. Op sloffen, in een helwitte peignoir gehuld, het pasgedroogde haar netjes in een streep gekamd. Hij slaat zijn armen in de lucht. 'Maatje!' Hij kan zijn vreugde om ons weerzien nauwelijks op. Door de omstandigheden zijn we elkaar de laatste tijd wat uit het oog verloren. Achter zijn rug verschijnt Naatje Blauwoog, blakend van levenslust, zo vanonder de douche vandaan, ze druipt nog na. Ik moet binnenkomen.

Over het doel van mijn komst durf ik in aanwezigheid van Rolfie niet eens mijn mond opendoen. Ik zeg dat ik zo maar even langs kom lopen, heel toevallig, omdat ik in de buurt was. Ik wil niet storen. Storen? Wel integendeel. Ze zijn allebei heel blij met mijn bezoek. Als ik maar niet te lang blijf. Ze zijn net klaar met hun huiswerk en van zogauw ik mijn hielen heb gekeerd willen ze het overdoen. De man van Renata verblijft sinds kort in een ontwenningskliniek en de eenzaamheid heeft hen in elkaars armen gedreven. 't Is een dot van een wijf, zegt Rolfie, maar elke dag dezelfde soep gaat ook vervelen en terwijl Renata koffie zet en de koekjestrommel vult stelt Rolfie me voor binnenkort een verkenningstocht te ondernemen naar de Warme Landen. Waar de meisjes zijn. We moesten maar weer eens snel een kijkje gaan nemen, het wordt hoogtijd. Er staat daar sinds ons laatste bezoek vast een lading nieuwe aanvoer op ons te wachten.

Terwijl Rolfie in het kantoortje per telefoon een werk aan het regelen is, komt Renata naast mij zitten. Op een vertrouwelijk toontje vraagt zij hoe het van onderen is gesteld met mijn wapenarsenaal. Ze knipoogt. 'Ik weet van Rolfie dat hij omstreeks dezelfde tijd hetzelfde probleempje had.' Rolfie? Heeft hij mij langs een omwegje besmet? Of ik hem? Daar wil ik hem bij de eerste gelegenheid over uithoren. Tegenover Renata ga ik er niet op in. Ook mijn financieel probleem breng ik niet te berde. Ik had me de verplaatsing kunnen besparen. Hier wordt het een afknapper over de gehele lijn. Ik maak me uit de voeten.

Ik vertrouw op mijn goed gesternte als ik naar Brussel rijd om de broekverkoper te vergoeden met een cheque waarvan de dekking ontoereikend is. Het kan niet slechter vallen maar ik heb geen andere keuze. Van zogauw ik terug ben in Knokke neem ik me voor om hier en daar, bij vrienden en kennissen, een grijpstuiver te bedelen. Als ik in mijn hoofd een lijstje opstel kom ik aan een mager getal.

De Brusselaar doet moeilijk omdat hij cash heeft verwacht zoals was afgesproken. Was dat zo? Een cheque is toch even goed geld! Ik leg hem uit dat hij geen andere keuze heeft als hij zijn centen wil terugzien want ik wil mij officieel indekken tegen de man die mij dat onding heeft verkocht. In het andere geval moet hij dat stukje waardeloos papier, zoals hij het noemt, maar stoppen waar ik denk. Ik heb mijn goede wil getoond. Hij kiest uiteindelijk lege eieren voor zijn geld en geeft mij de gouache terug. Even ligt de vraag op mijn tong of hij de meid kent die ik op een van reclamefoto's heb gezien maar na al die heibel pas ik wel op.

Terug naar de kust en op naar de broer! Als hij tenminste bestaat. Ik heb toch geen spook gezien, nondeketter? Hij is toch niet een van die bizarre wezens die af en toe opduiken in de kunstwerken van René en die leven in een andere wereld en een andere tijdrekening? Het is toch allemaal echt gebeurd! Mijn geld was geen rook en dat was zijn gouache evenmin. Integendeel, zijn gouache is vuur. Het was voorspelbaar. Aan de laaiende vlammen die er op staan geschilderd heb ik flink mijn fikken verbrand.

Bij Paul Magritte bel ik aan maar niemand komt opendoen. Ik leg mijn oor te luisteren aan de parlofoon terwijl ik langdurig de knop indruk. De bel werkt. Zijn ze er en slaan ze mij gade van-achter het gordijn? Ik ga naar de overkant van de straat om te zien of ik geen beweging waar kan nemen op de eerste verdieping waar zij wonen. Niks. Niemand. Het begint mij al dun door de broek te lopen. Ik druk op de bel van de drie overige appartementen en omdat het daar het al even stil blijft, troost ik mij met de gedachte dat het voormiddag is en dus tijd voor de boodschappen. Ik spring weer in mijn wagen en rijd traag door enkele straten, spiedend in de winkels naar een glimp van het koppel. Daarna ga ik op ver-kenning langs de zeedijk. Uiteindelijk posteer ik mij in mijn auto op een dertigtal meter van hun woonst. Een half uur later komen ze aansloffen, elk met een boodschappentas. Ze zullen de schap-raai flink gevuld krijgen met mijn geld. Ik wacht nog een kwar-tier en ga dan aanbellen.

Ik vertel Paul mijn wedervaren en geef het zo'n draai dat Georgette Magritte bitter weinig lijkt te weten over het werk van haar man. Hij haalt de schouders op. Zij had er zich nooit wat van aange-trokken, beweert hij. Elle s'en foutait comme de l'an quarante. Hij lust zijn schoonzuster niet.

Dan laat ik het woord vervalsing vallen. Hij veert recht alsof er een landmijn onder zijn krent afgaat. 'Qu'est-ce-qu'elle dit, cette conasse? Wat zegt dat pokkenwijf? Vals? Heeft zij dat echt ge-zegd?' Hij is woedend. 'Elle ne sait rien! Elle n'a jamais rien com-pris à son travail! Niets weet ze! Zij heeft nooit een bal van zijn werk begrepen. Kutwijf!' Hij zoekt haar nummer, rukt de hoorn van het toestel en belt zijn schoonzuster op.

'Georgette? Ben jij dat? Je spreekt met Paul... Paul, de broer van René.' Hij zegt niet "met je schoonbroer". Hij staat op zijn strepen, op zijn bloedverwantschap, op het feit dat zij al een gezamenlijk leven achter de rug hadden nog voor zij op de proppen kwam. 'Georgette, ik ben geschokt...' En met veel verve doet hij zijn verhaal. Hij geeft haar niet de gelegenheid hem te onderbreken. 'En mij niet in de rede vallen,' zegt hij als zij het toch probeert. Zij moet nu even haar mond houden en godverdomme eens heel goed luisteren naar wat hij haar te zeggen heeft. Hij trapt fameus op haar tenen. Ik begin in de piepzak te zitten. Ik doe teken aan zijn vrouw hem wat te kalmeren. Easy, meneer Paul. Zoals hij tekeer gaat slaat Georgette straks de telefoon op zijn neus en verknalt hij het hele zaakje voor mij. Mamma mia!

Hij geeft haar het onderste uit de zak. Ik sta te zweten als een das. 'Volgende week? Nu, Georgette! Nu! Vandaag! We doen er een dik uur over om bij jou in Brussel aan te komen en je doet er goed aan thuis te zijn.' Hij haakt in en aapt het antwoord van zijn schoonzuster na. 'Maar natuurlijk, mon cher Paul, maar natuurlijk. Toujours les bienvenus. Het zal mij plezier doen jullie terug te zien. En het spreekt vanzelf dat we samen een hapje eten. Ik zal een tafel voor vier reserveren. Trut!'

Tijdens de rit zit Paul zichzelf onder stoom te brengen. Georgette zal van geluk mogen spreken als zij het er levend van afbrengt. Hij wil niet minder dan haar hoofd. Zijn vrouw en ik manen hem tot kalmte aan. Zich dermate opwinden is nergens goed voor. Denk aan je hart, Paul. Val niet morsdood vooraleer wij onze bestemming hebben bereikt. Hou nu eindelijk op met zaniken. We weten dat je recht in je schoenen staat.

Mimosastraat, 97, Schaarbeek. Afgezien van de meesterwerken aan de wanden, een interieur dat moeilijk in burgerlijke saaiheid valt te overtreffen. Je kijkt spontaan uit waar je loopt om de orde van de dingen niet te verstoren. De schildersezel staat nog in dezelfde benepen ruimte waar de meester werkte. Het atelier achteraan in de tuin diende niet om te schilderen maar werd gebruikt om allerlei spullen op elkaar te stapelen. Zoals hij schreef in een brief aan een vriend, had René Magritte genoeg aan een zolderkamertje om na te denken en te werken aan een wereld die niemand voor hem ooit heeft geëvoceerd en die niemand hem vermag na te bootsen.

De begroeting gebeurt met veel tralala. Georgette heeft absoluut geen zere tenen en Paul prangt haar in zijn armen alsof hij een oude liefde terugvindt. Ik kom terecht in de beste der werelden. 't Is een hele opluchting.

Mevrouw biedt ons het aperitief aan maar first things first. Voor Paul en mij moet er eerst klaarheid van zaken komen. Als ik haar de gouache laat zien kan ze zich wel voor het hoofd slaan. 'Mais, oui, bien sur. Où avais-je la tête? Natuurlijk! Natuurlijk! Waar zat ik met mijn gedachten?' Zij beweert dat haar enkel een zwartwitfoto van het werk is getoond en dat zij zich aan de hand daarvan niet echt een oordeel had kunnen vormen. Maar nu, met het echte ding voor ogen, ziet zij zonneklaar waar het om gaat. Zonder verder omhaal schrijft zij op de rugzijde van de kleurfoto die ik heb laten maken niet alleen een verklaring van echtheid neer maar een ellenlange litanie die neerkomt op een regelrechte heiligverklaring. Sancto Subito! Een sanctificaat in plaats van een certificaat. Nooit is een werk van de meester échter geweest. Daarvoor steekt Georgette haar hand in het vuur. Als apotheose en om alle misverstanden uit de weg te ruimen nodigt zij ons uit in een gezellig restaurant, een paar straten verderop, waar zij met alle egards wordt ontvangen die een dame van stand te beurt vallen.

Vooraleer naar huis te rijden wil ik nog even langs bij de broekenkoning. Ik kan het niet laten. Eerst rijd ik naar een fotowinkel voor een kopie. Ik wil zijn smoel zien als ik hem mijn certificaat van authenticiteit onder de neus duw. Ik wil hem een paar slapeloze nachten bezorgen met het nieuws dat ik een koper heb gevonden voor meer dan het dubbele van de prijs die hij heeft betaald. Dat die dankbare klant bereid is mijn beide handen en voeten te kussen omdat ik hem laat profiteren van deze buitenkans.

Ik bel aan en wordt binnengelaten door een knecht in livrei. Meneer is bezig. Ik zal even geduld moeten oefenen. 'Neen,' zeg ik 'mijn geduld is op. Geef hem dit document. Ik kan u op een blaadje geven dat hij zijn bezigheden onmiddellijk zal onderbreken.' Ik overhandig de dienaar een fotokopie van het certificaat en hij sjokt weg. Als het geluid van zijn voetstappen is uitgestorven waag ik mij in de gang waar de reclamefoto's zijn opgehan-

gen. Ik wil mij vergewissen hoe waarachtig het engelachtige wezen is dat haar kontje heeft geleend om zijn goedkope broeken er
te doen uitzien als modellen van haute couture. Op geen enkele
van de afbeeldingen kan ik Roodborstje herkennen. Zij is er niet
meer. Heb ik geleden aan gezichtsbedrog of heeft hij haar verwijderd?

Ik krijg de tijd niet om mij daar vragen over te stellen als hij
plots opduikt uit het niets en boven mij gaat hangen als een don-
derwolk. 'Wat heeft dit papier te betekenen?' – 'Dit papier zegt
wat het zeggen moet en wilt dat u het ook weet.' Even staat hij
versteld als ik omstandig de stand van zaken resumeer en plots
daarna voelt hij zich al bestolen. Shylock die schreeuwt om het
pond vlees dat ik uit zijn lijf heb gesneden. Ik duw het mes nog
een beetje dieper. 'En daar, meneer, in mijn auto, zit de eigenaar
en levende getuige, monsieur Paul Magritte. De broer van de artiest.' Hij slaat tilt en gaat luid aan het brullen. Dat het zíjn gouache
is, die van hem en niemand anders. Dat hij misleid is en bedrogen. Dat ik zijn goed heb ontvreemd. Dat hij zich recht zal laten
doen bij justitie. 'Dag, meneer.'

Hij vliegt op mijn auto af om zich ervan te vergewissen dat ik
geen opblaaspop naast me neer heb gezet. Hij trekt het portier
open en schrikt zich een hoedje bij het zien van een Magritte van
vlees en bloed. Hij put zich uit in duizend excuses en probeert bij
Paul zijn gram te halen. Die is echter danig in zijn eer gekrenkt
door zoveel onkunde en brutaliteit dat hij zijn neus optrekt en
met één zinnetje een eind maakt aan dit potsierlijk vertoon: 'Monsieur, vous êtes un con.' Kernachtiger kan het niet. En weg zijn
we. Dag, onnozele kloot! Vreet je kas op, ellendeling!

Het huis van mama Merle

Ik lig nog een kater te verwerken als ik een foontje krijg van Pêche-Merle. Hij rakelt nog even het incident op in The Gallery en verzekert me dat hij met zijn leven borg stond voor mijn veiligheid indien die rel op een handgemeen was uitgedraaid. 'Laat maar.'

Hij moet even onderduiken, zoals hij het zelf zegt, voor heel dringende zaken, waar hij me nu niets kan over vertellen, maar bij zijn terugkeer, binnen een paar weken, zal ik de eerste zijn die hij komt opzoeken met al het geld dat hij mij verschuldigd is, een week voor de vervaldatum. Wat een voorrecht! Ik mag van geluk spreken.

'Ik hoor dat je op de luchthaven bent,' zeg ik, afgaand op de geluiden in de achtergrond. 'Nee, hoor.' Hij ontkent met klem. Ik herinner me dat dikke Floris mij heeft gezegd dat Pêche-Merle is vrijgelaten onder welbepaalde voorwaarden, waaronder een strikt verbod om het territorium te verlaten. Ik hoor meisjesgegiechel. Lachend weg vraag ik of hij soms de hielen licht met zijn secretaresse. 'Mijn secretaresse? Heb ik dan een secretaresse?' – 'Ik bedoel je aanvallige stiefdochter. Dat mooie kind dat secretariaatswerk voor je doet en dat je zo angstvallig voor mij verborgen hield bij mijn laatste bezoek. Hoe heet ze ook alweer?' – 'Serafina.' – 'Juist, Serafina.' Aan de andere kant valt elke klank uit. Na een poos hoor ik: 'Serafina? Hoezo, Serafina? Hoe weet jij?' Puntje, puntje... Daarna stokt het gesprek.

Pêche zou Pêche niet zijn indien hij niet weer als een kat op zijn poten viel. Hij schakelt over op het onderwerp dat mij lief is, de Pijp. Hij heeft nieuws voor mij. Hij zegt me dat hij op het spoor is gekomen van het werk. 'Daar kijk je van op, niet?' Daar kijk ik zeker van op. Ik verga zowat van nieuwsgierigheid maar aan de telefoon wil hij er niks over loslaten, geen woord, onder geen enkel beding. Ik moet geduld hebben tot hij weer opduikt, maar ik mag mij alvast voorbereiden op een héél grote verrassing, te groot om mij dat langs deze onpersoonlijke weg mee te delen. Zoiets kan alleen face to face. Ik zal opkijken.

Ik kijk op. Van de oproep die ik nauwelijks een week later krijg van Floris Niedrig. De man hangt zowaar te janken aan de telefoon. 'Pêche-Merle...' hakkelt hij 'Pêche-Merle...' Hij snikt als een kind. 'Wat is er met hem?' Hij staat maar voortdurend die naam te stamelen. Hij krijgt de woorden die hij uitspreken wil niet door zijn strot. 'Godverdomme, Floris, verman je en vertel mij wat er aan de hand is.' En dan hoor ik een stem, aan verlaagd toerental, van diep uit een gat opklinken: 'Pêche-Merle is dood! Pêche-Merle is dood! Pêche-Merle is dood!'

Ik kan het niet geloven. Het is volkomen irreëel wat hij me daar vertelt. Ik verwacht Louis Pêche-Merle elk ogenblik voor mij te zien opdagen, gekleed in een duur lakens pak met een petje à la Sherlock Holmes op het hoofd en een pijp in de mond, om mij het ware verhaal over zijn ontdekking van dat schilderij te doen, en niet zijn spook. 'Floris! Hoor je wat ik je zeg? Waar ben je nu?' – 'In Knokke, in ons expertisebureau.' – 'Blijf waar je bent. Ik kom zo naar je toe,' zeg ik. 'Haast je. Hier is nog iemand die je wil zien.' Het zweet staat me in de schoenen als ik van de eerste schok ben bekomen.

Dikke Floris zit met zijn hoofd in de grond snot en kwijl te huilen. Hij wordt bemoedigend op de schouder geklopt door een overjarige snol die in smeer en kledij geen middel ongebruikt laat om er twintig uit te zien. Een pauwin die nog graag wil nagefloten worden. Zij steekt de hand uit. 'Ik ben Jenny Pêche-Merle, de moeder van Louis.' Ik dacht zijn zuster, wil ik haar zeggen, het ligt op mijn tong. En hoewel het daar allerminst het geschikte ogenblik voor is, ben ik zeker dat zij van het compliment zou gediend zijn. 'Gecondoleerd, mevrouw.' – 'Dank u.' Zij lijkt me niet door rouw verteerd. Ofwel realiseert zij zich nog niet dat zij haar zoon voorgoed kwijt is. Terwijl zij mij taxeert, stopt zij een sigaret in de koker die zij tussen haar gepolijste vingers houdt. Zij steekt vuur in de peuk en zuigt eerst een paar flinke wolken naar binnen alvorens in een paar zinnen haar trieste verhaal te doen.

Haar zoon Louis is met Serafina naar Londen gevlogen en daar zijn ze in het geheim getrouwd. Niemand was op de hoogte van hun plannen. Het is een complete verrassing voor iedereen. Daar kan ik het mee doen.

Pêche-Merle heeft zijn gaper gelegd in de armen van zijn kersverse bruid. Hij was nog niet eens toe aan het wittebrood van de eerste week of daar had hij zich al fataal verslikt. Gestikt in liefde! De brok zal te groot zijn geweest voor hem. Te gulzig gevreten na jaren eenzijdige kost. Te roekeloos overgestapt van de handkar naar het tweespan. Het was niet zijn eerste infarct, hij had in de bajes al een zware aanval gekregen. Nu zal dat wel aan andere oorzaken te wijten zijn. Maar 36, zeg zelf, het is jong.

Hij is gegaan terwijl hij kwam... Meer valt daar niet over te zeggen. Pech voor Pêche. Pech ook voor mij. Bij al dat verdriet sta ik toch maar mooi te blinken met mijn waardeloze cheque van de dierbare overledene. Ik verslik mij in een kwart miljoen. Probeer maar een vodje papier te verzilveren dat de uitschrijver vier weken na zijn dood heeft ondertekend. Die bankier zal zijn lol niet op kunnen. De stommekloot in deze historie ben ik. En om dit nu op te rakelen is de gelegenheid niet geschikt.

Nochtans is het daarvoor dat Madame Pêche zich speciaal van Antwerpen naar Knokke heeft verplaatst. Zij is op de hoogte. Zij wil aantonen dat het allemaal niet is gelopen zoals wordt beweerd, dat haar zoon een goudeerlijke jongen was en moet gezuiverd worden van elke blaam. Dat het fameuze proces tegen hem één grote farce was en elke dag in de bak een teveel. Geld heeft ze echter niet op overschot dus zullen we naar het middeleeuwse principe van de ruilhandel moeten teruggrijpen. Ik moet maar zo snel mogelijk eens naar de havenstad komen om te zien wat zij mij te bieden heeft.

Jenny Pêche-Merle woont in een statig herenhuis aan de Britselei. Er wordt mij opengedaan door een soort hoofdverpleegster, een kleine, dikke dame in hagelwitte schort, met helrood gelakte nagels en een opvallend kapsel, een kraaiennest. Wij bestijgen de marmeren trap waar zij op de overloop haar plaats heeft aan een tafeltje met daarop een soort register, een stapel badhanddoeken en een metalen geldkoffertje. Links van de hal wijst zij mij de salon aan waar ik word verzocht te wachten. Mevrouw is nog even bezig. 'Schrijf ik meneer op voor een gewone of een speciale massage?' – 'Ik kom enkel voor zaken.' Kapsel monstert mij van kop tot teen. Zij knikt. Zij denkt er het hare van.

De voorstellingen die de wand sieren, laten er weinig twijfel over bestaan. Het huis van Mama Merle is een verkapt bordeel. Als er wordt aangebeld komt de hoofdzuster met een beleefde glimlach de deur van de salon sluiten. Ik hoor de voordeur open en dichtgaan, een giechelstemmetje dat met klepperende hieltjes de trap opgaat en daarna gefezel.

Kapsel doet mij teken haar te volgen naar de eerste verdieping. Madame Pêche-Merle, gehuld in een roodzijden kimono, komt mij tegemoet met uitgestoken handen. Wat een genoegen mij weer te zien! Zij draagt een dikke hoornen bril met gefumeerde glazen en rookt haar sigaret uit een pijpje. Een grijsharige man in onderlijfje met armen als boomstammen, type kermisworstelaar – ik kom niet te weten of het de hare is, want hij wordt mij niet voorgesteld – verdwijnt door de deur naar de keuken. Zij nodigt mij uit te gaan zitten in een van de drie canapés die in de salon zijn opgesteld.

Ik zeg haar nogmaals hoe erg ik het vind van haar zoon maar zij reageert bijzonder koeltjes en laat mij direct weten waar het op staat. Ja, het is erg, maar even erg is dat hij niet meer terug komt om zijn eigen rotzooi op te ruimen. Zij tapt al uit een ander vaatje dan op het uur dat ik zijn dood heb vernomen. Zolang zijn lijk nog warm was, zou zij zich ervoor in het vuur hebben geworpen. Nu zij beseft dat hij in een kist terugkeert, wil zij liefst zijn hele kadaster mee begraven.

Zij vervloekt de erfenis waar zij mee achterblijft. Vader Pêche-Merle heeft na zijn eveneens vroegtijdige dood dit eigenste huis niet aan haar maar aan zijn zoon nagelaten. Zij had enkel het vruchtgebruik maar dit is na het overlijden van Louis komen te vervallen. Indien nu door zijn onvoorziene huwelijk zijn bruidje eigenares is geworden van dit pand, bestaat de kans dat hier morgen al een deurwaarder aan de bel hangt om haar op straat te zetten.

Dat ziet er inderdaad beroerd uit. Ik wil weten of zij die Serafina dan niet vertrouwt. Zij bijt op haar nagels. Wat te denken van een meid die nauwelijks achttien is geworden en er met de minnaar van haar moeder vandoor gaat om met hem te trouwen? Dit is geen gril meer van een verliefd meisje maar een handeling van iemand die zich geen rekenschap geeft van haar daden.

Mama Merle komt meteen terzake en windt er geen doekjes om. Zij mag niet bij de pakken blijven zitten. Het leven gaat verder en liefde is haar broodwinning. Als ik dus gebruik wil maken van de diensten die zij aanbiedt, mag ik niet aarzelen. Een man moet zich op tijd en stond laten verwennen en door wie kan dat beter dan door vrouwtjes die daarvoor zijn opgeleid en het vak uitoefenen met hart en ziel. Ik krijg het gevoel dat dit reisje, in plaats van wat zaad in het bakje te brengen, mij een stevige noot gaat kosten en dat het vodje papier, aanleiding en doel van mijn bezoek aan deze beauty parlor, straks nog enkel zal dienen om mijn reet schoon te vegen.

Ik vraag wat zij mij te bieden heeft en terstond laat zij een belletje klingelen. Even later treedt Kapsel aan met twee snoezepoezen van om en bij de twintig in haar spoor, een ranke blonde en een mollige sproetenkop. Zij dragen met veel gratie een wit schortje dat meer laat zien dan het verbergen wil en blaken van ijver en inzet. Mama Merle preciseert dat beide lellebellen bij haar in de leer zijn en zich voorlopig beperken tot handwerkzaamheden, het gewone massagewerk dus.

Zij test mij. Ik zeg haar dat ik eens terug zal keren als zij de hele gamma te bieden heeft en liefst met beide meiden tegelijk. Ze pakt mij op mijn woorden, dat kan meteen. Ik zeg dat het allemaal nogal onverwachts komt maar dat ik binnenkort zeker op visite kom voor uitgebreide zorgen. Dan, verzekert zij mij, zal ik op de viool horen spelen zoals nog nooit eerder in mijn leven en zullen de hemelen een muziek over mij uitstorten waarbij woorden tekort schieten.

Volgens Madame Pêche-Merle is het onaangename gevolg van de deal die ik met haar zoon heb gesloten eigenlijk een varkentje dat ik moet wassen met zijn vennoot, Floris Niedrig, maar niets belet ons dat we samen zaken kunnen doen. Zij hoort links en rechts al eens wat en een aantal mensen uit de branche zijn hier kind aan huis. Om mij het bewijs te leveren van haar wijdvertakt netwerk laat zij met belgeklingel de hoofdzuster opdraven met een schilderij. Het is een portret, ten voeten uit, van een verwijfde oosterse zwaardvechter in kimono, genre samoerai, die zijn zwaard in een hoekje heeft neergezet en zich met een waaier koelte toewuift. Getekend: Ensor. Een nogal ongewoon thema voor de meester maar toch een aannemelijk onderwerp gezien zijn zuster met een Chinees was getrouwd. Interesse voor het Verre Oosten was hem dus niet vreemd. Daarnaast overhandigt zij mij een certificaat van echtheid door een museumdirecteur naar eer en geweten opgesteld. Alleen passen het werk en het document niet bij elkaar. De kleuren van het geheel kloppen niet en de decoratieve elementen op het kledingstuk zijn van een andere makelij. Zij moet dringend naar de oogarts want zelfs als ik er haar op wijs schijnt ze de verschillen niet op te merken. En als ze dat al doet, blijken die haar in elk geval niet te storen.

Terwijl we nog wat zitten te kletsen hoor ik eerst een man met zware stap de trap van de tweede verdieping afdalen, enkele minuten later gevolgd door hetzelfde geluid van klepperende hieltjes dat ik bij mijn aankomst heb waargenomen. In een weerschijn zie ik een jonge vrouw passeren op de overloop. Haar van vloeibaar goud, ogen van jade, een huid van zuiver albast. Roodborstje? Ik kan geen woord meer uitbrengen tot ik de voordeur hoor dichtslaan. Ik ben helemaal van mijn melk. Begin ik te hallucineren? Madame Pêche-Merle merkt mijn verwarring en vraagt of ik me niet goed voel. 'Het gaat alweer.' – 'U was er even niet bij.' Ik aarzel, maar dan verstout ik mij toch te vragen wie de dame is die ik daarnet heb gezien. 'Dat kan ik u niet zeggen, meneer. Discretie is de eerste regel van het huis.' – 'Sorry, ik dacht een vriendin te hebben herkend.' – 'Een reden te meer om dat boek gesloten te houden.' – 'Het kan ook iemand anders zijn geweest. Werkt die dame voor u?' – 'Heel occasioneel. Zij is wat je noemt "une belle de jour"...' – 'De schone van één dag.' – 'De dames die hier komen, werken in los verband. Ik weet nooit zeker wanneer zij opdagen. Meestal bellen zij zelf. Zij willen thuis niet worden lastiggevallen omdat hun mannetjes niet op de hoogte zijn van hun activiteiten. Ze sloven zich uit om zich dingen te kunnen permitteren die het ventje thuis niet kan betalen. 't Is een leuke bijverdienste en de ene heeft al wat meer noden dan de andere. Dure kleren, nieuwe auto, droomvakantie, vul het zelf maar in. Anderen doen het puur voor de kick of omdat zij er verslaafd aan raken. Sommigen zijn erg goed, heb ik me door klanten laten vertellen.' – 'Kan ik haar boeken?' – 'Alles kan maar denkt u dat een dame het leuk zou vinden hier met een vriend van haar te worden geconfronteerd? Zeg zelf.' – 'Eigenlijk is het geen vriendin, ik ken haar amper.' – 'Maar u bent in stilte verliefd op haar.' – 'Zo zou u het kunnen stellen.' – 'Dan vind ik het zeker geen goed idee. Er zijn andere plaatsen en andere omstandigheden om haar dat te vertellen.' Inderdaad, zit ik bij mezelf te denken, maar hier zou zij mij haar gunsten niet kunnen weigeren. Hier komt zij om een job te doen. En mijn ongeduld is te groot. 'Toch zou ik haar willen ontmoeten.' – 'Vergeet haar.' – 'Zij... Waarvoor doet zij het?' – 'Ik heb het haar nooit gevraagd.' – 'Heeft zij een man?' – 'Hier worden geen confidenties uitgewisseld.' – 'Ik durf je haast haar naam niet te vragen.' – 'Die heeft ze niet. Niemand komt hier werken onder zijn echte naam. Discretie is de regel, dat heb ik toch al gezegd. Wat niet weet, niet deert.' – 'Boek haar.' – 'En vergeten we dan de cheque?'

Ik sta in twijfel. Hoe zeker ben ik dat het Roodborstje is die ik heb gezien? Of was dit de zoveelste zinsbegoocheling die ik mij over haar heb gemaakt? Voor de illusie die Mama Pêche te bieden heeft is de losprijs te duur. 'Laat ons de zaken gescheiden houden,' zeg ik haar, 'ik ga maar beter weg.' – 'Ik zie u binnenkort heel graag terug.' – 'Ik weet het niet.' – 'Reken maar.'

Oh, Melodie...

Verstop je maar diep onder de zoden, klootzak! Waag het zelfs niet in je kist weer het Kanaal over te steken! Ik pluk je kaal, hoe dood je ook bent! Heb je dat gehoord, oplichter? Waar je ook bent, ik schud je uit! De eeuwigheid zal voor jou niet lang genoeg duren om mij te ontlopen, verrekte luizebroeier! Ik wil mijn geld of mijn kunstwerkje terug, heb je dat?

Dat en meer van de fraais zit ik hardop tegen mezelf uit te toeteren tot ik er moedeloos van word. Godverdomme, Pêche, wat een idee om je nu al het graf in te neuken, om je letterlijk als een aardworm en gat in de grond te boren. Geen nette manier om er vanonder te muizen en mij achter te laten met de gebakken peren. Je moet je beloftes nakomen en je schulden betalen. Je bent er vandoor met mijn bezit en in de plaats heb je mij een waardeloos vodje papier nagelaten. Een cheque, waarop alleen nog nullen staan te dansen, heb je in mijn fikken gedraaid. Als testament kan dat tellen.

Ik slaap er niet van. Dat kan je niet zomaar over zijn hout laten gaan. Ik wil genoegdoening! Laat ons overeenkomen dat je mij jouw adresboekje in handen speelt. Het zou een leuke compensatie zijn. Dat moet toch lukken? Waar je nu bent, heb je het toch niet meer nodig en mij zou het een heel eind vooruit helpen. Vanuit het hiernamaals moet je me sturen, dat is toch het minste wat je voor mij nog kunt doen? Vanuit het hiernamaals? Weet je dat ik er alle moeite mee heb om te geloven dat je dood bent? Ik zou niet eens raar opkijken moest je morgen levend en wel voor mijn neus staan. Dus hou je niet van de dooie en vertel mij wat.

Vertel mij eens wie het begeerde register op zak heeft gestoken. Volgens Dikke Floris is het in bezit van Melodie, de vrouw

die tien jaar je minnares is geweest. Ik geloof hem maar half omdat hij een voorwaarde stelt. Hij wilde het mij alleen verklappen
in ruil voor wat geld dat hij is komen schooien. Het moet de laatste keer zijn dat hij nog komt bedelen, als hij dat maar weet. De
allerlaatste keer. Ik weet op den duur zelf niet meer waar ik het
moet blijven halen. 'Beloofd,' zei hij, maar hij meende er geen
snars van. Hij staat er nog berooider voor dan ik. 't Is een zeikerd,
als je het mij vraagt. En niet dood van zijn eerste leugen. Bovendien heb ik hem op eeuwig zwijgen moeten beloven dat ik er met
geen woord zou over reppen tegen Mama Merle, je moeder. Hij is
als de dood voor haar.

Wat heeft die daar mee te maken? Trekt zij aan de touwtjes
achter de coulissen? Zoals ik haar heb leren kennen is zij best in
staat te beweren dat zij en niemand anders dat adresboek in haar
bezit heeft. Zij wil zelf veel te graag betaald krijgen voor de boter
die zij aan de vis smeert. En als zij uit dat carnet een slaatje kan
slaan zal zij mij dat serveren op een peperdure plaat. Morgen
maakt zij mij nog wijs dat zij het ergens in een kluis heeft verstopt om het aan de meestbiedende te verkopen. Ik zie het plaatje
al. Zij zal een privéveiling organiseren. En mijn kop er af als ik
daar tussen de bieders op de eerste rij niet het vingertje van de
Sjacherende Kaalkop naar omhoog zie gaan. Die droomt immers
van een breed mecenaat bij het voltooien van de Nieuwe Schepping, zoals hij in alle bescheidenheid zijn oeuvre noemt.

En last but not least, meneer Louis Pêche-Merle, rest ons nog
je bruid, Serafina, wiens schoonheid ik te allen kante hoor prijzen, tevens je stiefdochter, wiens kutje een kortsluiting heeft gemaakt met je hart. Ik probeer mij een voorstelling van haar te
maken. Geslepen, onweerstaanbaar, meedogenloos. Een schoot,
heet als de hel, maar ogen van ijs. De vlam die de vleugels verschroeit van nachtvlinders zoals jij en ik. Ik hunker er naar haar
te ontmoeten in vlees en bloed. Ik wil me best ook eens laten verslinden. Misschien moet ik dat adresboekje wel uit haar slipje vissen.

Waarom moest jij trouwens zo nodig naar Londen voor een
huwelijk met die meid? Dat kon hier toch in alle legaliteit. Ja, toch?
Met moeke Melodie was je immers niet getrouwd, zij was geen

wettelijke hinderpaal. Het kon hoogstens een beetje vervelend zijn dat het net haar dochter was die je gestrikt had. Maar dat liet een man als jij toch niet aan zijn hart komen? Excuus voor de uitdrukking, Pêche. Sorry dat ik in de lach schiet. Maar weet je wat ik denk? Dat je met de meest summiere informatie over de Pijp, die je van mij had opgevangen, even een peil bent gaan trekken bij de grote venduhuizen? 't Was in één moeite meegenomen.

Ik ben onderweg naar Melodie, zij staat als eerste op de lijst. Zij moet meer weten over de geheimen die Pêche in zijn graf heeft meegenomen en dat zijn er ongetwijfeld een kist vol. Omwille van de wijze waarop hij haar heeft behandeld is zij misschien bereid het deksel te lichten en die dooie zak nog een beetje dieper in zijn put te duwen. Dat adressenbestand van hem is kaviaar voor mij. Een beginnend galerist kan alleen maar van zo'n boekje dromen. Iedereen staat er in. Iedereen! Hij heeft half België een poot uitgedraaid en de andere helft stond op het menu. Misschien slaag ik er in het haar af te luizen op de een of andere slinkse manier want ervoor betalen kan ik niet.

Ik zit nog steeds op droog zaad. De laatste smak poen die echt van mij is geweest en die ik na mijn eerste casinobezoek gedurende enkele uren heb mogen koesteren is door Post Scriptum aan de vogels en de vissen gevoerd. Ik heb het gevoel dat ik zo'n hoop in tijden niet meer bij elkaar geharkt krijg. Dat handeltje van mij loopt niet zoals verwacht. Ik lees dan wel in de kranten over de schatten die voor kunstwerken worden betaald en de records die op internationale veilingen om de haverklap worden gebroken maar de ondervinding leert me al gauw dat al die topprijzen, net als bij de loterij, steeds anderen te beurt vallen. Die moeten dienen om de droom in stand te houden en de zeepbel in de zon te laten glinsteren. Met de Pijp zou ik een pracht van een bel in de lucht kunnen blazen.

Ik hou het hoofd boven water, maar daarmee is ook alles gezegd. Een zaakje links en rechts om de huishuur en de elektriciteit te betalen. De vaste kosten blijven lopen. Een meesterwerkje aan de muur, waar iedereen storm voor loopt, dat is wat ik nodig heb. Een oppepper! Voorlopig moet ik mijn galerietje gevuld krij-

gen en ben ik verplicht de muren te behangen met werk van kunstenaars die ergens anders niet aan de bak komen.

Bij mijn eerste prospectieronde ondervind ik algauw dat je met
dat soort armoezaaiers de straten kan plaveien, terwijl de wereld
niet groot genoeg is om er hun ego mee op te vullen. Van wat ze
produceren val je niet achterover maar voor de uitleg die je er bij
krijgt ga je beter eerst zitten. 't Is verdomd moeilijk om tegelijkertijd je ogen en je oren te geloven. Ikzelf vind er meestal geen
reet aan maar het moet nu eenmaal, er moet brood op de plank
komen. Zolang die schooiers niet dag in dag uit aan mijn kop
zeuren over hoe geweldig hun rotzooi wel is, terwijl ze gratis en
voor niks een aanslag plegen op mijn drankvoorraad, wil het nog
meevallen.

De namen en telefoonnummers uit het adresboekje van Pêche-
Merle zouden als manna uit de hemel op mijn hoofd regenen. En
als Melodie het niet in haar bezit heeft moet zij in elk geval de
belangrijkste mensen kennen die er in voorkomen. Wie weet staat
er geen pijp in getekend die met de steel naar de naam van de
eigenaar wijst. Dikke Floris heeft er ongetwijfeld eveneens een
flink aantal in zijn hoofd maar die hoedt er zich wel voor zijn
mond voorbij te praten. Hij wilde enkel kwijt waar Melodie momenteel aan de slag is.

Ik rijd een paar keer voorbij de keet waar zij werkt. Uit nooddruft heeft zij weer haar oude beroep opgenomen. Na enige aarzeling besluit ik naar binnen te gaan. Ik ga bij de bar zitten en
bestel wat te drinken. Zij monstert mij van kop tot teen. Taxeert
me. Een jonge bok op zoek naar een blaadje dat al wat regen en
ontij heeft doorstaan. Plakt een prijs op mijn kop. Met een bevroren glimlach vraagt zij of ze d'r eentje mee mag nippen. Haar hand
ligt al op mijn knie.

Zij ziet er frivool en decadent uit, liederlijk verlept. Nog vroege
namiddag maar reeds een halve snee in de neus. Zij draagt het
soort doorkijkbloes waarmee zij bij het kunstvolkje in Knokke
bekendheid heeft verworven. De tieten van Melodie waren destijds het meest bekeken en besproken object in de galerie van
Pêche. Wie er ooit was geweest had ze gezien. Ze liep er graag en
om zichtbare redenen mee te pronken. Nu nog. Tepelhoven ter

grootte van een moorkop die als aureolen rond haar duimdikke tepels lijken te zweven. Hapklaar, alsof ze van chocolade zijn. Ik had het mij al door verschillende snoepers laten vertellen.

Ze tast het terrein af. Links slaan om rechts te weten. Reeds tijdens de eerste verkenningsronde zeg ik zo langs mijn neus weg dat ik net een galerietje heb geopend in Knokke. Zij is compleet verrast, op haar hoede. Zij vraagt of ik haar ken.

Hoezo? Hoe zou ik haar kennen? Het is toch de eerste maal dat ik hier over de vloer kom. Neen, ik ken haar niet. 'Dan kan je er ook geen spijt van hebben,' zegt ze terwijl het ijs op haar gezicht ontdooit.

Als ik haar vraag wat zij daarmee bedoelt, schudt zij het hoofd. 'Laat maar zitten.' – 'Neen,' zeg ik, 'je maakt me nieuwsgierig. Moet ik bang voor je zijn?' – 'Ken je me echt niet?' – 'Hoe zou ik?' Wat ik van haar wist had Floris Niedrig mij verteld.

Het leven van Melodie was rimpelloos begonnen. Deftige familie, goede school, huisje, ventje, kindje en een saaie job bij de bank. Tot ze Louis Pêche-Merle ontmoette die meteen kleur en zwier in haar eentonig bestaan bracht. Hij kwam om een lening vragen en ging er met haar hart vandoor. Hij had een onstilbare honger naar geld en zij een onlesbare dorst naar liefde. Hij gaf haar wat zij vroeg en zij kon hem niks weigeren. Ze waren voor elkaar gemaakt.

Pêche had geld nodig, veel geld, en Melodie kon hem dat zonder al te grote problemen bezorgen. Zij graaide de kas leeg van de bank waar zij werkte. Zij zat met haar tengels aan het zwarte kapitaal van de rijkste klanten. Diep, tot op de bodem, tot er niets meer af te schrapen viel. Zij wiste zorgvuldig elk spoor uit en deed haar werk zo grondig dat het de controleurs jaren kostte voor ze achter het bedrog kwamen. Die kerels bleken te stom om hooi te vreten, zelfs de eenvoudigste trucs doorzagen ze niet. Die waren te simpel, te eenvoudig voor hun groot verstand. Wat die stropdassen niet aan de universiteit hadden geleerd, daar keken ze gewoon naast. Je moest zelf een dief zijn om het te doorzien.

En zo gebeurde. Melodie had snel door dat er een rotte appel in de mand zat. Tussen de controleurs van de interne diensten zat een speurneus die wat wilde bijverdienen. Ze gaf hem zelf de pap in de mond. Zij was zelfs niet te beroerd om zich door die kerel te laten naaien om ongestraft haar gangen verder te kunnen gaan. Het was dan nog haar Sherlock zelf die zich in de kraag liet vatten. Hybris! Hij kreeg de smaak van het gemakkelijke geld te pakken en werd overmoedig. Hij liep in de val door zijn exuberante levensstijl die hij met een sjofel banksalaris onmogelijk kon verantwoorden.

Zij probeerde alle schuld op zich te nemen om Pêche te beschermen. Daar tuinde de politie niet in. Die wilde weten waar de lieve centen waren gebleven. In de Caraïben, de Kanaaleilanden, Luxemburg of Zwitserland? Opgegaan in rook, zei Melodie. Weg! Het was nog de waarheid ook. Pêche had een kasteel gekocht, een collectie schilderijen en een renstal. Hij was begonnen het leventje te leiden van zijn rijkste klanten om beter in hun kringen door te kunnen dringen. Feesten, reizen, bluf, je moet dik in het vet zitten om er op te teren. En niks ben je sneller vergeten dan de smaak van dunne soep.

De put werd alsmaar dieper, het gat werd bodemloos. Denk nu niet dat dit Pêche-Merle een zorg was. Schulden schreef hij op de zool van zijn schoen. Over geldzorgen hield hij er een even aparte als eenvoudige filosofie op na. Zijn mening was dat je een schuld moet opbouwen zoals je een fortuin opbouwt. Zoals de berg nooit hoog genoeg kan reiken, kan de put nooit diep genoeg zijn. Als je een schuld hebt van honderd miljoen, heb je een probleem. Als je een schuld hebt van één miljard, heeft de bank een probleem. Dat is het hele eiereneten. Als een bankier niet meer over de schuldenberg kan kijken of de bodem van het gat niet meer ziet, trekt hij zelfs zijn handschoenen uit om je aan te pakken. Hij legt eieren onder je krent. Hij staat in voor je levensonderhoud opdat je de moed niet zou verliezen. Hij begint beter over je gezondheid te waken dan over zijn geld. Er mag je vooral niets overkomen.

Melodie vertelt mij in haar eigen woorden haar treurige geschiedenis. Zij heeft alles uit liefde gedaan en is zwaar bedrogen uitgekomen. Door de laatste gebeurtenissen was zij zodanig overrompeld dat zij zelfs geen tijd heeft gekregen om te rouwen. Daar had zij trouwens geen enkele reden voor. Die rotzak van een

Pêche-Merle was geen traan waard. Wat hij met haar had uitge-vreten, stonk. Hij, haar god, haar grote liefde, had haar oogap-pel, haar schatje Serafina, geschaakt en haar tot zijn vrouw ge-maakt. De status van het huwelijk, voor een vrouw de hoogste erkenning in haar ogen, bekroning van liefde en aanbidding, had zij aan de zijde van Louis Pêche-Merle niet bereikt. Haar dochter had haar plaats ingenomen. Melodie had een adder aan haar borst gevoed.

Pêche had haar van de oever geduwd en zij was kopje onder gegaan. Het had haar ziek gemaakt. Haar bloed was vergiftigd en er was geen remedie tegen. Zij kankerde uit. Zij zou er nooit van genezen. Niettegenstaande haar verdriet was zij zijn trouwe slaaf gebleven, zijn hond, tot aan het uur van zijn dood. En ook daarna. Indien er om hem tranen waren geplengd, waren het deze van Melodie. Zij vervloekte hem niet. Zij bad voor hem.

Met het kunstwereldje wil ze helemaal niets meer te maken hebben. Allemaal oplichters, de hele schildersbent! Naar de mond werkend voor het goed van de mensheid en voor de verheffing van het volk, maar in feite met niets anders voor ogen dan de grote poen. De laatste die misbruik van haar had gemaakt was een ze-kere Pim Pee, een talentloze kladderaar die op de losgeslagen kunstscène zijn machteloosheid trachtte te verbergen achter de gekste performances. Voor hem volstond het om over de tong te rijden om van succes en erkenning te spreken. Niet langer dan een week geleden had hij haar uitgenodigd voor een soort hap-pening met als thema "God is een Vrouw". 't Bleek niets anders dan een truc te zijn om haar voor een schijntje te naaien. Hij had haar aanlokkelijkste attributen zelfs gebruikt als trekpleister op de affiche. Daar stond zijn naam op, de plaats en uur van het ge-beuren, en een koppel tieten met een reusachtige tepelhof. Háár tieten! Die dingen waren hot stuff en volop in de actualiteit door het veelbesproken huwelijk en het overlijden van Pêche. Pim Pee wilde ze op een bijzonder originele manier vereeuwigen en Me-lodie begreep dat zij daar geen tien jaar meer mee hoefde te wach-ten.

In navolging van die rare kwast uit Frankrijk, jong maar roem-vol gestorven, die zijn modellen insmeerde met verf van een heel speciaal blauw, een door hem gepatenteerde kleur, liet Pim Pee zijn modellen neerliggen op een doek om derwijze een afdruk van hun vormen te nemen. Een aap kon het! Maar Pim had een gat in de markt ontdekt en er zich halsoverkop in geworpen. Melodie liet zich dus aan de voorkant insmeren met verf van diverse kleur en strekte zich toen uit op haar buik op een schildersdoek dat op de grond lag uitgespreid. Pim Pee kwam boven op haar liggen en begon zijn artistiek lijf in alle bochten te wringen. Zij mocht geen vin verroeren, zij mocht nauwelijks ademhalen. Tegelijkertijd mummelde hij wat over de concentratie die hij moest opbrengen om te geest te ontvangen die op het punt stond hem te bezoeken. 'Nou,' zegt Melodie, 'of hij die geest ooit heeft gezien weet ik niet maar ik heb hem wel gevoeld. Mij heeft hij in ieder geval bezocht. Ik voelde hem tussen mijn benen heel diep naar binnen kruipen.'

Eerst geloofde zij het niet maar toen zij door kreeg waar hij mee bezig was en zich wilde verzetten, kneep hij haar bijna de keel dicht om zogezegd niet uit zijn concentratie te geraken. Zij moest en zou de geest ontvangen! En even later spoot hij haar helemaal onder. In naam van de muze! Alles voor de kunst! Van haar kant werd alleen dankbaarheid verwacht voor al de zegeningen die over haar waren uitgestort in naam van de artistieke creatie. Het aanwezige publiek klapte alvast hard in de handen.

'Wat heb je dan gedaan of gezegd?' vraag ik haar. 'Heb je niet geprotesteerd? Die kerel een mep verkocht?' Blijkbaar is Melodie nog niet helemaal van haar verbazing bekomen. 'Pim toch!' heb ik gezegd. 'Het waren de enige woorden die ik kon uitbrengen, zo verrast was ik door de hele vertoning.' Ze zwijgt even. 'En waar ik helemaal gek stond van te kijken was de liefdesverklaring die hij toen voor me aflegde. Hij vroeg me in één adem of ik bij hem niet wilde intrekken. Daar wil ik toch twee keer over nadenken.'

Als zij mij vraagt of ik Pêche heb gekend, vertel ik haar naar waarheid mijn wedervaren. Tot en met de historie van de cheque die in mijn kontzak zit te branden. 'Het is toch niet bij mij dat je de centen komt halen?' – 'Hoe zou ik? Ik heb je toch gezegd dat ik je niet eens ken.'

Ik verzeker haar nogmaals dat mijn komst hier louter toeval

is. Ik vertel haar niet dat ik haar adres heb van dikke Floris Niedrig noch maak ik melding van mijn bezoek aan het huis van Mama Merle.

'Misschien heeft de hemel u wel gezonden,' zegt Melodie, terwijl zij de derde dure fles opentrekt. De helft van haar glas heb ik haar telkens in de ijsemmer zien kiepen. Zij kan dan misschien goedgelovig zijn of zich wat naïever voordoen dan zij is, zij vergeet in elk geval niet bij haar miserie goed garen te spinnen. Achter die beroemde tieten klopt een echt hoerenhart. Week als pruimenvlees met in het midden een steen waar je niet doorheen kunt bijten zonder er je tanden op te breken. Ik krijg het gevoel dat ik de peer zal zijn die voor de anderen het gelag mag betalen.

'Was jij nauw betrokken bij de zaken van Pêche?' – 'Wij waren twee handen op een buik. Ik wist alles.' Behalve van Serafina, zit ik te bedenken. In feite wist zij niets, heeft zij nooit wat geweten. Zij was de geldkraan. In de bank en later in het bordeel.

Dan zegt Melodie: 'Indien wij nu ons leed eens bij elkaar zouden leggen? Ik weet heel wat en jij moet nog alles leren. We zouden zelfs partners kunnen worden.' Godverdomme, dat zat er aan te komen. Zij is de dure eed om nooit meer met het wereldje in contact te treden alweer aan het breken. Vaar ik met haar naar het land aan de overkant of breng ik mijn boot tot zinken nog voor ik de haven verlaat?

Ik vraag haar of zij weet heeft van het Ceci enzovoort schilderij van Magritte, dat met de Pijp, waarvan Pêche tijdens ons laatste telefoongesprek had beweerd dat hij er alles van wist. Ze zegt zwoeltjes: 'Misschien.' Haar ogen twinkelen, haar stemmetje zakt helemaal in haar keel. 'Voel hoe mijn hart klopt,' zegt ze en legt mijn hand op een van haar moorkoppen.

Met een onbekende

Het giet van de hemel, het hoost zo hard dat ik tot aan mijn enkels in de regen drijf. Met enkel wat lichte kleren aan ben ik algauw doorweekt tot op het vel. Ik bel aan en ga op de drempel staan om te verhinderen dat ik mee door de goot wordt gespoeld.

Zoals zij mij daar in het voorgeborchte van het huis opwachten, Dikke Floris, Worstelaar en Kapsel, lijken ze wel Cerberus, de driekoppige hellehond die de poorten van de onderwereld bewaakt. Reeds toen ik de straat overstak naar het huis van Jenny Pêche-Merle, had ik het gevoel dat ik door de wateren van de Styx waadde. Ik heb nog even geaarzeld om aan te bellen omdat ik niet weet wat mij daarbinnen te wachten staat. Ben ik op zoek naar een geest? Achter de gevel van dit huis zitten meer geheimen verborgen dan iemand ooit aan de buitenkant zou kunnen vermoeden.

Jenny heeft me gebeld met de boodschap dat zij vandaag om drie uur een afspraak heeft gemaakt met de dame die ik had geboekt. De schone van één dag die ik bij mijn eerste bezoek met een glimp heb waargenomen en met aan zekerheid grenzende waarschijnlijkheid voor Roodborstje heb gehouden. Nu ik hier in de hal sta te druipen vraag ik me af of ik geen spijt zal krijgen van mijn voornemen. Ik zou er al vanonder willen muizen maar doorweekt van mijn haar tot mijn tenen kan ik me beter eerst droog wrijven als ik geen plaag wil opdoen.

Sinds gisteren, na het telefoontje van Jenny, ben ik in alle staten. Stel dat zij het echt is. Dan is zij gekomen om zich over te leveren aan een onbekende voor een uurtje betaalde liefde, om geen andere reden. Ik stel mij haar verbazing voor als zij uitgerekend aan mij wordt voorgesteld. Ga zitten, mevrouwtje, en maak het je gemakkelijk. We gaan even zaken doen. Ik ben de koper, jij de waar. Noem je prijs en ga intussen alvast liggen.

Ik weet niet welke houding ik tegenover haar moet aannemen. Als het werkelijk Roodborstje is die mij hier opwacht zal ik mooi staan blinken. En zij dan? Misschien zakt zij wel in de grond en durft mij nooit meer onder ogen komen. Ik kan natuurlijk muilentrekken en beweren dat ik geen andere bedoeling had dan een praatje met haar te maken. 'Ik rook mijn kans om je langs deze ongewone weg te bereiken aangezien ik op geen enkel andere manier bij jou terecht kan. Omdat ik geen moeite onverlet heb gelaten om je te vinden. Omdat ik niet zal rusten tot je van mij bent.' Dat zal ik haar zeggen, iets in die aard. Hol ik mijn verbeelding achterna? Neem ik mijn wensen voor werkelijkheid?

Aanvankelijk was ik van plan een half uur voor de afspraak aan te komen en zolang in mijn auto te blijven zitten om het huis en zijn bezoekers in de gaten te houden, maar ik kon niet dicht genoeg parkeren en bovendien plensde het hele wolkendek uit de lucht. De zeven zeeën zeikten uit de hemel. Op tien meter afstand kon je zelfs geen boom onderscheiden. De zondvloed was begonnen.

Kapsel reikt me onmiddellijk een handdoek aan en stelt voor dat ik mijn kleren uittrek om ze te laten drogen. Ik kan beter een badjas aanschieten want een ander tenue zal ik in het komende uur toch niet nodig hebben, zegt zij tot vermaak van beide andere koppen. Ik hou het bij de handdoek. Nog liever doordrenkt dan mij te vertonen als de hengst van dienst met een zweetdoek over de schoften.

Door de open deur van de woonkamer groet ik de masseuses die in de keuken koffie drinken, de blonde in haar witte plunje en de sproetenkop met de krullen die in een badjas is gehuld. Ik krijg bijna spijt dat ik beide lieve snoezen niet heb geboekt om mij een uurtje gezelschap te houden.

Ik probeer mijn zenuwen de baas te blijven bij het geklepper van scherpe hakken op de marmeren trap. Gedempte stemmen en een luide lach. Dan gaat de deur open en schrijdt ze binnen. Ik krijg bijna een hartverlamming als ze voor me staat. Ik moet twee keer kijken om zeker te zijn. Haar foto staat echter zo scherp in

mijn geest gebrand dat ik niet twijfel. De vrouw die ik hier onlangs heb gezien en die nu voor me staat is Roodborstje niet, 't is
een stand-in. Zij is uit hetzelfde albast gekapt. Niet dat ze op elkaar lijken als twee druppels water maar het zouden zusters kunnen zijn. Ik ben ontgoocheld omdat ik niet de echte voor me heb
maar tegelijkertijd valt er een zware last van me af omdat ik me
niet uit een hachelijke situatie hoef te draaien. Ik zou heus niet
hebben geweten wat te vertellen. Het wordt nu al zoeken naar
woorden.

Ik begin met het stellen van een domme vraag om het gesprek
in te leiden, maar ik kan op het ogenblik niks beter bedenken.
'Heb je een zuster?' – 'Ja, maar ik ben zelf gekomen,' antwoordt
ze spits en met een schalks lachje. Ze bemerkt mijn onzekerheid
en om mij op mijn gemak te stellen kust ze mij meteen op de
wang, laat haar hand traag langs mijn arm naar beneden glijden
en verstrengelt haar vingers stevig in de mijne. Ze moet me vast
voor een groentje nemen. Ze wil me wat zelfvertrouwen bijbren-
gen. 'Noem mij Troetel,' fluistert de schone met licht hese stem
in mijn oor. 'Troetel?' – 'Zo heet ik natuurlijk niet echt, zo word
ik genoemd.' – 'Wel een heel ongewone naam.' – 'Niet zo ongewoon als je het verhaal kent.' – 'Ik ben benieuwd.' – 'Je krijgt het
heus wel eens te horen. Alles op zijn tijd.'

Ik wil haar niets wijsmaken. Ik zeg haar dat zij hier is omdat
ik haar voor iemand anders heb gehouden. Bij mijn eerste bezoek aan Mama Merle had ik een glimp opgevangen van een jonge
vrouw die ik meende te kennen en daarom per se wilde ontmoeten. Zij haalt haar schouders op. 'Voor jou maakt dat misschien
een wereld van verschil, lieve jongen, maar niet voor mij. Ik klus
gewoon wat bij.' Zij zegt het met een strakke, gemaakte glimlach. 'En ik kan heel lief zijn voor iemand die daar nood aan heeft.'
Ik stribbel een beetje tegen. 'Ik weet niet of ik het wel wil,' zeg ik.
Nog een verliefde sukkel, zie ik haar denken. Nog iemand die
gelooft dat de wereld zal ophouden met draaien als hij niet die
ene vrouw voor het leven in de armen kan sluiten. 'Natuurlijk wil
je het. Daarom ben je hier. Maak het je gemakkelijk om te beginnen, dan praten we wat. Zo leren we elkaar een beetje kennen.' Ik
weet niet waarvoor dat nodig is, maar nu ik er toch ben, kunnen

we het evengoed gezellig houden. De teller loopt en voor hetzelfde geld maken we er een gezellige rit van. Met trage vingers maakt ze de knopen van haar jas los.

'Misschien is het wel Serafina die je hebt gezien.' – 'Serafina?' – 'De schoondochter van Jenny Pêche-Merle. Het meisje waar haar zoon Louis in Londen is mee gaan trouwen. Iedereen zegt mij dat ik op haar lijk, dat ze mijn zuster zou kunnen zijn, mijn kleine zusje dan, want ze is nog heel jong.' Zij trekt haar jas uit.

Troetel zwijgt en zit wat voor zich uit te staren. 'Een echte dolleman, die zoon van Madame Jenny. Wat een geschiedenis. Heb je daar ook van gehoord?' Nou, en of ik ervan gehoord heb! Ik zit er verdomme middenin. De gepluimde kip in het verhaal, c'est moi! Ik besluit mij op de vlakte te houden. Het is beter er niet op in te gaan zolang ik niet weet welk vlees ik in de kuip heb. 'Ik heb enkele vage geruchten opgevangen, ja. Pêche zou er met de dochter van zijn vriendin vandoor zijn gegaan.' – 'Niemand kon het geloven. Het was je reinste moedermoord.' – 'Gekruid met een flinke dosis incest. Die Serafina kan zowaar de heldin uit een Griekse tragedie zijn.' – 'Iemand met ogen in zijn kop kon het zien aankomen.' Ze hangt haar jas op de rug van de stoel. Ze draagt zorg voor haar spullen.

'Louis kwam zijn moeder hier geregeld opzoeken, ze hadden een echte band. En nadat hij een hele tijd uit de circulatie was geweest kwam hij nog vaker dan vroeger. Meestal was Melodie er bij met haar dochter Serafina die danig op me lijkt. En bij elk bezoek stuurde Louis zijn Melodie naar de winkel om zaken die niemand nodig had. Om voor een half uur van haar af te zijn. Hij speelde verzendertje met haar, soms leek het wel 1 april. Van zogauw hij het gat vrij had, moest je hem met Serafina bezig zien! Wat een geflodder iedere keer! Je kon niet meer spreken van een gezonde verhouding tussen vader en stiefdochter. Ze stonden te flikflooien in elke hoek van dit huis. Op den duur verstopten zij zich niet eens meer. Madame Jenny had dat natuurlijk in de smiezen, zij is niet van gisteren. Ze konden hun poten niet thuis houden, zelfs niet onder de neus van Melodie. Die arme sloor had niets in de gaten ofwel sloot zij de ogen en maakte zichzelf wijs dat het om onschuldige spelletjes ging. Je kent dat wel. Het begint met plagerijtjes en het eindigt in bloedige ernst.' – 'Plagen is om liefde vragen.' – 'Beter kan je het niet vertolken. Ik heb het meegemaakt met mijn eigen schoonbroer. Het is een spelletje van uitdagen en verlokken. Het begint met wat duwen en trekken voor de grap, op den duur zoek je het contact, je lokt het uit en daarna lever je wat schijngevechten waarbij je plots iets te lang en te dicht tegen elkaar blijft liggen.' Ze heeft haar blouse losgeknoopt, alle knopjes aan de voorkant en de mouwen.

'Het is nu maar te hopen dat Pêche zijn bruidje niet zwanger heeft gemaakt.' – 'Dan is dat maar zo.' – 'Ik betwijfel of Serafina in staat is om voor een kind te zorgen. Zij is zelf nog een kind. Kinderen zijn in ieder geval niet aan mij besteed, ik wil er geen, d'r lopen al genoeg sukkelaars op de wereld.' Troetel trekt haar blouse uit. Zij draagt een pikant behaatje met halve schelpen. Haar tepels komen piepen. Ze zijn roze.

Troetel vertelt honderduit. Als elfjarig kind werd zij door haar behoeftige ouders aan een kinderloos gezin uitbesteed als delicium, zoals die lui dat noemden. Met de erfenis aan Latijnse woorden die mij uit de humaniora is overgebleven kan ik ongeveer raden dat zij daarmee een lekkernij bedoelt. En ja, hoor, ik heb het goed. Zij werd aan rijk, verloederd volk versjacherd als troeteldier. Zij was de speelpop die zowel meneer als mevrouw, of beiden tegelijk, ter wille moest zijn wanneer en waar het hen behaagde, uur na uur, dag en nacht, gedurende de vier seizoenen.

Zij is nu professionele actrice maar zonder vast contract. Ze moet nog bekend worden maar daar wordt aan gewerkt. Het is moeilijk om aan de bak komen in het theater, intussen verdient ze de kost met onder andere modellenwerk voor lingerie. Zij figureert al in reclameboekjes van fabrikanten die voornamelijk aan verkoop per post doen. Misschien is zij al in mijn brievenbus gevallen zonder dat ik daar erg in had. Zij laat mij zo'n blaadje zien. 't Is niet meer dan een folder waarin zij met haar fraai figuur de vrouwen moet verleiden om hun man op leuke gedachten te brengen. Haar laatste job was een campagne voor jeans. Nog slechter betaald dan beloofd en slag om slag uitgescholden door een etter van een vent. 'Salmèk?' – 'Ken je hem?' Ik knik. Wat is de wereld weer klein. Ook de meubelsector doet een beroep op haar diensten om het comfort van zijn zetels en banken aan te prijzen. Erg gegeerd om haar goed figuur, loopt zij zelfs te pronken op de catwalk van een lokaal modehuis. Zij demonstreert mij een reeks van die gekke, onnatuurlijke passen. 'Doe maar gewoon,' zeg ik. Zij schopt haar schoenen uit.

'Mag ik vragen of je getrouwd bent?' – 'Je mag alles vragen, dat staat vrij. Alleen de antwoorden worden betaald.' – 'Ben je getrouwd?' – ' Sinds meer dan drie jaar.' – 'Weet je man wat je doet?' – 'Wat niet weet, niet deert. Het gaat hem niks aan. En deren mag het hem niet vermits hij een jaar geleden zichzelf heeft ontdekt.' – 'Hoezo?' – 'Op een dag lag er een briefje op de keukentafel dat hij niet langer met mij als man en vrouw kon samenleven sinds hij zeker wist dat hij homo was. Voilà. Sindsdien hebben we geen betrekkingen meer. We knuffelen nog, dat is alles.' Troetel ritst haar rok open en laat hem naar beneden glijden. Jarretière, slipje afgezoomd met zwarte kant en een fraai stel benen.

Lui is zij allesbehalve, 't is best een bezige bij. Naast haar toneelbezigheid doet zij eveneens hostessenwerk. En op niveau dan nog. Ze begeleidt prominenten op beurzen en internationale salons. Ze schijnt en schittert tijdens het officiële gedeelte maar achter de coulissen valt de broek van al die mooie heren nog sneller dan hun masker. Haar optredens eindigen meestal op de canapé, begrijp ik uit haar verhaal. Dat hoort nu eenmaal tot de geplogenheden, het maakt ongesproken deel uit van het vak. Idem dito bij buitenlands bezoek van politieke bonzen en diplomaten. Dus heeft zij van de nood een ondeugd gemaakt en een slaatje geklopt uit haar natuurlijke vaardigheden. Troetel zit op de rand van het bed en strijkt met haar hand over het glimmende nylon van haar kousen die als een tweede huid over haar benen staan gespannen. Haar melkwitte dijen.

Het liefste zou zij bij de televisie willen, daar ligt de toekomst. Daar wachten roem en glorie. Want beroemd en bejubeld wil zij worden, daar heeft zij alles voor over. Tot hiertoe is haar theatercarrière beperkt gebleven tot een aantal bijrolletjes maar onlangs heeft zij een korte verschijning gemaakt in een populair tv-feuilleton, enkele zinnen maar, doch haar présence was opgevallen.

Bij zoverre dat zij volgende week een auditie mag doen voor een Nederlandse zender die wil uitpakken met een blootshow en op zoek is naar een deerne die de verschillende episodes aan elkaar kan naaien, bij wijze van spreken, gewoon door zich van haar verleidelijkste kant te laten zien. Geen heksentoer, ze hoeft alleen zichzelf te zijn. Troetel knipt haar jarretelles los.

Stel je voor. Direct de intimiteit van een miljoen kamers binnendringen zoals je me hier nu ziet staan. Fantasme à la carte. In het kopje kruipen van die massa mannen en er droompoeder in uitstrooien, hun verlangens losweken en driften ontketenen. Haar ogen schitteren. Zij wil tot het uiterste gaan om de meest begeerde prikkelpop van het land te worden. Troetel steekt een duim achter de kousenband en stroopt een van haar kousen af.

Zij moet nog een artiestennaam kiezen voor het geval haar beeld in de toekomst door de ether wordt gestraald. De hare is veel te banaal. 'Met mijn echte naam heet ik Suzy Mandemakers,' zegt ze, 'daar verover je toch de wereld niet mee?' – 'Je hoeft toch helemaal niet te zoeken. Troetel! Beter kan geen mens bedenken. Het zegt alles wat het zeggen moet en het laat alles raden.' – Denk je?' – 'Zeker weten. Troetelkind, troeteldier. Iedereen zal er van dromen jou te mogen vertroetelen.' – 'Zoals meneer en mevrouw Meier.' – 'Meier?' – 'De familie die mij onder haar hoede had.' Nu moet ik toch even slikken. Heeft zij het over die goede meneer Meier, mij welbekend? Die oerdegelijke man met zijn oerdegelijke vrouw en zijn oerdegelijke zaken? En daarnaast zijn verzamelwoede van schone kunsten en mooie vrouwen? Een van de eerste en trouwste bezoekers van mijn galerie die ik onlangs op een expositie in Brugge tegen het lijf ben gelopen met aan zijn arm een stoot die met hete oogjes naar me lonkte. Haar moeder heeft een café in de buurt van Knokke en ik heb haar toen beloofd dat ik haar daar zou opzoeken. Heb ik nog steeds niet gedaan, ik moet er werk van maken. Troetel ontbloot haar andere been.

'En dit schone-van-één-dag-ding? Is dat een job? Een hobby? Wat moet ik me daar bij voorstellen?' – 'Het is nogal complex, soms weet ik het zelf niet zo goed. Ik moet er in elk geval zin in hebben. De ene dag doe ik het voor de kick, de andere voor de centen.' – 'En vandaag?' Troetel maakt de sluiting los van haar bustehouder en laat hem als een pendel rond mijn hoofd draaien. 'Vandaag doe ik het voor mezelf,' zegt ze.

Zij gaat op het bed liggen met opgetrokken knieën en de benen in lichte spreidstand. Ze schikt de schakels van het gouden slavenbandje om haar enkel, licht haar bekken op en doet haar slipje uit.

'Muisje, muisje van marsepein, wil je mijn speelkameraadje zijn?' Troetel sluit de ogen, likt haar vingertopje nat en loopt er rondjes mee over haar kittelaar. 'We moeten deze jongen nodig wat opvrolijken.'

De show kost mij vijfduizend frank.

Het Huis van de Gele Sterren

Hoe zeker of onzeker kan een mens zijn van iets? Ik heb meer dan een vermoeden de Tableau-Pipe ooit te hebben gezien, maar ik ben gaan twijfelen aan het tijdstip en de plaats. Was het in het huis van mijn oma of in dat van de jood Blijwater waar ik haar als kleuter enkele keren naartoe had vergezeld tijdens de eerste oorlogsjaren? Of in dat van beide? In mijn zoektocht naar het schilderij en de drang om het te bezitten kom ik stilaan tot het besef dat het ding bezit heeft genomen van mij. Ik moet het nu proberen een plaats te geven in mijn leven.

De oorlog had Blijwater verzwolgen en als rook weer uitgeblazen. Althans, dat werd verondersteld. Van hem, zijn vrouw en zijn kinderen, is na de slachting nooit meer wat vernomen. Ik weet niet of iemand in ons stadje ooit navraag naar hen heeft gedaan. Als ik het onderwerp al eens te berde bracht, kreeg ik een schouderophalen als antwoord. Wie stelde zich dáár nu vragen over? Ze waren toch niet van hier, dus zonder belang. Geen mens had er een zeer hoofd in. Verhuisd zonder adres achter te laten, zo was genotuleerd in het stadsarchief. Geen kat die zich vandaag nog herinnert dat zij in ons midden hebben gewoond. Soms vraag ik eens rond bij de ouderen. Blijwater? Nooit van gehoord.

De oorlog had ook het huis van mijn oma in de as gelegd, met alles er in. Niets had gered kunnen worden, geen steen was op de andere gebleven. Na de brand heeft zij tijdelijk de woning betrokken die zij tijdens die schimmige jaren van Blijwater had gekocht. Het Huis van de Gele Sterren noemden wij het, omdat de bewoners ervan tot een andere categorie behoorden. Bij de bevrijding was het al leeggehaald. Enkele dieven hadden zich bediend en de rest werd door de opkoper op zijn kar geladen. De dingen schreeuwden in alle stilte hun afwezigheid uit door de verschoten plekken op het behang en de sporen op de vloer. De muren kreunden. De verfborstel ging er over om de kreten te smoren. Een vrolijk kleurtje om in één klap alle ellende te vergeten.

Het Huis van de Gele Sterren met zijn kamers van angst en liefde had om meer dan één reden een ongewone betekenis voor mij. Toen ik er voor het eerst op bezoek ging, hangend aan de hand van mijn oma, kon ik amper lopen. De man die de deur voor ons opende had een indrukwekkend voorkomen. Ik keek aan tegen een boom. Hij stond rechtop met de duimen in de zakjes van zijn ondervest geplant, ellebogen naar achteren en borst vooruit. Gouden horlogeketting en gouden tanden, gouden gesp en gouden ringen. Zoals hij daar stond te pronken leek hij wel helemaal van goud. De blik en de bek van een havik, in staat je in één hap op te slokken als een worm. 't Was net voor de oorlog. Een paar jaar later was hij met een meter gekrompen. Zijn schouders hingen af en in plaats van al dat goud was er nu een knalgele ster op de pand van zijn jas genaaid. Ik had best ook zo'n ster gewild maar mijn oma verzekerde mij dat die lui om dat kenteken allerminst te benijden waren. Je kon het dragen ervan bezwaarlijk een voorrecht noemen. Tegen die tijd was Blijwater zijn hooghartig luchtje helemaal kwijt, hij was een kruipdier geworden. Oma was nu de roofvogel, hij de worm.

Zijn droom was naar Amerika te ontkomen. Daarvoor was hij bereid al zijn bezittingen achter te laten in het immense gevangenenkamp dat Europa was geworden. Hij wilde alleen de steentjes en de goudstukken meenemen, alles wat niet te heet of te zwaar was om niet in zijn vlucht gehinderd te worden. Staven, schilderijen en alles wat teveel plaats innam en waar hij onmiddellijk munt kon uit slaan verwisselde van hand tegen cash. En oma haalde maar uit. Het leek wel of zij de brieven zelf drukte. Na de oorlog mogen we ze toch verbranden, zei ze.

'Voor de helft van de prijs?' hoorde ik de man tijdens een van onze visites plots uitroepen. Hij was van de donder geslagen en hield zich vast aan de tafelrand om niet om te vallen. Het ging over het huis. Blijwater keek naar boven alsof hij wenste dat het op onze hoofden zou instorten. 't Was een stevig bouwsel. Indien het hem niet zou lukken uit te wijken naar de Nieuwe Wereld, mocht hij er nog twee jaar blijven wonen maar daarna moest hij een ander onderkomen zoeken. 'Ook niet tot aan het end van de oorlog?' – 'Neen.' Oma was overtuigd dat die eeuwig zou duren en dat de Duitsers hier hun nest zouden maken. We moesten met z'n allen maar wennen aan het idee.

Voor de oorlog bracht zij vaak een paar duivenjongen mee voor zijn kinderen. Twee teringlijdertjes, een jongen en een meisje, die netjes gekleed en welgemanierd op hun stoel bleven zitten als er bezoek was. Nochtans hadden ze ruimte zat, een groot huis en een tuin om in te ravotten. En de buitenlucht zou hen wel bekomen want ze zagen er bleker uit dan een nonnenkont. Op straat waren ze nooit te zien. Chic volk, dat was althans de mening van mijn oma, dat zich niet onder het gepeupel mengt. Naar mijn school kwamen ze evenmin, ze kregen les van hun moeder, een lieftallige vrouw, overlopend van attenties, discreet over de vloer schuifelend met een bevroren glimlach op haar gezicht en een koekjestrommel in de hand. Om te tonen dat ze niet achterlijk waren liet hun vader hen graag enige kunstjes demonstreren. Ze gehoorzaamden als gedresseerde aapjes. De jongen, de oudste, was nog geen zes en las zijn vader al voor uit de krant. 't Was een boekenworm, hij verslond alles wat leesbaar was. Het meisje dreunde op de piano haar lessen af uit het eerste boek van Schmoll. Op de hoge kruk gezeten, raakten haar voetjes de vloer niet. Zij droeg een kleedje met veel strikjes en frulletjes waarin ze er zo frêle en breekbaar uitzag alsof zij zich had losgemaakt uit de porseleinen beeldengroep die op de schouwmantel pronkte. Voor die bleekscheet was ik onmiddellijk bereid in het harnas van dienende ridder te kruipen om over haar te waken en haar te beschermen tegen het Boze Oog. Ik zou de bezetter trotseren en, ondanks zijn verbod om duiven te houden, jongen voor haar kweken om aan te sterken. Wij hadden er de plaats voor.

Tijdens een van die bezoeken pakte Blijwater een schilderij uit dat in een roodwit geruit doek was gewikkeld. Terwijl hij het overhandigde aan mijn oma om het van dichterbij te bestuderen, kon ik er een glimp van opvangen. Als mijn geheugen mij niet bedriegt stelde het een pijp voor of iets wat er op leek, met daaronder een tekst die ik toen nog niet kon lezen. Helemaal in de ban van het pianospelende meisje heb ik er op dat moment niet zoveel aandacht aan gegeven. Wat ik wel met zekerheid heb gezien, toen het schilderij op de tafel lag met de rugzijde naar boven, is een rond etiket, dat op het raam was gekleefd, met de afbeelding van een centaur. Mijn fantasie sloeg meteen op hol bij het zien van dat fabeldier met de tors van een man en het lichaam van een paard. In het naar huis gaan onthulde oma me dat dit vreemde wezen was geboren uit een godenzoon en een wolk en 's nachts aan het firmament galoppeerde onder de vorm van een sterrenbeeld.

Zij kocht het schilderij en betaalde contant zoals gewoonlijk. Omdat we te voet waren en zij later het werk zou laten ophalen, verzocht zij Blijwater het zolang voor haar te bewaren. Hij gaf haar een ontvangstbewijs, wikkelde het werk terug in het roodwitte doek en zegde haar dat hij het zou opbergen bij de rest. De waarheid was dat zij er niet mee thuis wilde komen. Daar hingen de muren al meer dan vol en bovendien deden haar huisgenoten elke cent, besteed aan kunst, af als pure geldsmijterij. Haar verzamelwoede werd geduld als een vreemdsoortige ziekte waar nog geen kruid was tegen opgewassen. Zij vonden het zonde van het geld maar aangezien zij de beurs hield hadden zij er leren mee leven.

Wat er van dat schilderij is geworden heb ik nooit proberen te achterhalen omdat ik steeds heb geleefd in de veronderstelling dat oma het later heeft opgehaald bij Blijwater en het amper enkele jaren later met de hele collectie verloren is gegaan in de grote brand van 3 september 1944.

Die dag kwamen een bende Duitse sabelslijpers op de terugtocht en een colonne Britse tanks vlak voor het huis van mijn oma met elkaar in botsing. Aan beide zijden moeten ze zich zowat de stront uit hun gat hebben geschrokken. Ineens werd het stil en koud als in een kelder. De dood was op bezoek. Iedereen had op dat ogenblik ergens anders willen zijn. Het juichende volk, dat de bevrijders inhaalde met toeters en bellen, leek gedurende enkele seconden een versteende massa. Geen mens ademde nog. Het was de stilte voor het schot.

Toen braken alle duivels los. De Duitse ijzervreters, hoewel ze slechts licht bewapend waren en geen enkele kans maakten tegen de Britse tanks, daagden dood en verdoemenis uit. Ze dachten er zelfs niet aan zich over te geven en wilden zich met alle macht een doorgang forceren. Als dollemannen begonnen ze op hun vijanden te schieten. De Tommies, met dat belachelijke soepbord op hun kop, haalden het grof geschut boven. Eerst knalden ze met hun kanon een wagen aan spaanders en alles wat er in zat aan vracht en soldaten. Daarna gingen ze de moffen te lijf met vlammenwerpers. Wie pech had werd geroosterd.

Alle huizen die het plein omzoomden gingen in de fik, dat van mijn oma eerst. Haar hele hebben en houden, de volledige collectie schilderijen incluis, ging op in de rook van die hellekermis. Het dak met de uitkijk en de duiventil die ik als schatkamer gebruikte stortte in en sleurde onder oorverdovend geraas de onderliggende verdiepingen mee tot in de kelder. Ik herinner mij de troosteloze aanblik en de walgelijke stank van het puin dat weken later nog lag na te smeulen. Het drong door onze kleren tot diep in onze huid.

Met de hulp van mijn oom ontkwam ik langs een tuin tussen twee brandende huizen door. We gingen schuilen in een kelder en brachten de rest van de dag door met het zoeken naar eten en het op orde brengen van een slaapgelegenheid. We trokken met het gezin naar het Huis van de Gele Sterren – vakkundig geplunderd door het rakalje onder de neus van de Duitsers sinds het door de familie Blijwater was verlaten – om er de nacht door te brengen op strozakken onder een paardendeken. Ik werd toevertrouwd aan de zorgen van het meisje dat tijdens de vakanties onderdak kreeg van mijn oma omdat zij door de vijandelijkheden niet naar huis kon in Zeeuws-Vlaanderen. We kregen de verste kamer om de nacht door te brengen, Vosje en ik. Zij sleepte mij als een bange kip mee naar haar hol.

Vosje. Zij werd zo genoemd omwille van d'r rooie haar. Zij sprak met een andere tongval. 't Was een vrolijke meid en zo geil als boter. Zij rotzooide een beetje in de rondte, onder andere met mijn oom. Ik had ze bespied vanuit mijn geheime uitkijk. Zij hield er ook nog een minnaar op na, een jonge soldaat, maar die was spoorloos in de Russische steppen.

Door de gebeurtenissen van de dag was ik al behoorlijk over mijn toeren maar toen Vosje mij helemaal uitkleedde en in haar blootje naast mij onder de deken kroop sloeg mijn arme hartje een paar slagen over. Ik had nog nooit een naakte vrouw gezien, zelfs geen specimen van eigen kunne. Op de kostschool moesten wij onze schort omgekeerd aantrekken om ons broekje uit te doen. Ik keek mijn ogen uit naar wat er niet was te zien tussen dat vuurrode struweel, dat in het licht van de avondzon eveneens in brand leek te staan.

Zij deed alles om mij tot bedaren te brengen. Zij trok mij in haar schoot en koesterde mij in haar armen als haar knuffeltje. Zij wiegde mij en vertelde verhaaltjes, vlijde mijn hoofd tegen haar borst en stak een van haar tepels als een troostende speen tussen mijn lippen. Bij haar was ik in elk geval beter af dan achter het kloosterslot bij de zwarte draken.

Dat Vosje... Mijn grote liefde. Zij was zestien, ik zes. Ze overdekte mij met kusjes, suste mij met zoete woordjes en streelde mij met heel losse handjes. Zij overlaadde mij met blijken van liefde meer dan een moeder ooit had gekund of gedurfd. Ze zat overal aan en om er de moed in te houden moest ik op mijn beurt bij haar op verkenning. In geen tijd leerde zij me hoe ik haar lekker moest maken. 't Ging als vanzelf, met de ogen dicht om het zo te zeggen. Ik toonde de ijver die zij van mij verwachtte. Zij prees zelfs mijn aanleg.

Als toetje op de liefdestaart rolde zij mijn slakje in haar tong en zoog het naar binnen. 't Was beter dan een lolly, lachte ze, maar toch niet zo lekker als een pijp. Ik wist begot niet wat zij daar kon mee bedoelen. Nadat zij eindelijk in slaap was gevallen, besnuffelde ik mijn vingers. Ze roken naar mossel met een beetje pis.

De Groote Oorlog

Met mijn gitaar in een hoes op de rug gebonden slenter ik door de straten van Antwerpen. Er danst een deuntje in mijn hoofd, een liefdeslied, ontsprongen aan een eeuwenoude ballade, door talloze vaganten gezongen op hun eigen wijsje, met hun eigen stem. Ik ontkleed mijn gitaar en laat mijn vingers over haar rondingen glijden. In een parkje, met een voet steunend op een bank, sla ik enkele akkoorden aan. Dan streel ik de melodie uit de snaren en zing, als een vogel tussen de vogels. J'ai tant d'amour au cœur / De joie et de la douceur / Que le gel me semble fleur / Et la neige verdure... Ik moet mijn ode met zoveel overtuiging hebben gebracht dat een oud damctje mij van pure ontroering absoluut wil belonen. Zij speurt hulpeloos naar de hoed of de doos die er zou moeten staan om haar stuiver in te gooien. Ik steek dan maar mijn hand uit. Speciaal voor haar zing ik nog een ondeugend liedje. Straatmus, dat lijkt me nog wat.

Vandaag ben ik uitgenodigd voor een halfuurtje kwelen in de Muze. In de bloedeigen stad van Post Scriptum en Eustachius. Roodborstje zal er ook zijn, weet ik van de Dove. Ik brand zowat af van verlangen om haar terug te zien. De poëten hebben haar als lokvogel gebruikt, da's duidelijk. Ze hebben de lijmstok ontdekt om mij te vangen.

Vandaag wil ik de heren toch even aanspreken over het schilderij dat zij mij onlangs hebben aangeboden. Sedert de dolle nacht in het casino en de bordelen van Oostende en de verkeerd gelopen afspraak in de bank, heeft geen van beiden er nog met een woord over gerept, alsof het ding nooit heeft bestaan en zij bij mij nooit over de vloer zijn geweest. Of hebben ze mij gebakken lucht aangeboden? Mijn nieuwsgierigheid is er daarom niet minder om geworden, integendeel. Ik blijf op hete kolen trappelen. Ik wil nu eindelijk eens weten wat er aan de hand is. Ik begin te vermoeden dat ze mij wat achterna lopen om een heel andere reden. PS is namelijk verzamelaar van zeldzame horloges en tijdens onze uitstap in Oostende heb ik hem verteld dat mijn familie nog enkele bizarre specimina bezit. Zijn mond viel open toen ik hem sprak over een zakhorloge met een mannetje en een vrouwtje die liggen te wippen op het ritme van de seconden. Hij kon het niet gauw genoeg te zien krijgen. Ik heb hem nu ook aan het lijntje.

We spelen voor een volle tent. Gemakkelijk publiek. De mensen klappen al nog voor we onze mond hebben opengedaan. Een Antwerpse bard en een Gentse volkszanger treden eveneens op. Die jongens zingen zich de ziel uit het lijf over de wereld die vierkant draait en wantoestanden allerhande. Applaus op alle banken. We kunnen gerust zijn, de zere tenen waar wij op trappen zetten hier geen voet binnen.

Daarna is er nog een interview voor de radio waarin ze mijn mening vragen over alles en nog wat. Alsof die er wat toe doet. Ik zal ze gerieven. Ik weet wat de ene graag hoort en waar ik de andere tegen de schenen kan mee schoppen. Daarvoor moeten ze mij de bek niet openbreken. Ik spuw ze de hele litanie uit over God, Geld en Gat. Daar smullen ze van. Een mens kan niet genoeg tegen dit en dat zijn, oreer ik. Koning, Kapitaal, Kerk en de hele santenkraam. Ik smeer de kaka er dik bovenop, hoewel het mij allemaal een rooie rotzorg zal wezen. Dat we op een dag met z'n allen naar de verdommenis gaan, dat weet ik wel zeker. 't Is de enige zekerheid die ik heb en dic ik allen kan meegeven. Vrolijker boodschappen kunnen ze elders horen, met de mijne zullen ze het hier voorlopig moeten stellen.

Roodborstje maakt een opgemerkte verschijning. Net zoals de eerste keer dat zij in mijn galerietje binnenstapte, is zij geflankeerd door de Ridder-Dichters, Eu en PS. Ze spreken haar aan als "Muze". Tegenover hun uitgebreide schare volgelingen en bewonderaars vergoddelijken en bewieroken ze haar. Ik krijg amper de kans om een babbeltje met haar te maken. Telkenmale slaat een van de twee zijn haak er tussen. Ze wijken niet van haar zijde, geen duimbreed. Ik fluister in haar oor dat ik met haar alleen wil zijn. 'Later,' zegt ze zonder me aan te kijken alsof ze bang is dat de anderen zullen merken dat zij het woord tot mij richt zonder hun toelating te vragen. 'Vannacht nog?' – 'Vannacht nog.'

Ik had voorzien dat beide rijmelaars aan mijn lijf zouden plakken. Daarom heb ik Rolfie Tonne en Renata Blauwoog uitgenodigd met geen andere bedoeling dan hun aandacht af te leiden. Zo krijg ik misschien vrij spel met Roodborstje. Rolfie is rad genoeg van tong om hen een uurtje bezig te houden. Hij kent zelfs hele gedichten uit zijn hoofd. Die heeft zijn meisje hem van buiten doen leren om zich de verzen, met Rolfie aan haar voeten gelegen, met enige pathos en uitgestrekt bij het haardvuur, voor te laten dragen. Hij is in de wolken met zijn Renata. Dat ik die twee aan elkaar heb genaaid, mag ik toch op mijn conto schrijven. 't Is de grote liefde tussen dat koppel. Dat wordt mij met het uur duidelijker. Beide staan in elkaars ogen te verdrinken bij zoverre dat zij helemaal vergeten waarvoor ze zijn gekomen.

Van de Muze gaat het naar de Vecu, een privéclubje à la mode. Daar, op de eerste verdieping van een zeventiende-eeuws pand, waar het lokale schrijvers- en schildersvolk huist, laten beide verzenbakkers zich op het schild hijsen om de wereld een spiegel voor te houden. Terwijl ze declameren en zich beroezen aan de klank van hun eigen woorden, zijn we foetsie, ik en Roodborstje. We stormen als het ware de trap af naar buiten. 'Eindelijk', verzucht ik, als ik merk dat we door niemand worden gevolgd, 'eindelijk zijn we er toch in geslaagd je lijfwachten af te schudden.'

Ze hebben haar de ganse avond zo dicht op de huid gezeten dat ik er door ben geërgerd en haar vlakaf vraag of zij misschien hun bezit is. 'Zo goed als...' antwoordt zij tot mijn verbazing. 'Hoezo? Je kan toch niet zomaar iemand toebehoren? De slavernij is afgeschaft, bij mijn weten. Niemand kan toch de eigendom zijn van iemand anders?' – 'Het is andersom. Zij behoren mij toe zonder dat ze het doorhebben. Ik zit in hun genen.' Vertel mij wat, loop ik te bedenken, ik ben niet veel beter af. Zij pakt mijn hand vast en sleurt me mee naar buiten. We kunnen niet snel genoeg wegkomen. Naar haar bewakers kijkt zij niet meer om.

We gaan iets drinken in een bruine kroeg. Op mijn overigens overbodige vraag waarom ze haar "Muze" noemen, antwoordt

Roodborstje alsof het de evidentie zelve is: 'Omdat ik een muze ben...' Haar lichaam en ziel zijn bron van inspiratie voor al wie de kunsten gewijd is. Zij is beschreven, geschilderd en bezongen. Daarop steekt zij van wal met een merkwaardig verhaal.

Roodborstje is (of moet ik zeggen "was"?) de muze van een bejubeld acteur, een rare snuiter, en meneer Nummer Drie van het triumviraat dat verder uit Eu en PS bestaat en zich de 'Meesters van de Scène' noemt. De vreemdste verhalen heb ik over hem gehoord. Hij heeft een schroef los, dat is wel zeker. Een wereldvreemde god die ver boven het grauw van stervelingen uit zweeft. Hij heeft al lang zijn voeten niet meer op aarde. Papa noemt ze hem.

Eertijds had hij zijn eigen universum geschapen en aan de wezens die het bevolkten zijn regels opgelegd. Hij deelde de rollen uit die ze moesten spelen, hovelingen en knechten, meesteressen en slavinnen. Als een idool werd hij door hen aanbeden maar meneer de poesjenel stond vooral in aanbidding voor zichzelf. Hij verwarde werkelijkheid met verbeelding, haalde ze door elkaar en zijn leerlingen deden lustig mee. Op den duur dachten ze dat het zo hoorde. 't Was een knotsgekke bende.

Vanaf zijn hoge troon liet Papa zijn licht over zijn volgelingen schijnen. Ze lagen aan zijn voeten wanneer hij hen toesprak. Hij hoorde vooral zichzelf graag praten, verzot als hij was op de klank van zijn eigen stem. Toen hij niet half meer wist wat hij uitkraamde, bleef hij zichtbaar genieten van de geluiden die opstegen uit zijn galmgat. Hij had een mooie stem, het moet gezegd en van acteren wist hij ook heel wat. Daar waren alle kenners uit de buitenwereld het over eens.

Roodborstje heeft tijdens haar opleiding aan zijn rechterzijde gezeteld als oppergodin. Zij kreeg een hoofdrol toebedeeld in zijn treurspel waarin overigens alleen vrouwen optraden. Hij wist ze er uit te pikken. Stuk voor stuk lekkere wijven waren het. Hij duldde trouwens geen lelijke vrouwen in zijn gezelschap. Maar het was vooral zijn inzicht in de vrouwelijke psyche die hem zo onweerstaanbaar maakte. Hij wist hoe hun emoties los te maken. Hij liet zijn actrices sudderen op een laag vuurtje en langzaam gaar worden in de pruttelpot tot ze kookten van liefde.

Daarin was hij een meester. Hij wist hoe hij de passie vlees kon doen worden. Hij en niemand anders werd de profeet van het Belevingstheater.

Papa was aan zijn naam gekomen door het paringsritueel dat hij er op nahield. Toen Roodborstje, Muze zoals hij haar noemde, als de zoveelste in de reeks op de leest werd gezet, moest die clown zich voorstellen dat hij zijn eigen dochtertje aan het neuken was, zijn Klaartje, een kind van nog geen elf, anders kreeg hij geen stijve. Zij moest helemaal in de huid van dat kleine meisje kruipen. 'Leef je in, Muze'. Hij besteeg haar en met zijn diepe bariton, die helemaal uit zijn ingewanden opklonk, ging het dan van: 'Klaartje, oh, Klaartje...' Terwijl hij haar verscheurde moest zij hem met bevend kinderstemmetje van repliek dienen. 'Neen, papa, neen! Niet doen, papa!' Tot hij er hem in had en zij kirrend uitriep: 'Ja, papa. Kom, lieve papa...' Om beurten moest zij smeken om het niet en dan om het toch te doen. Eerst fel weerstand bieden om uiteindelijk met grote hartstocht toe te geven. Het moest echter dan echt lijken. Meisjes neuken met zijn eigen dochtertje in gedachten, dat vond dat zielig heerschap pas een feest.

Papa maakte het alsmaar bonter en werd korte tijd nadien helemaal kierewiet. Hij begon waanvoorstellingen te krijgen. Om de wereld te wassen van de smeerlapperij verkleedde hij zich als boetepriester en ging van deur tot deur om het evangelie te verkondigen. Dat was over de schreef. Godsdienst is niet bedacht om mee te lachen, 't is een ernstige zaak. Daar maakt een mens zich best niet vrolijk over of hij krijgt met het kwaaie soort te doen.

Ze hebben Papa opgesloten. Hij zit nu in het asiel en wentelt zich in de waanzin. Hij zit meestal in het ijle te staren. Met een deken over zijn schouders omdat hij het steeds koud heeft. Niets kan hem nog verwarmen. Het zit in zijn knoken. Als hij een helder moment heeft schreeuwt hij het uit en schrijft de naam van Klaartje met stront op de muren.

Tot aan zijn ziekte vormden de Meesters van de Scène, Post Scriptum, Eustachius en Papa, een soort eedgenootschap waarmee ze het kunstlandschap in onze contreien wilden beheersen. Zegt Roodborstje: 'Ze hebben nog een ander pact. Nu een van hen van zijn vrijheid is beroofd, bewaken de anderen zijn goed met hun eigen eer en bloed. Zijn wil is hun wet. Ik heb daar niets over te zeggen of tegen in te brengen. Voor elke andere man ben ik taboe.' – 'Dat kan je niet menen.' – 'Toch is het zo, maar vandaag wil ik die band breken. Voorgoed! Ik wil van de ketting! Kom, breng me naar huis.'

Het is tussen nacht en morgen. De mist is zo dik als de lucht van een stoombad. Op sommige plaatsen zie ik amper een hand voor mijn ogen. Ik volg de aanwijzingen van Roodborstje om mijn auto door die brij te loodsen op zoek naar de vaste grond die zich daar ergens achter moet bevinden. We zijn al een klein uur de stad uit en het is onduidelijk of we intussen één of tien kilometer zijn opgeschoten maar ik heb beloofd dat ik haar thuis zal brengen en dat is wat ik zal doen.

Zolang ik een witte lijn op het wegdek kon volgen viel het nog mee maar nu zijn we terecht gekomen in een labyrint van kasseiwegen met kanjers van bomen langs de kant waarachter zwarte grachten gapen. 't Is een gevaarlijke rit.

Aan de thuisreis wil ik helemaal niet denken want de kans dat ik in dit weer mijn weg terugvind is zo goed als onbestaande. Dan kan ik maar beter in mijn auto blijven slapen en het daglicht afwachten. Indien zij mij niet uitnodigt om bij haar thuis te overnachten ben ik een verloren man. De kans daartoe is echter klein en van een plaatsje in haar bed hoef ik zeker niet te dromen want zij woont nog steeds bij haar moeder en zij kan het arme mens op dit onzalige uur moeilijk met een wildvreemde man op het dak komen vallen.

De mist, die als een waas aan de takken van de bomen hangt, wordt dunner en gaat helemaal open als een toneelgordijn wanneer wij aan het eind van een doodlopende weg halt houden voor een monumentale poort, aan beide kanten omheind door hoge muren. Ik ben onder de indruk. Ik zet de motor af en schakel de lichten uit. Door de stilte die ons omringt, het schrale maanlicht en vooral haar aanwezigheid, heb ik het gevoel dat ik na een jarenlange zoektocht eindelijk voor de deur sta van het feeërieke domein uit le Grand Meaulnes, waarin we als scholieren onze laatste droom over de grote liefde hadden beleefd.

'Is het hier?' – 'Hier is het.' Dit kan niet anders zijn dan de toegang tot een soort hemel op aarde, een schip dat op wolken drijft, een kasteel zoals een mens enkel in zijn dromen bouwt. Ik word al meteen lyrisch. We zitten te zoenen. Ze opent mijn hemd en trekt over mijn huid een speekselspoor van hals tot navel.

Terwijl Roodborstje haar sleutel zoekt, stap ik uit. Ik kan alleen maar gissen naar wat er zich achter deze indrukwekkende afsluiting mag bevinden. Mijn nieuwsgierigheid is erg groot. Door een kier in de ijzeren poort zie ik heel in verte een paar lichten branden. Daartussen een donkere vlakte van op zijn minst een tiental hectaren groot, een immens park, dat er inktzwart, doodstil en mysterieus bij ligt in het flauwe schijnsel van een bleke maansikkel. Ik kan alleen de schaduw van enkele boomkruinen onderscheiden, verder niets. Bij stormweer, met bliksemschichten en krakende donderslagen, zou je niet graag wonen temidden van deze verlatenheid. Het wordt helemaal griezelig wanneer ik van achter die blinde muur een geweeklaag hoor opstijgen van jankende kinderen. Het zijn er heel wat. Je zou zweren dat het de kindermoord van Herodes is die zich achter deze stenen omheining afspeelt. Katten, zegt Roodborstje.

Zij kan haar sleutel niet vinden en loodst mij daarom mee naar een niet vergrendeld zijdeurtje in de hoge muur. Het piept en kraakt als zij het open duwt, het is akelig, ik voel me net een inbreker. Ik heb niet de minste zin meer om nog een stap verder te zetten. We kunnen haar moeder op een andere keer bezoeken in plaats van als dieven door de nacht naar die burcht toe te sluipen Ik vrees valkuilen en slagijzers. Misschien komen we wel terecht in een kruisvuur van boswachters en stropers. Zij lacht mijn bezwaren weg en daar loop ik al in haar spoor. Tot aan het eind van de wereld zou ik haar volgen.

We gaan door het poortje en komen in een woud van graven, stenen en kruisen terecht. We staan verdomme bovenop een kerkhof! 't Is één reusachtige begraafplaats, één krakend knekelhof!

Roodborstje woont aan de overkant. Zij heeft zin in een nachtwandeling en daarom heeft zij deze weg gekozen om naar huis te lopen. 't Is de vredigste plek in de hele stad, de enige waar zij echt tot rust komt. En hier hoef je voor niemand bang te zijn.

Zij weet voor de verrassing te zorgen. Ik ben er, eerlijk gezegd, minder gerust in, strompelend als een spook tussen al die onzichtbare geesten, temidden van dat klaaglijke gehuil dat opstijgt uit de grond. Katten... Er is geen enkele kat te zien.

We belanden bij een perk. In het midden daarvan staat een soort offertafel. Daar houdt zij mij staande, legt een hand op mijn borst en fluistert in mijn oor dat zij hier een liefdesmis wil opdragen. Hier en nu, op dit uur en deze plaats wil zij gepakt worden. Daar komt het op neer. Zij geeft mij geen tijd om tegen te pruttelen. Zonder haar ogen van de mijne af te wenden vraagt zij mij haar te ontdoen van de weinige kleren die zij draagt. Het bloesje dat er half los bij hangt, het onooglijke rokje en de kutlap die met een touw om haar strakke billen is geknoopt.

Naakt voor mij staand, helemaal tot liefde bereid, geloof ik nog steeds mijn ogen niet. Ik vrees dat zij kou zal vatten en wil de plaid halen die over het achterkussen van de auto ligt. 'Ik gloei van kop tot teen.' Ze hijgt, haar tong woelt in mijn oor. Eindelijk. De vlek tussen haar borsten staat hoogrood. Vandaag mag ik mijn vingers aan haar verbranden.

Met haar kont duw ik Roodborstje op die arduinen plaat zodat haar voeten nog net de grond raken en zij stevig weerwerk kan bieden. Wanneer ik mijn lul voor het eerst in haar spleet steek, breng ik een ontstekingsmechanisme op gang. Die meid is zuiver dynamiet. Zij knalt helemaal uit elkaar. Haar kut lijkt wel de hitte van een nucleaire oven te ontwikkelen. Wanneer ik in haar levenssappen drijf, vliegt zij van het ene orgasme naar het andere, haar gekreun galmt over de vlakte, klieft door het donker en verspreidt zich naar de vier windstreken.

In het licht van de opkomende zon dringt tot de mist van mijn brein, liefdesdronken als ik ben, het besef door dat wij liggen te vozen op een gedenkplaat van de Groote Oorlog temidden van een soldatenperk. Ik zie de houten kruisen van de gesneuvelden uit de grond rijzen en in drommen op mij afkomen. Ze dragen een verschoten uniform, die knapen. Met diepe weemoed kijken ze me aan vanuit het ovaal van hun geëmailleerd portret. Ze zijn nog zo jong. Ze begrijpen nog steeds niet waarom ze zijn geslacht en geofferd. Het is een hallucinante stoet. Ze ploeteren door het slijk van de eeuwen, ze waden door het bloed van vrouwen en kinderen, ze struikelen over roestige prikkeldraad en storten neer in de drek van de slagvelden. Voor niets. Voor niemand. En dan marcheren ze op ons af onder tromgeroffel, ze houden er de cadans in, ze jagen ons in het vuur onder klaroengeschal. Ze komen hun tweede dood halen, hun goede, hun genadige dood. Geef 'r van katoen, jongen! Ze moedigen mij aan met een luid hoera! Roodborstje opent wijd haar schoot voor al die arme drommels en samen rijden we in gestrekte galop naar de andere kant van de duisternis. Ik ben helemaal versuft en verdoofd als ik weer op aarde kom. Roodborstje rolt zich op haar buik om op adem te komen. Ik zak op mijn knieën. We zijn allebei uitgeteld.

In haar fraaie billen lees ik in spiegelschrift een datum: 8191-4191. Het staat er duidelijk in gedrukt, diep en rood, goed leesbaar. Het ziet er heel onwerkelijk uit, een surrealistisch stukje natuur. Het hele gebeuren heeft plaatsgevonden in een andere tijdrekening. Het heeft zich in de toekomst afgespeeld tijdens een oorlog tussen sterren en galaxieën, tijdens een vierduizendjarig conflict, het is nooit tot een einde gekomen. Al die oorlogen, al die slachtingen, al die doden. Ik word er kotsmisselijk van.

Tien passen verderop, aan de rand van het soldatenperk, liggen in een soort magische kring een aantal burgers begraven die in het geweld van de tweede grote oorlog zijn omgekomen. In het midden van de cirkel spant een marmeren hetaere de snaren van haar harp. Aan haar vingers hangen dauwdruppels die in het eerste zonlicht glimmen als afgedroogde tranen. Tussen verzetslui, kampslachtoffers, huisvrouwen en naamlozen, waakt een sober houten kruis over een engelengraf. Vanuit een verglaasde foto lacht een knaapje de nieuwe dag tegemoet. G. Van Aalst, zes jaar oud. Hij werd geboren op dezelfde dag als ik, draagt de naam van mijn geboortestad en is gestorven op 3 september 1944, de dag dat ik voor het eerst kennis maakte met de Dood. Onverbiddelijk als een godsoordeel staat deze vingerwijzing van het lot in zwarte letters op het witgeverfde dwarshout geschreven.

Ik zat in het duivenhok, van waaruit ik de wereld bespiedde, wat moedeloos tegen de tijd aan te kijken. De grote vakantie was afgelopen en ik wachtte op transport naar het nonnenklooster voor weer een jaar eenzame opsluiting. Mijn grote houten koffer met nieuwe kleren en beddengoed wachtte beneden in de hal om ingeladen te worden. 't Was nog een kwestie van uren. Ik smeekte hogere krachten af om dit te voorkomen maar het wonder waarop een mens steeds hoopt tegen beter weten in stond zich op dat uur van de dag niet op het punt te voltrekken.

Het leven op aarde zou evengoed zonder mij doorgaan. Ik zou niet eens van de partij zijn op het grote feest dat diezelfde avond nog zou losbarsten bij de intocht van de Geallieerden die ons kwamen bevrijden van vier jaar tirannie. Ze waren vanmorgen de Franse grens overgestoken en stoomden op in onze richting. 't Was zelfs geen kwestie meer van uren. De huizen waren al bevlagd om hen te verwelkomen, de mensen liepen als gekken door elkaar, de straten leken wel geplaveid met hete kolen, de mensen helemaal dolgedraaid. Zij hadden zich verzameld op het plein waar het huis van mijn oma stond. Ze dansten, lachten, juichten en hadden zich uitgedost op hun paasbest om de bevrijders feestelijk in te halen. Vier jaar bezetting, al die donkere dagen van stilte en angst, alle nachten zonder einde werden op één groot vreugdevuur gegooid. De Duitsers waren de dag voordien gevlucht, de lucht was zuiver. Zelfs het weer speelde mee. Het was warm en zonnig, geen wolkje aan de hemel.

Ik had ze zien komen van ver, twee colonnes, een uit het zuiden en een uit het westen. De Engelse voorhoede was de stad reeds binnengereden en baande zich moeizaan een weg tussen de uitgelaten massa. De kinderen strooiden bloemen over de keien en de vrouwen lieten zich op de tanks hijsen om de soldaten te kussen. De andere troep was duidelijk te volgen aan de stofwolk die in een rotvaart op ons af kwam gereden. Toen ze dicht genoeg waren genaderd kon ik duidelijk het Duitse kruis op de motorkap en de flank van de voertuigen onderscheiden. Beide troepen kwamen gelijktijdig aan op het plein, 't was perfect getimed, maar ze verschenen wel op het verkeerde toneel. Ik rende naar beneden om het nieuws rond te bazuinen maar geen mens in deze heksenketel hoorde zelfs maar de klank van mijn stem. De dodendans was al ingezet.

Uit het schilderij in de woonkamer van mijn oma, waarop

Ensor een menigte carnavalsgekken had afgebeeld die vooruit worden gejaagd door een grijnzend geraamte, had de Dood zich losgemaakt en stormde het plein op, de mensenkudde achterna. Hij bralde een strijdlied om de vechtlust van de soldaten aan te vuren, zwaaide met zijn zeis en liet zijn knoken ratelen als castagnetten. Hij kwam zijn oogst halen. Zijn stampende laarzen kwamen als donderslagen neer op de aarde. Er was mij steeds voorgehouden dat dit tafereel zich zou voltrekken aan het einde der tijden. Iedereen in huis was door dat schilderij gebiologeerd maar niemand van de bewoners of de bezoekers durfde het lang te bekijken of er openlijk commentaar op te geven, want het verhaal ging dat ooit een spotter was gestikt nadat hij eerst zijn venijn en daarna zijn eigen tong had doorgeslikt. De Dood was onoverwinnelijk.

De kreten verstomden door het geweervuur dat was begonnen als het knetteren van sprokkelhout in een open haard. Er vielen mannen en vrouwen, er sneuvelden soldaten. De overlevenden kropen weg om beschutting te zoeken achter elkaars vege lijf, verlamd als vliegen in hete soep. Ik zat er middenin. Ik keek naar de hemel omdat de open ruimte boven mij de enige ontsnappingsroute was. Maar hij had nooit verder af geleken en vliegen kon ik niet. Mijn vleugels weigerden mij te dragen. Ik was zwaarder geworden dan lood. Alle redding leek plots verder dan ooit, alle heil onbereikbaar.

Om te ontkomen kon ik enkel de grond in. Ik moest mij een gat in de aarde boren en in het blinde weg graven als een mol, al kwam ik uit in de hel. Een nutteloze en zinloze onderneming, want het hellevuur, daar zat ik al middenin. Rondom mij liepen soldaten als brandende toortsen, een burger sneuvelde op theatrale wijze met een lied op de lippen en een vlag in de hand. Hij dacht dat het feest nog aan de gang was. Hij heeft nooit geweten wat hem overkwam. Hij ving een kogel midden in zijn raap en piste bloed uit zijn voorhoofd. Eefje, een ongelikte zwerfkat die ergens aan de rand van het bos woonde en met wie ik in de kleuterklas had gezeten, klemde haar voddenpop in haar armpjes om ze tegen alle onheil te beschermen. Zij glimlachte nog even naar me toen ze werd afgeknald. Ze had niet eens in de gaten dat zij was getroffen. Terwijl ze in elkaar zakte begon haar pop te bloeden en ook haar borst kleurde rood.

Een hond kroop jankend weg in het spoor van zijn eigen darmen. Er was geen ontkomen aan. Ik kon alleen de ogen sluiten om de stoet van angst en verschrikking niet te zien, maar zelfs dat lukte niet. Ik was gehypnotiseerd door het spektakel. Het uitschreeuwen, zoals al die andere bangerds, kon ik evenmin. Ik wilde vooral geen aandacht trekken. De stront stond in mijn schoenen, mijn ballen zaten in mijn keel.

Even pakte de Dood mij bij de strot maar omdat ik een beetje van de familie was, liet hij me weer door zijn vingers glippen als een te kleine vis die men terug in het water gooit. Ik kreeg nog een wijle uitstel maar begreep voorgoed hoe nietig ik was. Hij had me duidelijk laten verstaan dat hij nooit ver weg zou zijn en me op elk ogenblik zou weten te vinden.

Daarna werden mijn ogen en oren verschroeid door het geloei van de vlammenwerper die als een vuurspuwende draak enorme steekvlammen om zich heen spoot. Ik rammelde van angst. Alle knoken in mijn lijf kon ik horen dansen. Iemand duwde me ruw tegen de grond achter een van de platanen die aan de rand van het plein stonden. Terwijl ik daar zowat lag dood te gaan van schrik kwam er een soldaat op me afgerend die brandde als een toorts. Hij stuikte vlak naast me neer, geflambeerd in de benzine van een lek geschoten brandstoftank, blind, schreeuwend als een gestoken zwijn. Ik kon niet zien uit welk kamp hij kwam, helemaal zwart geblakerd als hij was. De losgekomen huid hing in lappen aan zijn roze uitziend gezicht. Hij lag nog een poosje na te vunzen maar bewoog niet meer. Hij stonk nog erger dan het varken dat in de herfst bij ons op het erf werd geslacht en op stro gerookt.

Alle omringende huizen gingen in de fik, ook dat van mijn oma en, tot opluchting van de hele familie, haar collectie maffe schilderijen incluis. Waaronder het Ensorcarnaval waaruit de Dood tijdig was ontsnapt. Waaronder ook de Pijp van Magritte? Over die bizarre voorwerpen is nooit meer met een woord gerept. Ook niet na de wederopbouw. Niemand wilde nogmaals rampen over ons huis afroepen want iedereen was het er stilzwijgend over eens dat het eigenzinnige gedrag en de excentrieke smaak van mijn oma mede aan de basis lag van de geleden schade. Ook het duivenhok, mijn schatkamer, lag in de as. De stank van het nasmeulende puin bleef in de kleren hangen, het drong zelfs de huid binnen. En de geur van geroosterd mensenvlees slaat mij tot vandaag bij elke barbecue vies in de neus.

Na de veldslag die ik met Roodborstje heb geleverd, slenteren we terug naar de uitgang waar mijn wagen staat geparkeerd met de bedoeling enkele straten om te rijden en haar thuis af te zetten. Ik ben nog maar net het gat uit of het poortje wordt met een droge klap dichtgeslagen. Ik sta op mijn neus te kijken. Aan de binnenkant hoor ik een ijzeren grendel in het slot schuiven, snelle voeten die over het grind schuiven en oplossen in de laatste flarden mist.

Ik sta voor joker. Ik weet niet wat ik denken moet. Haalt zij een grap met me uit of laat zij mij hier moederziel alleen over aan mijn lot? Ik roep haar naam maar zij geeft geen antwoord. Mijn stem slaat te pletter tegen een gesloten poort die aan de grens van nergens staat. Ik schreeuw tegen de hemel maar zelfs geen flard van een echo wordt teruggekaatst. Roodborstje is verzwonden in een bos van kruisen, wordt een geest tussen de geesten, een schim die zich oplost in een woud van koude gedenkstenen. Heb ik haar vlees bemind? Heb ik haar gestreeld, gepakt, tot liefde aangevuurd met deze handen die verschroeid aanvoelen maar leger zijn dan ooit? De morgen heeft geen geur van dauw, hij ruikt naar puin.

Ik weet niet hoe ik thuis ben gekomen. Waarschijnlijk op de automatische piloot want ik herinner me niets van de urenlange rit. Ik ben niet naar bed gegaan, daar ben ik te moe voor. Ik installeer mij in de woonkamer met een fles zware bourgogne in de hoop dat de wijn mij de genadeslag toebrengt. Om bij haar te zijn heb ik de foto van Roodborstje binnen handbereik op de salontafel gelegd. Daarop schrijf ik met een dikke stift: *Ceci n'est pas une femme*. Dit is geen vrouw...

Help mij! Help mij uit de nood!

'Om de wereld in je hand te krijgen hoef je niet verder te gaan dan het golfterrein of het jachtveld.' Iedere keer als Meier, zoals vandaag, zijn kop in mijn galerie binnensteekt, staat hij op mij in te beuken om wat te doen aan mijn commercieel netwerk en de uitbreiding van mijn sociale relaties in de beste kringen. Alles draait om de Juiste Vrienden.

Volgens hem zit ik te veel op mijn kreut. Ben ik niet waar ik moet zijn. Geef ik de indruk dat ik alleen maar met de zaken bezig ben om te overleven. Hij heeft gelijk. Eigenlijk geef ik geen rooie reet om dat hele milieu waar ik toch de korsten van mijn brood moet aan verdienen. Ik beloof hem beterschap omdat hij zich als een vader om mij bekommert, maar het is uiteindelijk toch dat lekkere stuk waarmee hij zich graag laat zien bij mondaine gelegenheden dat mij voor het geweer doet kiezen. Zij heet Diana, nomen est omen, zoals de godin van de jacht en zij doet haar naam alle eer aan. Elk weekend trekt zij schietend door venen, weilanden en bossen. 'Help mij! Help mij uit de nood! Want de jager schiet me dood!' hoor ik het arme haasje zingen.

Het vooruitzicht levende wezens neer te knallen lokt mij niet, maar het vermoeden dat die meid van mij verwacht dat ik een gewapende overval op haar eerbaarheid pleeg als haar Meier niet in de buurt is, doet het killerinstinct in mij naar boven komen. Om te beginnen heeft zij een body om elke aap uit zijn boom te doen vallen. En als zij gaat bewegen wil je best de rode loper zijn om over je heen te laten wandelen. Ravenzwart haar, nachtblauwe ogen, fel geaccentueerd met mascara, en een mondspleet die met glimmende lipstick is omgetoverd tot een rijpe pruim. Een opmaak om mysterie te evoceren. Zo'n geishasnoetje. Daarnaast heeft zij een hard en duister kantje. Haar ware gezicht verbergt zij achter een overbodige laag plamuur, een masker. Diana moet een vrouw zijn die vele maskers draagt, afhankelijk van de tegenspeler en het stukje dat zij opvoert.

Terwijl haar beschermheer zich in het toilet terugtrekt om uit te druppelen, speelt zij een beetje het verongelijkte kind omdat ik haar nog niet ben komen opzoeken. Dat had ik haar toch beloofd tijdens de vernissage van Sik, de naaktschilder? Zij is intussen voor hem wezen poseren, beweert ze. Daar geloof ik geen sikkepit van. Ik weet waar die Abraham zijn mosterd haalt. 'Dan hoop ik maar dat je er op het doek even goed zult uitzien als in de realiteit en niet zoals een van die bloteboer zijn skeletten.' Zij is opgezet met het compliment. Ik zal zeker het resultaat komen bekijken, dat zweer ik op mijn kinderzieltje, maar daar neemt Diana geen genoegen mee. Zij is gewend dat er onmiddellijk aan haar wensen en grillen wordt voldaan. Zij heeft bij die kunstenmaker nog drie sessies te gaan. Waarom zolang wachten?

Omdat ik voor de jacht en de bisnis kies, dus voor haar, wil zij mijn eerste passen in de wereld van pief-poef-paf begeleiden. Zij zal een afspraak fiksen met de arrondissementscommissaris voor een jachtvergunning en bij de veerdienst Oostende-Dover twee plaatsen reserveren om een jachtuitrusting te gaan kopen in Londen, by all places. Zij beweert als geen andere te weten wat ik daar allemaal bij nodig heb.

Een eersteklas geweer in elk geval, een Holland & Holland bijvoorbeeld, een zuiver kunstwerk, volledig met de hand gemaakt, de Rolls Royce onder het schiettuig. Jacht gaat over status en aanzien, dat moet ik goed tot mijn hersenen laten doordringen. Een geweer is net zo goed een visitekaart als een auto, een huis of juwelen voor het vrouwtje. Zij wil dat ik er uitzie als een Lord. Kleren, laarzen, weitas, munitie en andere accessoires, we gaan de winkels leegkopen. Als ik wat aarzelend bezwaar maak tegen de nutteloze kosten van een dagje shoppen in de Big City, zegt Diana achteloos: 'Het is maar geld.' Zij ook! Ik begin al te zweten. Ik krijg het gevoel dat ik het haasje ben.

Zij gaat spiedend langs de muren en vraagt mij langs haar neus weg wat volgens mij het beste werk is dat ik in huis heb. Dat is zonder discussie het portret van een vissersvrouw die wezenloos uitkijkt over de zee. Léon Spilliaert, 1904, aquarel op papier. Uitgevoerd in zwart-wit met sterke grijswaarden, zonder franje, alle kleur geweerd om de beklemming te accentueren in het gelaat van een vrouw die pas verneemt dat haar man op zee is gebleven. Het beste? Dat luguber ding? Zij schrikt wel even en kijkt mij aan alsof ik haar in de maling neem. Als ik haar in het oor fluister wat het moet kosten, laat zij haar ogen rollen als een reclamenegertje. De prijs knalt in haar oren als een geweerschot. Zij ziet het licht en ontdekt meteen ook de schoonheid die achter dat tragische masker schuilgaat.

Meier blijft lange tijd weg. Hij doet er een half uur over om zijn ouwe piepers af te gieten. We horen hem kreunen en sakkeren tot in de winkel. Het komt door zijn prostaatkwaal, zegt Diana. Hij zou zich nodig moeten laten opereren maar hij vreest dat ze in één moeite ook zijn scrotum zullen versnijden. Eerst zegt zij het niet met zoveel woorden maar aan de guitigheid in haar ogen en haar monkellachje kan ik opmaken dat hij nog steeds graag vooraan in de stoet loopt maar sedert enige tijd de vlaggenstok torst zonder wimpel. 'Ik ben niet meer dan een sierstuk,' zegt zij onomwonden. Zo is het dan maar. In het oerwoud lopen er ouwe knakkers rond met een bovenmaatse peniskoker als teken van hun mannelijkheid, bij ons hangen ze een leuk uitziende trien aan hun arm als levend bewijs van hun eeuwige jeugd. En geen een die er van uitgaat dat het enkel voor zijn goud is dat zo'n jonge griet zijn kaduke klokkenspel bespeelt. Als Meier terugkeert draagt hij duidelijke sporen van gelekte urine op zijn schoenen en zijn broek.

Vandaag is hij speciaal komen aanzetten omdat ik hem bij zijn laatste bezoek had gesproken over het schilderij met het gevleugelde onderschrift en er is intussen geen dag voorbijgegaan zonder dat hij me telefoneerde om nieuws te halen. Hij verstarde toen de woorden 'Ceci n'est pas une pipe' uit mijn mond rolden. 't Was alsof ik hem een zin reciteerde uit de heilige boeken. Hij wilde er onmiddellijk alles over weten. Meer dan de beloftes die mij waren gedaan kon ik daar voorlopig niet over kwijt en een afbeelding kon ik hem al helemaal niet laten zien. 't Was mager, maar voor Meier was 't al in de zak. Waar hij er zich anders niet voor schaamde mij radicaal de helft te bieden van wat ik vroeg, leek de prijs deze keer wel zijn laatste bekommernis, van totaal ondergeschikt belang als het ware. Hij was bereid er eender wat voor te betalen. Mijn prijs was de zijne, ik hoefde maar mijn mond open te doen. Hij stond zich warempel op te warmen aan de idee dat hij weldra de Pijp van Magritte zou opsteken en kreeg daarbij een dusdanig euforisch gevoel dat hij me aanbood de aankoop van het werk te financieren indien dat voor mij wat moeilijk zou liggen. De gulheid zelve!

Terwijl zij aan zijn arm hangt te spinnen ziet Diana bij al die goede luim meteen haar kans schoon om Meier dat meesterwerkje van Spilliaert af te luizen. Hij heeft zichzelf in een zodanige roes gebracht dat hij haar niets kan weigeren. Daar kan ik uiteraard niet anders dan blij om zijn maar tegelijkertijd besef ik dat ik op mijn tellen moet gaan passen. Mijn enthousiasme om met haar naar Londen te vertrekken begint al barstjes te vertonen. Wat laat ik mij in godsnaam aanleunen? Dat pluk-me-kaal-mens is in staat de weinige pluimen die ik op mijn hoed mag steken met de glimlach uit te trekken. Ik sus mij met de gedachte dat ik intussen een kijkje kan gaan nemen bij de grote veilinghuizen om uit te vissen of zij daar niets meer weten over dat schilderij. Een excuus waar men zich graag van bedient is gauw gevonden.

De jachthemel van de godin Diana bevindt zich in de kroeg van haar moeder, ergens op een pleintje. Er komt daar mooi maar lastig volk over de vloer, lui die hun centen op de rooster tellen en denken dat ze voor alles te veel betalen. Zo'n rijke vrek leeft in de overtuiging dat de armen er alleen zijn om hem zijn fortuin afhandig te maken, om niets anders.

Enkele dagen per week komt Diana zich in die kroeg in een hinderlaag leggen om een blinkende pauw te strikken. Met Meier is 't haar gelukt maar die heeft thuis ook nog een vrouw en een paar dochters op stok. Drie tangen die zijn ballen er afknijpen als ze vernemen dat hij een scheve schaats rijdt. Zij blijft het vijfde wiel aan de wagen. Zelf is zij goed en wel getrouwd maar er zijn betere partijen dan haar slagersgast. Die staat zich de ganse dag uit de naad te werken maar meer dan een paar eindjes touw om de maanden aan elkaar te knopen, kan hij haar niet in de schoot leggen. Op een dag krijgt hij de buitenwacht, dat staat vast, want Diana is een vrouwtje met ambitie. Haar is het om de poen te doen.

Als je voor het eerst een kroeg binnenstapt mag je al eens de grote jan uithangen. Je bent een onbeschreven blad, alles moet nog worden ingevuld, zelfs je naam. Je hebt nog geen vlekken op het papier gemaakt en beschikt nog over alle krediet. Je mag de lei nog vol schrijven. Dat gaat gauw over. Wie te dikwijls zijn kop laat zien, behoort binnen de kortste keren tot het meubilair. Als je geen gat in je hand hebt word je net als de kast en de tafel en de stoel aan de kant geschoven wanneer er gedanst wordt.

Bij mijn eerste bezoek laat ik het lang hangen. Ik heb gauw door dat deze caféprinses zich niet laat overhalen om een glas mee te drinken aan het tafeltje van een bedelaar. Voor minder dan de jackpot gaat zij niet. Om indruk te maken op de prooi en eventuele rivalen laat ik ze behoorlijk rinkelen. Die eeuwige pronkzucht toch! Die ijdelheid! Ik ben geen haar beter dan de snoefhaantjes die ik wil overbluffen.

Diana laat zich graag de lof zingen maar pareert elk compliment met geraffineerde koelheid. Zij wil op subtiele wijze aanbeden en vereerd worden. Hoewel haar slagergast hier openlijk wordt benijd omdat hij elke avond zijn voeten aan de hare mag warmen, valt te vrezen dat hij regelmatig op liefdesrantsoen wordt gezet omdat hij onmogelijk tegemoet kan komen aan de exuberante smaak van zijn vrouw. Dure vakanties, dure kleren, dure woonst. Duur wijf. Als je haar hoort rolt zij zich om en om in goud en zilver. Zij vliegt zelfs vier keer per jaar naar vakantieparadijzen aan de andere kant van de wereld. In vijfsterrenhotels! En wat zij draagt komt ook niet van de marktkraam.

Diana moet wel behekst zijn door geld. Ik ben er al gauw achter dat zij met dubbel krijt schrijft en de klant niet eens de helft van de waar voor zijn geld geeft. Als je een glaasje drinkt in haar gezelschap moet je één oog houden op haar drankje, dat zij in de bloempot durft te kappen, en het andere op de rekening. 't Is een gehaaide tante. Met haar blikken die je het paradijs voorspiegelen heeft zij je gepluimd nog voor je het in de gaten krijgt. Veel beloven en weinig geven. En ik ben blijkbaar niet de enige gek die zij in vreugde wil doen leven.

's Anderendaags ben ik er al weer, een dinsdagvoormiddag. Ik sta voor een gesloten deur. Ik klop aan, het duurt even, ik insisteer. Het jongere zusje van Diana komt openmaken en laat me er in, Marina heet ze. Dat is pas een gave meid, leuker dan Diana eigenlijk. Onbevangen, spontaan en open, een zonnetje. Eentje om te trouwen en houwen, in alles het tegendeel van Diana. Een lachebek. Heeft een huisje en een tuintje, een ventje en weldra een kindje. Zij is gelukkig, het staat op haar smoeltje te lezen.

Gisteren was ze even langsgekomen om gedag te zeggen tegen haar moeder en heb ik kennis met haar gemaakt. Diana duwde haar direct in het verdomhoekje. Zij was niet erg opgezet met haar gezelschap. Zij wil onbetwist heersen in haar jachtgebied van pluche en schemerlicht, Marina is naar de keuken verwezen. Daar ziet ook hun moeder op toe. Zij houdt kleine zus onder de duim, laat haar de ondankbare karweien opknappen, de boel schoon houden en de boodschappen doen. Ze moet vooral uit de buurt blijven van het glazen muiltje, heb ik gemerkt, want dat wil Dina alleen aan haar eigen voetje zien glanzen. Zo ook hun moeder. Die heeft maar één gedachte in het hoofd en dat is de sociale positie van Diana verbeteren. Zij wil naar de top van de ladder samen met haar oudste dochter want die heeft daar de ambitie en de klasse voor. Zij heeft zich laten ringeloren door een vulgaire worstendraaier! Een keer is genoeg geweest. Als een rat zit zij de grondvesten te ondergraven van dat huwelijk dat, godbetert, ooit uit liefde werd gesloten. Sinds Meier op het toneel is verschenen projecteert zij al haar dromen en wensen op die ene dochter. De andere moet het zelf maar zien te rooien. Voor haar zijn het Assepoes en Dochter Rotverwend.

Met haar liefste glimlach zegt Marina dat ik eigenlijk ongelegen kom, dat op dinsdagmorgen de zaak gesloten blijft, maar nu ik er toch ben nodigt zij mij uit even te gaan zitten. Niet langer dan de tijd voor een kopje koffie. Daarna zal zij mij toch de deur moeten wijzen want het is al tien uur gepasseerd. Ik zie de spijt in haar ogen. Zij komt bij me zitten. Ze vertelt me alles wat ik horen wil, 't is een flapuit.

Elke dinsdagvoormiddag, om elven, wordt de burcht hermetisch afgesloten. De valdeur gaat naar beneden en de brug wordt opgehaald. Al wie zich nog binnen de muren bevindt wordt zonder pardon in de slotgracht gegooid. Dan pas kan het Heilig Uur beginnen, een soort elfurenmis die met het nodige ceremonieel wordt opgedragen. Dan drinken Meier, Diana en haar moeder samen champagne. Marina moet op post blijven in de keuken om hen op hun wenken te bedienen maar heeft absoluut verbod zich tijdens dat mysterieuze ceremonieel te vertonen. Zij wordt ver gehouden van alle gekonkelfoes dat in de salon wordt gehouden. Verleden week heeft zij, bij het uittesten van de babyfoon voor het kindje dat zij verwacht, toevallig gehoord wat ze daarbinnen bekokstoofden. Er werd over de toekomst van Diana gesproken. Zij wil een luxezaak openen met de gulle steun van Meier. Zij wil het verder rooien op haar eentje, maar onder zijn hoge bescherming. De beenhouwer waar zij mee getrouwd is zit op de schopstoel. Daar vooral maakt Marina zich zorgen over. 't Is een bovenste beste kerel, die man. Hij slaaft van 's morgens tot 's avonds en draagt daarbij nog de zorg over hun zoontje dat overdag bij zijn ouders verblijft. Diana heeft geen uurtje voor dat kind en zij wil er ook geen tijd voor maken. 'Ik wist niet dat Diana een kind had.' – 'Toch wel, maar zij heeft geen moederinstinct. Het enige wat zij koestert zijn banknoten.'

We zitten nog wat gezellig te keuvelen en verliezen de tijd uit het oog. Een babbeltje met Marina is best gezellig en leerrijk. We hebben al de hele koffiekan leeggedronken als pluts die moeder met haar mankepoot – takketak-takketak-takketak – op het toneel verschijnt. Moesten haar ogen kogels zijn dan waren wij al dood geweest, Marina en ik, zonder sommatie neergeschoten. In haar spoor volgt Diana.

Voor ik de gelegenheid krijg wat dan ook uit te leggen stopt de gouden koets met Luxemburgse nummerplaat voor de deur. 't Is haar Prins Prostaat, Meier zelf. In plaats van het glazen schoentje heeft hij zijn slecht humeur meegebracht. Van zodra hij me opmerkt betrekt zijn gezicht naar zwaar onweer. Ik ben de laatste die hij hier had verwacht. Heb ik soms het lef bloempjes te plukken in zijn hof? Hij bekijkt me als een drol die net voor zijn neus is uitgedraaid. Hij kan me ruiken en houdt niet van de geur. Voor zijn part mag ik met het vuilblik worden opgeschept en door het rioolrooster gekieperd. Ik wil een rondje betalen maar Mozes weigert mijn glaasje troost te aanvaarden. Hij moet zo weer weg. Even snel als hij is binnengekomen is hij weer het gat uit.

Diana neemt mij mijn aanwezigheid niet in dank af. Ik heb meneer Meier verjaagd! Heiligschennis! Ze snauwt het mij toe alsof ik zonet op mijn eentje een pogrom heb uitgevoerd. 't Was heus niet de bedoeling, hoor. Ik wilde hem zelfs een glas betalen en hij liet mij met uitgestoken hand ter plaatse bevriezen. Het is de wereld op zijn kop! Ik ben degene die zich beledigd zou moeten voelen. Hij is jaloers, zeg ik haar. Hij zag groen. Hij kan de wedijver van een jonge wolf niet verdragen. En bovendien is hij laf. Hij gaat al direct op de loop nog voor hij de tanden van zijn belager heeft gezien. Ik kraak hem daar wat af, haar Meier. 'Jij bent jaloers,' zegt Diana. 'Jij!'

Zou ik? En waarop dan wel? Op de lekkere portie die elke nacht in het bed van de slagersgast wordt geserveerd en af en toe in dat van meneer Meier? Ze kan gelijk hebben. Maar verliefd ben ik zeker niet. Niet op haar. Moest zij mijn gedachten kunnen lezen, in mijn hart kunnen kijken dan zou zij niets anders zien dan Roodborstje, haar alleen. En het beeld van een pijp met rechte steel. Een beetje geil ben ik wel, dat valt niet te ontkennen. Diana wekt mijn lust en dierlijk begeren.

Eens buiten, sta ik in mijn haar te krabben. Hoe naai ik Diana en houd ik Meiertje lief te vriend? 't Is geen levensvraagstuk, maar toch. Wat als ik mij door Diana op het droge laat trekken? Ik kan toch mijn schip niet achter mij verbranden en het risico lopen van een vergiftigde bron te moeten drinken! Die vrijer heeft zich sterk gemaakt om op te treden als koper of financier van de Pijp, die wel eens héél duur, héééél duur zou kunnen zijn. Bij mijn familie moet ik de hand niet opsteken want voor die bravelui ben ik niet meer waard dan het vel waarin ik ben geboren. En wat de banken betreft... Op de halve wereld ken ik er niet een die, figuurlijk gesproken, een meier geeft om mijn financiële gezondheid. Ergens moet mij nog een nagel resten. 't Is iets. Ik kan alvast mijn gat krabben.

Schimmen

Het misverstand was nog dezelfde dag bijgelegd. Diana heeft Meier per telefoon laten weten dat ik in de kroeg van haar moeder was om die aquarel van Spilliaert te leveren die hij voor haar bij mij had gekocht. Om geen andere reden. Moshe van mij! Meiertje lief! Wat had je gedacht? Zij hanteert de telefoon als een seksspeeltje. Met haar gladde tong likt zij zijn baard, met haar hete adem stoomt zij zijn oor uit en giet het vol met zoetigheden. Zij weet hoe zij wat van een man moet bekomen.

Eerst wilde hij nog terugkrabbelen, Meiertje. De prijs was hem nogal zwaar op het dak gevallen en hij probeerde onder het zaakje uit te komen, 't was aan te voelen met de ellebogen. Ik nam even de lijn over en toonde mij verbijsterd toen hij uitvluchten begon te zoeken. Ik gaf hem op een beschaafde manier zijn vet. Een heer als hij eet toch zijn woord niet! Ik raakte hem direct op de goede plaats. Om de eer aan zichzelf te houden probeerde hij alsnog een hele hap van de prijs af te bijten, maar ik hield voet bij stuk.

Nadat ik Meier had afgeschud, kreeg ik Diana op mijn huid. Zij rekende er op dat ik haar een flinke commissie zou toeschuiven op het kunstwerk dat zij nota bene cadeau had gekregen. Er kwam geen einde aan. Spreek me van zakendoen!

Terwijl Diana voorbereidselen treft om met mij naar Londen te reizen en van mij, althans vestimentair, een jager te maken, kan ik mij langs Rolfie een jachtgeweer aanschaffen voor een zacht prijsje. Een van zijn klanten, een steenbakker wiens vrouw mee uit jagen ging, begon te ondervinden dat de schoten van zijn collega's verdacht veel in één richting werden afgevuurd, vooral ná de jachtpartijen en buiten het seizoen. Hij wilde daar korte metten mee maken en ontwapende haar.

't Is een lichte spuit, kaliber .16. Hij heeft het over het gaatje van de geweerloop, mag ik veronderstellen, dat kleiner is dan bij het zware maar ordinaire kaliber .12, waar jan en alleman mee rondloopt. Daardoor heeft het weliswaar een kleiner schootsveld en minder hagelspreiding maar het weegt niks, 't is een veertje. Kortom, het speelding voor de fijnproever. Ik sta te knikken alsof vuurwapens voor mij geen enkel geheim hebben. Ik ben in dienst geweest, meneer, mij moeten ze niets wijsmaken. Hij begint al direct mijn schutterscapaciteiten te loven alsof hij met mij te velde was. In die tijd heb ik wel de verplichte dosis munitie verschoten maar dat beperkte zich tot een tiental kogels tijdens de opleiding en evenveel tijdens de actieve periode. Dat kwam door het defensiebudget dat nauwelijks boven de armoegrens uitstak. Bij de afzwaai had ik ongeveer de gevechtswaarde van een tinnen soldaatje. Van dat soort hadden ze er immers genoeg, om het aantal zaten ze niet verlegen. Kanonnenvoer kost niets, aan soldij nauwelijks tien frank per dag en per man.

Ik zeg geen woord maar sta daar wat te brommen alsof ik toch mijn twijfels heb. Een vrouwengeweer, begot! Een blaaspijp voor de scherpschutter, beweert hij. Zo weten de andere jagers met-een welk vlees zij in de kuip hebben. Zonder dat ik er naar vraag kraakt hij meteen zijn prijs, zodat een weigering van mijn kant een regelrechte belediging zou zijn. Hij ontziet zich geen enkele inspanning om zo snel mogelijk van die buks af te komen.

Als op de koop toe dat dametje, om wie het allemaal draait, even langs komt wiegen, sla ik onmiddellijk toe, vrouwengeweer of niet. 't Is een dochter van Thor, de dondergod. Zij loopt op een wolk waaruit langs alle kanten bliksemschichten knetteren. Ik zou graag een eind met haar meedrijven. Haar hoorndrager moet ik mij absoluut te vriend houden.

Ik laat me dan ook nog gewillig de weitas en de patronen-gordel van dat vogelvrije schepsel aansmeren, het is een eerste stap. Ik wil alles van haar. Haar attributen tik ik in elk geval voor een prikje op de kop. Daar bovenop wordt me zelfs nog een glaasje wijn aangeboden om de koop te bezegelen. De man drinkt het zijne op in een paar slokken. Ik aarzel, tracht de tijd wat te rek-ken maar hij kuist mij kordaat de deur uit.

Nu nog een jachtpak en een paar laarzen en ik kan de Juiste Vrienden onder ogen komen.

Diana is flink ontgoocheld door mijn initiatief. Ze ziet onze trip naar Londen al in het water vallen. Ik stel haar meteen gerust. Er zijn nog redenen genoeg om samen het Kanaal over te zwemmen. Ik heb nog een jas en zo'n soort kniebroek nodig. Meier heeft net de aquarel betaald, ik kan weer tegen een stootje. En we hoeven niet op één dagje heen en terug, we maken er meteen drie dagen van om de grote stad te verkennen.

Terwijl we daar dan toch zijn, wil ik van de gelegenheid gebruik maken om de verantwoordelijken van de grote venduhuizen te leren kennen, want dat is mijn enige en eigenlijke doel. Ik wil met die heren een gezellig boompje opzetten en een pijpje stoppen, bij wijze van spreken. Onmogelijk dat zij niet zouden weten waar dat schilderij van Magritte zich bevindt. Ze weten alles. Bij elke grote collectioneur is hun bedje gespreid en bij de kleine verzamelaar hebben ze op zijn minst een voet tussen de deur. Er bestaat geen beter georganiseerd spionagenet in de hele kunstwereld dan dat van hen. Als je bij hen komt aandraven met een werk voor de veiling, kunnen ze je meteen te vertellen waar je het vandaan hebt. De origine moet kloppen of je mag het stoven. Zie het dan maar zelf te verkopen of gooi het bij het huisvuil.

Als ik een week later monter en opgewekt in alle vroegte halt houd voor de deur van de kroeg staat Diana mij al op te wachten, geflankeerd door haar moeder en zusje Marina om te worden uitgewuifd. Wat een voorbeeldige familiegeest! Ik stap uit om haar bagage in te laden. Er staan twee koffers klaar. Waar is dat voor nodig? Goeie genade! Diana moet gepakt hebben voor veertien dagen! Vrouwen, denk ik bij mezelf, steeds bezorgd dat ze iets te kort zullen komen als ze even de deur uitgaan.

Terwijl ik als een perfecte gentleman de deur van de auto voor haar open houd, stapt die moeder met haar mankepoot vlak voor mijn neus in. Daarbij trapt zij wegens haar wankele gang nog eens flink op mijn tenen. Ik heb nog niets in de gaten als ik vraag: 'Moet u vandaag toevallig ook naar Oostende, mevrouw?' – 'Ik ga mee naar Londen,' zegt ze doodleuk. Een koudere douche kon ik niet krijgen. Ik verander in ijs. Diana gebaart alsof alles volledig buiten haar wil is gebeurd. Wat een hypocrisie! Of heeft zij orders gekregen van meneer Meier die niet in het ongewisse wil verkeren omtrent ons reisje? Ik sta perplex. Ik weeg een ton, zo zwaar valt de moedeloosheid over me heen. 'En jij Marina?' – 'Ik mag niet mee,' antwoordt dat lieve kind. Ik heb meer zin om mijn eigen koffer weer uit te laden en bij haar te blijven dan die twee krengen op sleeptouw te nemen. 'k Heb me mooi laten verrassen.

Tijdens de rit naar Oostende ben ik weinig spraakzaam. Het valt niemand op want die moeder kwettert honderduit. Zij is afkomstig uit een Gentse proletenbuurt en dat is nog duidelijk te horen aan haar taaltje en vooral aan haar lach, een lang en luid geschater dat overgaat in een aanzwellend en dan weer wegstervend geloei. Zij heeft het over de veldslagen die ooit om haar zijn geleverd in de tijd dat haar burcht nog met veel enthousiasme werd bestormd. Toen zij nog mooi was. En Diana: 'Dat ben je nog steeds, mama, dat ben je nog steeds.' Veel veroveraars zijn gekomen en nog meer zijn er afgedropen, als je haar verhalen moet geloven. Het zal me wat! Intussen zit ik mooi opgescheept met de ruïne die van al dat lekkers overblijft. Een kramakkige waakhond.

Om haar lange verhalen kort te maken, komt het er uiteindelijk op neer dat zij de grootste krijgskans heeft laten liggen door zich te laten bezwangeren door de officier en noodgedwongen is getrouwd met de ordonnans. Daarom heeft zij al haar wensdromen en ambities overgedragen op haar dochter Diana. Die moet het waarmaken en haar familie optillen naar een hoger sociaal niveau.

We schuiven aan op de kade. Ik hoef geen augur te zijn die de toekomst leest in de vlucht of de ingewanden van vogels om de welgemikte klodder meeuwenpoep, die op mijn hoofd terechtkomt en over mijn schouders uiteenspat, te interpreteren als een dubieus voorteken voor deze reis. Zelfs de goden lachen me uit. Als ik niet onmiddellijk mijn haar kan afspoelen en de vlekken uit mijn jas verwijder, loop ik er voor de rest van de dag bij als een clown. Vogelpoep is een gemeen goedje.

Ik had mij van dat plezierreisje heel wat anders voorgesteld –

een soort wittebroodsdagen? – in plaats van deze ellendige overtocht en het vooruitzicht van een gedwongen verblijf onder permanente bewaking. Ik voel mij op die schuit nog mottiger dan een galeislaaf.

't Is ruwe zee en voor wij in Dover aankomen heb ik, met het gestamp van dat schip in mijn maagstreek en het getetter van dat vrouwmens in mijn oren, er zowat de helft van mijn darmen uitgekotst. Mijn hoofd draait om en om en ik zie die varende kist slagzij maken! De golven slaan tegen de ruiten en water spoelt over het dek! We halen het nooit! Ik hoor het orkest al 'Nader tot U' spelen! Ik zie mijn schaarse vrienden al bloemen gooien op mijn zeemansgraf. En hoe zieker ik word hoe meer valse noten moeder op haar zang krijgt. Op den duur verwens ik die verdomde boot met man en muis naar de kelder als daardoor haar gesnater maar ophoudt. Ik heb mij met mijn lot al verzoend terwijl zij geen greintje last heeft van zeeziekte. Zo gezond als een bliek is Takketak.

We stomen aan een slakkengangetje door het platteland. Ik tracht wat te bekomen in dat schommelende treintje dat ons naar Waterloo station voert. Vandaar laten we ons in een cab naar onze bestemming brengen.

't Is een verdomd chic spel, dat hotel. Oosterse tapijten op de marmeren vloer, lambriseringen van het edelste hout, verfraaid met kleurprenten van nobiljons op vossenjacht, en niets dan pluche om in neer te zitten. Je ziet direct dat Diana op geen kosten heeft gekeken. Ze heeft al diep in mijn zakken gezeten nog voor ik naar de prijs van de kamers heb gevraagd. Wat uiteraard niet van een heer wordt verwacht. Een heer ondergaat alles wat hem overkomt met de glimlach en dokt af. Nu zit ik niet erg op de centen, het mag zelfs wat kosten, maar dan wil ik toch iets in ruil. In de overtuiging dat ondanks alle geleden ongemakken het beste nog moet komen, stap ik op de balie af.

Daar staat mij zo'n verwijfde vent op te wachten die zijn neus in de lucht steekt en met een zilveren lepel in zijn mond vraagt wat hij voor mij kan doen. Hij is van 't handje. Niettemin zou ik hem al willen kussen als hij bij het nazicht van onze boeking zegt dat mijn vrouw inderdaad een dubbele kamer voor ons heeft besproken en daarna nog een enkele kamer voor mevrouw haar moeder. Onder mijn broeksband breekt al direct het feestgejoel los. Ik kan niet gauw genoeg boven zijn.

Takketak heeft niet begrepen wat Zilveren Lepel heeft gezegd, zij verstaat geen Engels. Als Diana het haar uitlegt wordt zij wit als een laken. Toch geen haar op het hoofd van haar dochter dat er aan denkt met mij het bed te delen, zeker? En zij dan? Wie heeft aan haar gedacht? Alleen op een kamer in een land waar zij niet eens de taal van spreekt? Ze mag er niet aan denken! Stel dat er wat gebeurt! Dat zij hulp nodig heeft! Ze moet plots gaan zitten, ze krijgt geen adem meer. Dit gaat ze besterven.

Diana maakt haar duidelijk dat het nooit de bedoeling is geweest moederlief in haar eentje op te zolderen. 'Mama toch! Hoe heb je dat nu kunnen denken? Die dubbele kamer was voor jou en mij.' Zo weet ik het meteen, er is geen verdere uitleg nodig en ik moet niet aandringen.

We worden verzocht even te wachten in de lobby tot de bellboy er aan komt om onze koffers naar de kamer te brengen. Ik ga in een van de pluchen zetels zitten en mok. Ik wil de dames laten merken dat ik me bekocht voel. Wegduikend in een toeristen-folder besef ik pas goed waar ik mijn voeten heb gezet.

Grosvenor House Hotel op Park Lane, vijf schitterende ster-ren, gelegen tussen Marble Arch en Hyde Park. Een oase mid-denin een stadswoestijn. De aangekondigde prijzen knetteren als rotjes van het papier. Ze zijn niet van aard om me op te vrolijken als ik bedenk dat we hier voor drie dagen verblijven op mijn kos-ten. Op mijn kosten! Een idee van Meier, daar moet ik niet aan twijfelen. Ik was al best tevreden geweest met een Bed & Breakfast. Dat House ziet er uit als een verblijf voor koningen en prinsen. Lees maar mee.

The Hotel is right on the doorstep of shopping in Bond Street, Oxford Street and Knightsbridge with his famous stores and only minutes from the City's West End theatres, Buckingham Palace en Speaker's Corner. Zo weet ik het meteen. De winst op mijn aquarel zal sneuvelen op het schavotje van het vrije woord. En de rest van mijn zakgeld geraak ik in no time kwijt in deze stralende omgeving. Het puik van winkels en veilinghuizen op een boogscheut van ons bed. Een gebrek aan praktische zin kan ik Diana niet ontzeggen. Ik doorsta een nieuwe aanval van koud zweet en laat moedeloos de armen zakken. Moeder en Diana forceren een glimlachje in mijn richting.

Goed dat de lift is uitgevonden om mij naar vierhoog te hijsen. Ik krijg een majestueuze kamer. 't Ziet er uit als in een film. Moiré gordijnen en dito sprei, een vuistdik tapijt en een badkamer waar je met zijn tienen in rond kan dollen. Op het tv-scherm zie ik mijn naam oplichten en een boodschap waarin ik warm welkom word geheten. De Grosvenor huislieden doen er alles aan opdat ik mij hier thuis zou voelen. Ze hebben een feel-good-sfeertje gecreëerd met een paar snoepjes op het hoofdkussen en de melding dat tegen de avond het bed slaapklaar zal worden gemaakt door het kamermeisje. Kan daar een belofte in zitten? Ik heb altijd een zwak gehad voor kamermeisjes. Voor hun smetteloze, raadselachtige lendenschortje.

Diana sleept mij als een schoothondje aan de leiband door de winkelstraat. Haar moeder pikkelt achter ons aan. Zij likt de etalage schoon van een shop waar de rijkste gewaden staan uitgestald met prijskaartjes aan die de schaamte voorbij zijn. Zij kijkt met de gretigheid van een roofdier. 'Wat prachtig!' zegt zij. Ik kan niet anders dan dat beamen bij het zien van de heerlijke contouren van de jeugdige etalagiste die ongewild haar best doet om kopers te lokken. 'Trakteer je me?' Diana verleidt me met haar liefste glimlach. Hoor ik goed? Heet ik soms Meier? Zij ziet zichzelf al helemaal uitgedost in zo'n chic ensemble tijdens de volgende party bij een of andere golden boy in Lippensville. Dat zal toch niet van mijn centen wezen, houd ik me voor, terwijl zij op een geraffineerde manier mijn hand op verkenning uitstuurt langs haar derrière. 't Wordt een duur uitstapje. Voor ik ja of neen kan zeggen heeft zij mij al de winkel in gesleurd en loopt zij het pashokje in en uit. Moeder Hinkepoot vindt dat natuurlijk allemaal geweldig. Die staat het met open mond aan te gapen en in haar handen te klappen. Ik moet toegeven dat het welgeschapen lijf van haar dochter de nieuwste modellen alle eer aandoet. What a body! Zelfs de tapet van dienst staat er handjes en knietjes bij te wringen. Mijn eigen jagerstenue zal ik mij tweedehands mogen aanschaffen. En, net als mijn geweer, ook een maatje te klein.

Ik heb haast om weg te komen uit de wijk waar de modewinkels te dicht op elkaar liggen. Die uitgestalde spullen ogen allemaal om ter fraaist maar kosten handenvol geld, weggegooid geld, het geld van mijn Spilliaert, alle duvels! Wat mag mij toch bezielen? In plaats van Diana af te remmen, geef ik haar af en toe een bemoedigend hoofdknikje. En natuurlijk steekt zij dan weer een tandje bij. 't Is een hebzuchtige bitch. Goed dat ik ben meegekomen om pakken en zakken te dragen.

Krijg ik me daar toch een smakkerd als beloning die me half van de grond doet gaan. Ik voel zelfs de zwaartekracht niet meer. Ze sabbelt even aan mijn oorlel en dat geeft me zoveel moed dat ik onmiddellijk tot het volgende offer bereid ben. Meier mag opschuiven, loop ik tegen mezelf te zeggen. Eens zien of zij ook bereid is voor mij een plaatsje in haar alkoof vrij te maken. We moeten van die moeder af zien te geraken. Een slaapmiddel in haar drankje doen zodat Diana de nacht op mijn kamer kan doorbrengen. Of een andere list verzinnen om haar kwijt te spelen, al was het maar voor een uurtje.

Wanneer ik een voet zet op de gewijde drempel van het eeuwenoude Sotheby's, trekt Diana aan mijn mouw. 'Ik wil naar Harrods,' zegt ze. 'Wat?' – 'Ik wil naar Harrods. We moeten opschieten. We kunnen daar niet aankomen net voor sluitingstijd.' Zij wil naar Harrods! Dát is nou eens écht belangrijk. Zij wil naar een lompenbazaar terwijl ik hier alleen ben om uit te vogelen hoe ik de Pijp van Magritte op het spoor kan komen. 'Kan je dat niet even alleen met je moeder?' – 'Ik wil er heen met jou.' – 'Dit gaat nu wel voor, Diana.' Ze pruilt. Ze steekt haar onderlip naar me uit als een rijpe kers. We gaan naar Harrods.

Na een paar uur slenteren in dat warenhuis, lukt het me uit de greep van beide vrouwen te komen en op de valreep bij Sotheby's binnen te duiken. Daar hangt nog steeds het luchtje uit 1744, toen het bedrijf door ene Samuel Baker werd gesticht, spoedig bijgestaan door zijn neef John Sotheby, die het de legende zou inwerken. Het huis bood tijdens zijn eerste veiling een honderdtal zeldzame en waardevolle boeken aan uit alle takken van de Beschaafde Literatuur.

Ik overhandig mijn kaartje aan een spichtig meisje dat zorgt voor de klantenopvang en vraag de directeur te spreken. Zonder voorafgaande afspraak, meneer? Dat kind kijkt me aan alsof ik sta te vloeken in de kerk. Ik zal een meer dan goede reden nodig hebben om in het hart van dit cenakel binnen te dringen.

Ik neem mijn pen en teken op de rug van mijn naamkaartje een pijp met daaronder de enigmatische woorden: 'Ceci n'est pas une pipe'. 'Zeg aan uw baas dat ik dit te koop wil aanbieden.' Ze snapt helemaal niet wat ik haar duidelijk wil maken. 'It's a secret code,' brom ik. Ze bestudeert mijn schets en weet niet wat ze er van denken moet. In haar ogen moet ik een keuterboertje zijn dat ergens op het vasteland tabaksplanten verbouwt. A peasant from the continent. 'Ga nu maar.' Ze verdwijnt achter een reusachtige deur die geluidsdicht is gemaakt met een opgevuld lederpaneel.

Geen minuut later is zij terug met het verzoek haar te volgen. Zij is één en al glimlach en loopt schuin voor me uit, op een eerbiedige afstand. Alsof ik plots niet meer de slaaf maar de eigenaar zelf ben van de tabaksplantage. Zij heeft duidelijk opdracht gekregen mij te behandelen als de suikeroom uit Amerika.

In dat directiekantoor staat een heer in driedelig blauw pak mij met open armen op te wachten, net of we zijn oude vrienden. Ik moet neerzitten in de salon naast zijn bureau. Hij haalt onmiddellijk de brandy boven en brengt meteen het voorwerp van mijn bezoek ter sprake door te zeggen dat hij mij niet een pijp van het kaliber als de mijne kan aanbieden maar wel een lekkere sigaar.

Als ik Peter Wilson, want zo heet de gentleman, duidelijk maak dat we het hier wel degelijk over een schilderij van Magritte zullen hebben, en dan nog niet eender wat, is hij wel heel erg benieuwd hoe ik aan dat ding kom. Uit zijn gerichte vragen kan ik opmaken dat ik drager ben van een geheim dat hen ergens moet ontsnapt zijn. Maar naarmate duidelijk wordt dat ik niet de eigenaar ben van het werk of zijn mandataris maar er zelf naar op zoek ben, komt de stop niet meer van de fles brandy. Van klant word ik concurrent.

Ik zeg dat ik met mijn neus bovenop het zaakje zit maar dat mijn vrienden wat moeilijk doen en geef het zo'n draai dat ik hem en niemand anders het schilderij, van zogauw ik het heb gelokaliseerd, wil aanbieden voor een schatting en eventuele verkoop, als de voorwaarden interessant genoeg zijn. Indien hij me dus een hint zou kunnen geven... Nu zou hij me vierkant kunnen uitlachen – ik ben tenslotte maar een klein visje tussen de haaien – maar dat doet hij niet. Hij besluit me te gebruiken als gouddelver die voor hem een ader moet blootleggen.

Peter Wilson heeft maar één goede raad voor me. 'Go from the start.' En dat begin hoef ik niet eens ver te zoeken, het ligt vlak bij mijn achterdeur. Ik moet in Brussel de schilder Jean Milo maar eens op gaan zoeken. Die weet daar alles van. Als in hun huis een werk met het kenteken van "Le Centaure" wordt aangeboden is het bij hem dat er advies wordt ingewonnen aangaande oorsprong of echtheid. Hij is het levend geheugen van een kunstgalerie die "Le Centaure" heette en in Brussel was gevestigd maar door de stroom van de Grote Depressie in het begin van de jaren dertig werd meegezogen naar de afgrond.

By the way, dezelfde dag dat ik in het bezit kom van dat fameuze werk, wil Peter dat ik hem daar onmiddellijk van op de hoogte breng. Dan neemt hij het eerste vliegtuig naar België en maakt hij mij voorwaarden die ik bij geen enkel ander veilinghuis ter wereld kan versieren. Als ik het werk door zijn bemiddeling laat verkopen, hoef ik me nergens zorgen over te maken. Geen pond sterling zal het mij kosten. Verzekering van nagel tot nagel, overzees transport, publicatie van het schilderij in kleur over twee bladzijden in de cataloog, wereldwijd gratis publiciteit en geen penny commissieloon. Dat is voor de raap van de koper. Het lijkt hier wel een liefdadigheidsinstelling.

Ik vraag Peter of hij ene Pêche-Merle, een Belgische kunsthandelaar, heeft gekend. Blijkt dat Louis hier kind aan huis was tot enkele jaren geleden toen hij naar Australië is uitgeweken om daar een nieuw bestaan op te bouwen. Dat is tenminste wat hij enkele weken geleden heeft vernomen van Pêche zelf die van de andere kant van de wereld was teruggekeerd omdat hij niet kon wennen aan het klimaat en het ruwe volkje uit de oude strafkolonie. Als ik hem vertel dat Pêche hier in Londen zijn dood is komen zoeken in de schoot van een jonge vrouw kijkt Peter Wilson daar niet eens van op. Mister Pêche-Merle was een kenner, op alle gebied, die ook in de zaken enig risico niet schuwde. Living dangerously, het is niet aan Peter besteed.

Ze wachten me op in de lobby, Diana en Takketak, elk in een zetel. Met het menu van het bijbehorende restaurant in de hand staat Zilveren Lepel hen de Engelse haute cuisine aan te prijzen. Ik zou verdomd niet weten wat hier naast een soort bagger van onbestemde smaak, trilpudding genoemd, als eetbaar product is uitgevonden. Die lui hebben het doorheen hun geschiedenis veel te druk gehad met het dobberen op zout water. Je moet beide voeten op de grond hebben om culinaire hoogstandjes uit te proberen, zo denk ik er over.

Ons oorspronkelijke doel van de reis, het kopen van jachtkledij, wordt naar morgen verschoven en even later door Diana doodleuk weggewuifd. 'Eigenlijk vinden wij alles wat je nodig hebt evengoed in België,' is nu haar mening. Ik heradem want na die eerste dag zit ik al flink door mijn budget. Het vooruitzicht van volgende nacht misschien een paar uren in haar gezelschap te kunnen doorbrengen houdt mij op de been. Als ik het gevoel krijg dat ik ruim genoeg heb gespendeerd om er wat voor in de plaats te krijgen, draait zij mij rond haar vinger.

Diana is niet de gewillige prooi die ik mij heb voorgesteld. Ik heb makkelijker hapjes verorberd. Even ben ik vergeten dat ik op pad ben met de godin van de jacht die zelf de prooi kiest waar zij haar pijlen op richt.

Als haar moeder naar het toilet hinkt, trek ik mijn stoute schoenen aan en sommeer haar om deze nacht naar mijn kamer te komen en mijn eenzaamheid op te vrolijken. Bijna met een krop in haar keel antwoordt zij mij dat de rode vlag uithangt. Ik zeg dat het me geen ene zak uitmaakt. Rood, geel, blauw, ik wil dat zij mij alle kleuren van de regenboog laat zien. Zij sterft bijna van spijt als zij mij definitief afwijst. Ik zou toch moeten weten dat zij van mij meer verwacht dan een snelle wip? Ik zal geduld moeten oefenen tot thuis. Komediante! Zij heeft mooi de buit binnen, dat is wel zeker.

We gaan naar onze kamer om ons klaar te maken voor het

avondmaal. In de lift, ongeveer driehoog, verschiet ik van kleur. Heb ik ze nog allemaal op een rijtje? Kan het zijn dat ik halluci- neer? Uit de diepten hoor ik een krankzinnige lach opstijgen die alleen van Pêche-Merle kan zijn. Hij dringt doorheen de dikke liftdeur, snijdt de muren open en gaat dwars door mijn ingewan- den en gebeente. Ik voel mij plots zo wankel op mijn benen dat ik er elk ogenblik door kan zakken. Die klootzak is toch dood en nog wel hier in dit eigenste Londen? En dan, voor de tweede keer en met diezelfde hoge kopstem, hoor ik dat gehinnik dat door merg en been snijdt. Ik vergis me niet.

Ik ben te lam om te reageren. Ik viseer de rode stopknop maar krijg mijn arm niet omhoog. Diana vraagt wat er scheelt. Zij vreest dat haar wandelende portefeuille een paar dagen te vroeg leeg- geschud raakt. Op de been blijven, jongen! Zij wil er direct een dokter bijhalen. Ik zeg dat ik wat ijl ben in mijn hoofd en beter kan wat gaan liggen. We spreken een uur later af in de lobby.

In plaats van neer te liggen loop ik door mijn kamer te ijsbe- ren. Ik ben alleen even gaan zitten om het vodje te bekijken dat ik in mijn binnenzak bewaar met de naam en de handtekening van Pêche-Merle er op en het illusoir bedrag dat hij mij verschuldigd is. Ik heb de cheque weer dubbel gevouwen en in de zijkant van mijn tas geritst alsof ik vrees dat Pêche uit het graf is opgestaan om mij te lijf te gaan en mij dat schuldpapier te ontfutselen.

Ik doe er zeker twintig minuten over om tot mezelf te komen. Dan ga ik naar beneden. In de lobby het gewone gedoe maar alles gebeurt in een opvallende stilte. De bedienden schuifelen geluid- loos over de vloer en zelfs de klanten spreken gedempt. Ik kijk rond in de gang en in de bar maar er is niemand te zien die ook maar van ver of dicht op Pêche lijkt. Aan de receptionist vraag ik of hen daarnet niemand is opgevallen die een luide en scherpe lach produceerde. Zoals ik veronderstel dat een gek moet lachen. Hij blijft er onverstoorbaar bij, hij ziet hier ongetwijfeld de meest vreemde vogels over de vloer komen. 'Like what, sir?' – 'Like a fool.' Zilveren Lepel loert van onder zijn wenkbrauwen en vraagt op een onderkoeld toontje: 'And how is a fool laughing, sir?' Die tante neemt mij in de maling! Niettemin doe ik mijn best om een imitatie te geven van de typische Pêchelach maar dat wil niet zo goed lukken. Ik probeer het nogmaals. Alle activiteit in de hal valt stil en mijn demonstratie krijgt ieders aandacht, van personeel tot bezoekers. Iedereen kijkt me aan maar niemand geeft een krimp. Van bizar gedrag hebben ze op dit eiland dagelijks hun deel.

Als ik bovendien aan de receptionist vertel dat de lachende man eigenlijk dood hoort te zijn komt er alleen een flegmatiek 'Ho... I see,' over zijn lippen. Weer staart hij me aan vanonder zijn wenkbrauwen, ervan uitgaand dat niet alle gekken zijn opgesloten.

Ik neem plaats in een van de zetels. Zilveren Lepel pakt zijn spullen bij elkaar en verdwijnt. Zijn dienst zit er op. De bellboy die vanmorgen onze koffers naar boven heeft gebracht, komt naar me toe en zegt: 'You were right, sir. He was there.' – 'Who?' – 'The laughing man.' Hij vertelt me dat de geest van Pêche het hotel verliet net op het ogenblik dat ik uit de lift stapte. Ik vraag hem in welke kamer de lacher logeert maar de jongen zegt dat het geen hotelgast is. De man heeft in de bar thee gedronken met een andere gentleman die een voorwerp onder de arm hield dat de vorm had van een schilderij maar in een doek was verpakt. Misschien waren het kunsthandelaren want Sotheby's bevindt zich vlakbij, in New Bond Street, en Christie's eveneens, in King Street en op Kensington.

Toen de jongen een half uur geleden in de bar was om een drankje te halen voor roomservice waren beide heren in druk gesprek. Hij had net de bar verlaten toen hij voor het eerst keer die paardenlach hoorde, het viel op, maar hij wist niet aan wie van beide mannen hij hem moest toeschrijven. Ik tracht zijn indrukken op te poetsen met een fooi maar hij moet bekennen dat hij de twee niet nauwkeurig genoeg heeft geobserveerd om te zeggen hoe zij er uitzagen. Hij had meer naar het meisje in hun gezelschap staan lonken. 'I only had eyes for the girl with the golden hair.' Ik wil dat hij mij dat meisje beschrijft. Welke kleur van ogen had zij? De jongen kan het niet met zekerheid zeggen, hij heeft haar enkel van opzij gezien. Zij had een edel profiel en ogen van lichte tint. En heeft hij soms een naam opgevangen? Neen, daarvoor zaten ze te ver van hem verwijderd.

Slapen kan ik niet. Bij het schaarse licht van het nachtlampje doorblader ik een tijdschrift over Engelse landhuizen waarvan ik bij het einde niet meer weet wat ik in het begin heb gezien of gelezen. Als ik neerlig blijf ik staren naar de deur alsof ik langs daar elk ogenblik de schimmen van Pêche-Merle en het meisje met het gouden haar mag verwachten.

De paardmens

'Go from the start.' De gevleugelde woorden van Peter Wilson indachtig herneem ik mijn zoektocht. Van Floris Niedrig krijg ik dezelfde raad nadat ik hem het verhaal over het Huis van de Gele Sterren heb verteld. Hij zegt het niet anders. 'Begin bij het begin.' Als ik op het spoor wil komen van de Pijp moet ik terug naar de bron, naar het mythologische wezen dat wordt voorgesteld met het hoofd en de torso van een mens en de romp van een paard, de Centaur. Of wat er van overblijft.

In onze contreien, zoals ik van de Brit had vernomen, leeft de legende voort in de gedaante van Jean Milo, schilder zonder betekenis maar van grote waarde als het levend geheugen van de roemruchte galerie Le Centaure in Brussel. Jean was er om den brode als verkoper aan de slag van 1926 tot de dag dat hij op straat stond na het faillissement in 1931. Ik hoop dat hij mij op weg kan helpen.

Zijn naam deed al een belletje bij me rinkelen toen ik hem voor het eerst hoorde. Het kan mijn oma geweest zijn die het over hem had als een minzame man die door zijn dagelijkse omgang met dichters en schilders van zichzelf dacht dat hij het allebei was.

Het eerste voorteken ziet er goed uit, want wat raad je? Hij rookt een pijp met een lange rechte steel, net zoals op de gedateerde foto uit 1926 die op zijn buffet prijkt, toen nog een blonde engel, nu een tandenloze grijsaard. Hij kijkt me wat verwezen aan uit zijn waterige ogen.

Als hij echter zijn verhaal begint te doen komt dat oude karkas plots tot leven en lijkt er centaurenbloed door zijn aderen te stromen. Hij gesticuleert alsof hij de zweep heeft gekregen.

Milo zat met zijn neus op de gebeurtenissen, hij heeft het allemaal live meegemaakt. In de rumoerige twenties ontpopte ene Walter Schwarzenberg, jonge handelaar in kunstboeken en grafiek, zich tot een pionier van de toenmalige nieuwe kunstvormen en toverde het gezapige Brussel om tot de metropool van de artistieke durf. De ster van het grootsprakerige Parijs, dat zich al eeuwenlang voor de navel van de wereld nam, verbleekte bij de initiatieven en tentoonstellingen die le petit Belge organiseerde. Hij had die galerie in 1921 gesticht en illustere namen als Dufy, Utrillo, Chagall, Zadkine, Van Dongen, Foujita, Ernst en de Chirico geëxposeerd.

En natuurlijk voelde de lokale kunstmeute, die onschuldige tafereeltjes borstelde voor de gezapige burger, zich op de kop gescheten. Die wilde zich door de woelmakers rond Le Centaure niet in een hoekje laten drummen. De weldenkende pers beschreef de schildersbent van nieuwlichters als een schande voor het mensdom, een verzameling loslopende gekken die de beschaving bedreigde en rijp was voor opsluiting. Zelfs in Geel deed men beter. Daar doet zot zijn niemand zeer. Tandis qu'à Bruxelles...

De galerie toonde het werk van de nieuwe Vlaamse garde en exposeerde, nog vóór dat in Parijs het geval was, de surrealisten. Het was de epoque dat de doodbrave Gustave Van De Woestijne versleten werd voor een ziekelijke pervert, Permeke het weinig vleiende compliment kreeg dat hij met stront schilderde en het nieuwe Paleis voor Schone Kunsten de vergaarbak werd genoemd van excentrieke moffenkunst omdat Berlijn toen en helaas voor het laatst een stad was die in brand stond door het vuur van zijn scheppende geesten.

Toen galerie Le Centaure de geboorte van het surrealisme in België aankondigde door in haar vitrine aan de Louisalaan het schilderij 'De Verloren Jockey' van Magritte te exposeren kwam het bijna tot een opstand. De leerlingen van de Academie onder leiding van de schilder Alfred Bastien belegerden de galerie om die ongerijmde vertoning en al de ontaarde kunst er omheen aan spaanders te hakken. De politie moest er aan te pas komen om die heethoofden te bedaren. Ze keken hier wel uit met zo'n troep prikkelbare zielen die het vuur in de pan konden doen slaan. Het zou in België niet de eerste keer zijn geweest dat een kunstmanifestatie werd aangegrepen om de staat omver te werpen. Was het Belgische gedrocht trouwens niet geboren uit de surrealistische situatie van ontevreden melomanen die hun geld terug wilden omdat in de Muntschouwburg de hoofdrol in een opera door een stomme werd gezongen?

René Magritte werkte toen onder contract bij Le Centaure voor een maandwedde van een paar duizend frank. Goed betaald voor de soms armzalige kwaliteit van zijn werken uit die tijd. Ideeën te over, hij barstte ervan, maar hij besteedde weinig zorg aan de afwerking. Soms ging hij er tegenaan alsof hij voor een of andere firma affiches borstelde voor wat snelle publiciteit. En bovendien lustten de mensen zijn soep niet. Zijn voorstellingen deden vermoeden dat het bij de man niet al te pluis was in zijn bovenkamer. En wie haalde, afgezien van een even gestoorde geest, het werk van een gek in huis? Zo'n ding komt tenslotte bij je wonen en vraagt je aandacht. 't Is net een partner. Elke dag moet je er op kijken en er mee leven.

Magritte verkocht geen nagel, bij zoverre dat er zich 150 van zijn werken in de voorraad van Le Centaure bevonden op het ogenblik dat de galerie op de fles ging ten tijde van de Grote Depressie. De hele inboedel zou openbaar worden verkocht aan de meestbiedende in oktober 1932.

Het was voor Jean Milo, die toen stockbeheerder was, uitgesloten 150 schilderijen van dezelfde kunstenaar in één en dezelfde veilingcataloog op te nemen.

De vrees bestond dat de stukken voor enkele armzalige frankjes de deur zouden uitvliegen of dat er, in het slechtste geval, niet eens een bod zou komen op die verzameling hoogst bizarre fantasmen. De overgrote meerderheid van toenmalige kenners en kunstliefhebbers vond het toch maar troep. Een openbare verkoop moest dus onvermijdelijk uitdraaien op een regelrechte catastrofe. De prijzen zouden kelderen en de kunstenaar zou geen greintje geloofwaardigheid overhouden. Hij zou de boeken mogen sluiten. Magritte zou buiten worden gelachen.

Sluwe Jean kreeg van de curator en van de voorzitter van de Kamer van Koophandel gedaan om het ganse lot buiten het faillissement te houden en verkocht de hele hap aan kunstbroeder E.L.T. Mesens voor 5.000 fr.

Daar is toen in het milieu veel over geroddeld. Er werd gezegd dat Mesens zijn broek heeft moeten afsteken om Magritte te redden maar volgens Milo is de waarheid anders.

E.L.T., enige zoon van goeden huize en daarenboven de chouchou van twee rijke tantes, heeft steeds goed in de slappe was gezeten, zijn zakken puilden uit. Het kan hem alleen tot eer strekken dat hij het heeft aangedurfd zijn lieve centen te riskeren in die donkere tijden waar niets nog zekerheid bood en die zouden uitmonden in een zwarte tragedie. Hoe dan ook, je moest het toch maar doen en hij heeft niet geaarzeld. 't Was een akte van surrealistisch geloof.

Het was ook een meesterzet. Achteraf is gebleken dat hij op zijn eentje een van de grootste kunstaankopen van de eeuw had gerealiseerd, niet minder dan dat. Achteraf...

Dat het hem geen windeieren heeft gelegd getuige de stormloop die momenteel aan de gang is voor elke veiling waar de onooglijkste krabbel van de meester te koop wordt aangeboden en aan de belangstelling voor elke tentoonstelling waar sinds zijn dood werk van hem is te zien. Zo heeft Milo onlangs een expositie bezocht waar een charmante jonge vrouw buitenlandse bezoekers gidste met een uitleg die kant noch wal raakte. 'Ik wist niet wat ik hoorde!'

Ik weet het wél. De stem van Magritte zelf heeft hij gehoord, door haar mond. Dat is het hem nu juist met dat werk. Elke uitleg die je er aan geeft kan evengoed kloppen als naast de kwestie zitten. Magritte was tijdens zijn leven een teken van tegenspraak, is tot op heden controversieel gebleven en in de toekomst zal dat niet anders zijn. Moest ik aan die brave koekenbakker mijn eigen verhaaltje doen over het ceci en het cela van de Pijp die eigenlijk geen pijp is, dan geloof ik dat ie de harde, aarden steel waar hij zit aan te lurken ter plekke inslikt.

Dat schilderij, waar ik naar op zoek ben, moet dus deel hebben uitgemaakt van het lot dat Jean aan E.L.T. Mesens heeft verkocht. De inventaris van het lot is tijdens de oorlogsjaren verloren gegaan. Als enig tastbaar overblijfsel uit die heroïsche tijd laat Jean mij een blad zien met een talon van het stichteraandeel, samengesteld uit coupons om jaarlijks een dividend te innen. Tot in het jaar 1957. In dat jaar kon tegen uitwisseling van deze talon een nieuw blad met coupons verkregen worden. Voor weer eens twintig jaar, en zo tot in de volgende eeuw, en de volgende, in saecula saeculorum. Goed en wel gedrukt op kwaliteitspapier, te duur om de kachel mee aan te maken.

Het beroemde werk, dat met de gebogen steel, dat eveneens deel uitmaakte van hetzelfde lot, kwam later in het bezit van het Los Angeles County Museum door bemiddeling van de Amerikaanse schilder en verzamelaar Bill Copley die dikke mik was met René en een onvoorwaardelijke bewonderaar van zijn werk.

Verder weet Jantje Pijp niet veel over de kunstenaar te vertellen. En nog minder over het voorwerp met de rechte steel dat mij bezighoudt. De enige naam die ik uit zijn verhaal heb onthouden en die voor mij belangrijk is, is die van Mesens, E.L.T. voor de vrienden. Die speurneus heeft volop aan de bron gedronken toen de anderen in het bos van Magritte verloren liepen. Hij is voorlopig de enige die mijn dorst kan lessen en ik kan mijn gedachten niet meer bij de zaak houden als Milo alsmaar weer over zijn eigen werk begint. Hij laat niet af, hij werkt op mijn zenuwen.

Met de minuut wordt het mij duidelijker dat deze artistieke dwerg Magritte helemaal niet lust, zijn kunst niet en evenmin het personage. Ik verdenk hem van enige afgunst omdat hij met zijn eigen rommel niet aan de bak komt. Hij probeert ijverig mij enkele van die rotschilderijen aan te smeren. 't Is maar slappe thee. En de speekselrijke uitleg die ik er gratis bij krijg is al helemaal overbodig. Een tentoonstelling in Knokke zegt hem wel wat. Nou, mij lekker niet, meneer Jean.

Dan is die Mesens een ander personage. Geboren zonder god en zonder meester, zonder koning en zonder rechten. 't Staat op zijn kaartje en later wil hij het op zijn grafsteen gebeiteld zien. Ik ben de man in de Lichtstad moeten gaan zoeken. Hij woont er maar pendelt bijna maandelijks een paar keer tussen Londen, Parijs en Brussel.

Eerst dacht ik hem te kunnen vinden in Het Goudblommeke van Papier aan de Cellebroedersstraat in Brussel, een herberg die indertijd was opgericht door Geert Van Bruaene, beter gekend als Gérard le Bistrot of Kroegen Gerdje. Mesens hield er huis met Magritte, Plisnier, Mariën en Scutenaire, allemaal vogels van surrealistisch pluimage, het was hun stamcafé. Ook Louis Paul Boon kwam er geregeld. En Pierre Alechinsky. Hugo Claus heeft er zelfs zijn eerste huwelijk gevierd. Als ik de meester ooit om iets zou moeten benijden dan zou het niet zijn om zijn literatuur maar om de uren met Elly Overzier, waar hij elke dag mee onder de wol mocht kruipen. Ik heb haar ooit een keer in vlees en bloed gezien, in het station van Gent, gekleed in zo'n nauwsluitend tijgerpak. Ik was nog een knaap. Wanneer zij mij aankeek kreeg ik kippenvel. Zoveel vleselijke schoonheid had ik nog nooit in één lichaam bij elkaar gezien. Toen zij zich verwijderde om de trein te nemen kon ik zelfs het gekreun horen van de stenen waarover zij schreed met haar stiletto's. Met één vingerknip had zij mij kunnen bevelen het licht uit de hemel te roven om haar struikgewas in lichterlaaie zetten.

Kroegen Gerdje had me zeker meer kunnen vertellen. Tot aan zijn dood in 1964 was hij kunsthandelaar, een uiterst pittoresk personage heb ik me laten vertellen, die topartiesten als Paul Klee en Max Ernst verhandelde. Het werk van Magritte zat bij hem in de vaste aanbieding en er is een foto van hem gekend waarop hij te zien is met de beroemde schilderij 'Ceci n'est pas une pipe' in de hand. Het is in zijn bezit geweest en misschien was hij wel gedeeltelijk verantwoordelijk voor het ontstaan van het werk, want in de twintiger jaren droeg zijn Galerie du Parlement in Brussel de ongewone vermelding: 'Ceci n'est pas de l'Art' of 'Dit is geen Kunst'.

Geert en Mesens kwamen allebei uit Dada, de wereld van de onkunst die uit de waanzin van de Groote Oorlog was geboren. Alles was aan het wankelen gegaan, zekerheden waren er niet meer. Zelfs de kunst werd als laatste reddingsboei van de beschaving op de vuilnisbelt gegooid. Op handen en voeten kwam zij terug onder meest bizarre verschijningsvormen, waaronder het surrealisme.

Mijn wagen zet ik op stal in een parking bij de Porte de la Chapelle in Parijs. Vandaar neem ik de metro. Ik zal wereldburger E.L.T.

Mesens ontmoeten in Café de Flore aan de Boulevard Saint Germain.

Mesens stuurt zijn kat. Een leuke poes, daar niet van, naar schatting zo'n jaar of twintig, maar ik had toch liever de man in levende lijve ontmoet. Hij laat zich excuseren, hij is ziek. Zelfs met de grootste moeite kan ik mijn ontgoocheling niet verbergen omdat ik de hele verdomde reis voor niets heb gemaakt. Waarom heeft hij mij gisteren niet een telefoontje laten geven? Dat kost toch geen moeite? Dat nichtje van hem heeft met mij te doen maar zij kan mij niet helpen. Het is pas sinds vanmorgen dat haar oom zich niet goed voelde. 'Volgende keer beter,' zegt ze. Als Mesens weer gezond is. Jaja, of dood.

Amélie heet ze. 't Is een Brusseletje, haar accent verraadt haar. Dat schept onmiddellijk een band en omdat ik nu toch zover ben om niet in mijn eentje hoeven te eten, nodig ik haar uit voor het middagmaal. Zij staat voor een dilemma. Eigenlijk heeft zij al een afspraak met een vriendin, maar ik smeek haar mij in deze stad met al haar verlokkingen niet aan mijn arme lot over te laten. Zie dat ik recht in mijn ongeluk loop! Dan zou mijn moeder toch nog gelijk kunnen krijgen.

Terwijl wij ons in een hoekje aan een tafeltje wringen in een piepklein bistrot vertelt Amélietje mij een beetje over la vie Parisienne. Zij is met de goede voet van start gegaan. Ze heeft een galerie in het Marais en kan putten uit de immense voorraad van E.L.T. Wat geluk in het leven mag ook af en toe. Ik gun het haar van harte. Zij spreekt met veel tederheid over de man. Ik vraag haar of zij echt wel zijn nichtje is. Ze krijgt een kleurtje en kijkt naar beneden.

Amélie heeft Mesens steeds gekend als een flamboyant heerschap met een subversieve humor en heel strijdlustig ingesteld. De laatste tijd blijft er enkel nog een schaduw over van de dandy in smoking, afgebeeld op de foto die zij steeds bij zich draagt, maar zij verzekert me dat het oude vuur hevig is blijven branden in zijn uitgezakt karkas. Het is waar dat hij niet anders dan geprezen kan worden voor zijn fijne neus, zijn weergaloze speurzin en zijn durf waardoor hij een collectie heeft weten op te bouwen die nergens haar weerga vindt. Zelf heeft hij, zonder veel pretentie, een oeuvre van collages gefabriceerd maar zijn eigen kracht lag meer in de muziek en in het woord. Hij heeft zijn leven lang de muze gediend.

Die meid schrijft ook poëzie, het zal in de genen zitten. Zij heeft net een bundeltje uit en wil mij graag een gesigneerd exemplaar schenken. L'Amour Nu. De Naakte Liefde. De titel klinkt veelbelovend, het meisje oogt begeerlijk, maar de toon van haar verzen is somber. Gebroken dromen. Meisjesverdriet. Hartverscheurende ballades, gedrukt op vuilbruin papier alsof zij gekrast zijn in geronnen bloed. Er is geen woord van gelogen volgens Amélietje. Nog zo jong, zo broos en al helemaal gevild, geschild, ontloofd door de liefde.

Ik heb voor duizend frank spijt dat ik mijn gitaar niet heb meegebracht om enkele akkoorden aan te slaan bij het reciteren van haar gedichten. Zo'n smartelijke dissonant in la mineur waarmee je de intrede laat opklinken van een stier in de arena op het ogenblik dat hij verblind door de zon zijn dood in de ogen probeert te kijken, doet het altijd. Ik laat mijn vingers over de snaren glijden en nog voor ik de eerste strofe heb opgezegd zit Amélie Poëzie gegarandeerd al in de soep te snikken.

Ik zal haar gerijmd verdriet zeker te lezen geven aan een paar gereputeerde dichters van bij ons. Grote lichten, dikke vrienden. Ik ben er zeker van dat zij daar geweldig mee opgezet zullen zijn en het zou mij niet verwonderen indien enkele van haar gedichten een plaats krijgen in hun literair tijdschrift. Hoewel zij nooit van Post Scriptum of Eustachius heeft gehoord prijs ik hen de hemel in alsof zij daar een plaats naast Dante en Vergilius verdienen. En ik beloof haar een melodie te componeren op het titelgedicht van L'Amour Nu. 'Ik kan zelfs al de aanzet neuriën. Luister maar...'

Opgeruimd en netjes

Ik ben een etmaal eerder dan voorzien teruggekeerd van mijn reisje naar Parijs. Ik zit nog maar eens door mijn budget maar ben een tevreden man. Na wat prospectie in de galerietjes van de rue de Seine en de buurt van Beaubourg heb ik een paar uiterst interessante zaken aan de kant laten zetten. Werkjes van de nieuwlichters, les Nouveaux Réalistes, zoals ze zich zelf noemen. Dingen waar geen hond vlees van lust en die ik aan de straatstenen niet zal kunnen slijten, maar waar ik echt van houd en mezelf een plezier wil mee doen. Ik moet nu snel wat centen maken om die spullen op te halen en te betalen. Paris chéri, ik hoop spoedig terug te keren.

Vandaag neem ik het er van. Een dagje zonder zorgen mag ook eens op zijn tijd. Een flkse wandeling door het Zwin om uit te waaien en daarna mijn luie zetel in met een goed boek en een glas wijn, ik zie wel. Vanavond wil ik in elk geval het concert bijwonen waarop Ezechiël Kant zijn echtgenote Magdalena op de piano zal begeleiden bij de voordracht van gedichten van Rilke, gecomponeerd door Samuel Barber.

Ik maak de voordeur open en nog voor ik mijn reiszak deponeer, merk ik dat er iets ongewoons aan de gang is. Geen enkele binnendeur is dicht en in de woonkamer staan de stoelen niet op orde. Midden op de tafel prijkt een flink aangebroken fles likeur met de stop ernaast en de ijskast staat open. Er hangt een walm van tabak. Die is afkomstig uit de keuken waar in een asbak op het aanrecht een uitgerookte pijp ligt. Moet ik dit interpreteren als een teken of is er een opa in mijn huis?

Als ik me heel gedeisd houd kan ik op de bovenverdieping een onderdrukt gemurmel van stemmen waarnemen. Een vrouw en een man. Een paar rovers is godverdomme mijn kot aan het leeghalen, zuipt mijn drank op en plundert mijn etensvoorraad!

De politie hoef ik niet te bellen, er is geen tijd voor. Die komt toch pas als de dieven al ver weg en in alle rust de buit aan het verdelen zijn. Op mijn tippen loop ik naar de buffetkast waar in een geheim vakje het enige wapen ligt dat ik in huis heb, een ploertendoder die ik mij altijd voorneem op zak te steken als ik een belangrijke som geld te transporteren heb maar die ik natuurlijk nooit meeneem. Het klinkt contradictorisch maar gewapend voel ik me minder veilig.

Ik haal die knuppel uit de lade. Een in rubber gevatte stalen bol met een korte, veerkrachtige steel die goed in de hand ligt. Met een goedgerichte klap klief je er een tegenstander zijn sleutelbeen mee in twee. Ik zal me de schedel voor geld niet laten inslaan en wijselijk de duimen leggen voor grote overmacht, maar braafjes mijn bezit afgeven ligt ook niet in mijn karakter. Boven zit in mijn kleerkast een leuk sommetje verborgen en dat ben ik niet zinnens mij zonder slag of stoot af te laten pakken, dat wil ik liever zelf over de balk gooien.

Een snelle controle van de benedenverdieping leert me dat er langs achter of langs de zijkanten geen doorgang is geforceerd. Iemand moet zich toegang tot het huis hebben verschaft met een loper of een nagemaakte sleutel. Ik zet de voordeur open om de inbrekers een uitweg te bieden voor het geval ze de benen willen nemen. Die lui worden ook niet graag gestoord tijdens het werk en als ze worden betrapt is een kwade slag gauw gegeven. Als ze ongestraft kunnen ontkomen hebben ze geen reden om moeilijk te doen. Ik verberg mij achter de trapmuur en houd de adem in om beter de conversatie te kunnen opvangen die daarboven aan de gang is.

Als er tussen het gesprek door ook nog violen beginnen te vijlen, ga ik er van uit dat de dialoog afkomstig is van de televisiepost. Zit er iemand nog lekker tv te kijken ook? Of ben ik het toestel vergeten af te sluiten bij mijn vertrek? Dat is bijna onmogelijk want voor ik de deur uitga controleer ik steeds grondig of alles op slot is en de lichten gedoofd zijn. Omdat ik na minutenlang wachten nog steeds geen beweging hoor, besluit ik zelf een kijkje te gaan nemen. Er staat zweet in de hand waarmee ik de ploertendoder stevig omkneld houd. Ik veeg mijn handpalm droog aan mijn broek en sluip de trap op, heel traag, voetje voor voetje. Ik ben op de overloop en houd mij goed verscholen achter een muur vanwaar ik in de slaapkamer kan kijken die in het half-duister ligt. Ik blijf erg op mijn hoede.

De overgordijnen zijn dichtgetrokken en ik krijg een onge-woon tafereel te zien. Bij het licht van flitsende televisiebeelden zie ik uit de schemer het beeld oprijzen van een mij onbekend stel benen en een gezicht dat ik een paar keer eerder heb gezien en dat toebehoort aan Lydie, mijn poetsvrouw. Dat ligt daar maar te niksen! Ik had wat meer ijver van haar verwacht! En mij onder-tussen gatverdraaid de stuipen op het lijf jagen.

Doodgemoedereerd zit zij tegen het hoofdeind van het bed geleund, een been opgetrokken, het andere uitgestrekt, de rok tot aan het middel omhoog gestroopt, wat mij een zicht biedt op twee naakte, melkwitte hammen met daar tussenin een donker, ongemaaid veld. Zij zit met veel smaak uit een gouden doos pra-lines te eten. Bij iedere bonbon die langzaam tussen die gulzige lippen naar binnen wordt geduwd sluit zij de ogen en zie je haar pure wellust proeven. Naast haar op de sprei ligt een slipje en een knaap van een komkommer die elk ogenblik uit zichzelf tot le-ven kan komen. Zij is zich niet van enig andere aanwezigheid bewust en de conversatie tussen een man en een vrouw die ik daar-net hoorde komt uit die stomme beeldenkist en gaat alweer, een mens kan het niet anders bedenken, over een onmogelijke liefde. Dat maak ik op uit flarden van het gesprek dat niet al mijn aan-dacht heeft maar waar zij kennelijk evenveel van geniet als van de chocolaatjes.

Ik sta in een moeilijke situatie. Wat moet ik doen? Als een vo-gelverschrikker tevoorschijn springen, haar de schrik van haar leven bezorgen en haar d'r meteen uitgooien? Ik heb haar ten-slotte niet in huis gehaald om tijdens mijn afwezigheid mijn li-keur op te drinken, mijn snoepjes in te slikken en het werk te laten liggen waar ik haar voor betaal. Haar aan de deur zetten, dat is wat ik zou moeten doen! In haar blote reet! Zoals zij daar ligt! Ik krijg er een stijve van.

Haar ogen vallen dicht en haar hoofd stuitert op en neer. Zij vecht tegen de slaap. Lang houdt zij het niet. Even later ligt zij te soezen. Haar opgetrokken been zakt opzij en haar schoot valt open. De bonbondoos rust op haar buik. Vechtend tegen onreine gedachten daal ik de trap af. Ik trek de voordeur voorzichtig achter mij dicht om die meid niet te bruusk wakker te maken. Ik kies zelf het hazenpad uit mijn eigen huis.

Ik rijd naar het agentschap waar zij de sleutel moet afhalen om bij mij binnen te komen. Daar vertel ik dat ik mijn huissleutel kwijt ben geraakt en dat ik het exemplaar kom ophalen dat hier achterblijft voor de poetsvrouw. 'Maar die is net vandaag naar uw huis, meneer. Om het werk te doen. Van nu af aan komt zij elke dinsdag zoals afgesproken.' – 'Oh! Dat was mij even ontgaan. Dan had ik evengoed kunnen aanbellen.' – 'Inderdaad, meneer.' – 'Het lijkt een beetje gek, vindt u niet, aanbellen bij je eigen deur terwijl je weet dat je er niet bent?' Het meisje lacht groen.

Die Lydie. Een van mijn soldatenlieven heette net zo maar liet zich Lidou noemen. Omdat ik meer van haar verlangde dan de dagelijkse, lange brieven die zij naar Duitsland schreef om mijn eenzaamheid op te fleuren en waarin zij onze huiselijke toekomst mooier afschilderde dan iemand ze ooit had gedroomd, had ik mij verstout haar in een van mijn antwoorden mijn ware bedoelingen te suggereren door haar 'Lit doux' te noemen, mijn zacht bedje. Ik liet het masker vallen. Ik dacht spitsvondig te zijn. Ik was een beetje aangebrand maar toch grappig uit de hoek gekomen, vond ik. Zij duidelijk niet. 't Was net de tijd dat Gilbert Bécaud de regen uit de hemel wilde zingen met de hit 'Le jour ou la pluie viendra'. Die dag zou onze liefde openbloeien als woestijnkruid, enzovoort, enzovoort. Hij bleef achterwege, de regen. Nooit zo'n lange, droge zomer gekend. Van Lidou heb ik nooit nog wat gehoord, never, jamais plus, geen gebenedijd woord. Overigens nooit een spatje spijt over gehad. Ik heb vernomen dat zij later met een apotheker is getrouwd. Zij woog toen al haar geluk af op een schaaltje.

Onderweg houd ik halt bij een café om een filterkoffie te drinken. Terwijl ik wacht op mijn bestelling ga ik achteraan telefoneren. Ik vorm mijn huisnummer en laat het eindeloos lang bellen.

Als zij nu maar de telefoon aanneemt. Ik haal mij de situatie voor ogen. Gestoord in haar slaap, wat versuft haar kleren op orde brengen, dan de trap afdalen en rennen naar het toestel dat in het bureau staat. Was die deur niet gesloten? Als zij de bel maar hoort. Anders moet ik rustig mijn koffie opdrinken – nou, rustig? – en als ik thuiskom hard met de deur slaan. Dan zet ik in de hal wel even mijn keel open om mijn thuiskomst te melden en geef ik haar de tijd om zonder gezichtsverlies naar beneden te komen.

'Lydie? Ik ben het. Ook een goede middag,' zeg ik terwijl ik mij voorstel hoe zij aan de andere kant van de lijn naar mij staat te luisteren met de hoorn in de ene en de komkommer in de andere hand. 'Ik ben onderweg naar huis. Een dag vroeger dan gepland eigenlijk. Ik ben blij dat ik je aan de lijn heb. Ik was niet helemaal zeker meer of het nu vandaag poetsdag was of gisteren. Ik wil deze middag mijn tijd niet verdoen in een restaurant omdat ik riskeer vanavond eveneens uit te moeten eten. Heb je wat in huis of haal je wat? Lichte kost. Een slaatje of zo. Je ziet wel. Maak je dat zelf voor me klaar? Je bent een engel.'

Om de tijd te doden rijd ik even langs Renata. In de heimelijke hoop de begeerte die is komen opzetten als zweetkoorts bij haar gestild te krijgen? Om nogmaals haar schilderijtjes te bekijken, zal ik haar wijsmaken, om te spreken over haar artistieke toekomst. Hoe stevig Rolfie Tonne ook bij haar in het zadel zit, misschien is er nog een plaatsje voor mij. Voor even. Waar er plaats is voor een, is er ook plaats voor twee. Mijn verbeelding neemt weer een loopje met me. Blauwoog die zwijmelend van verliefdheid de deur openmaakt omdat zij niemand anders dan mij heeft verwacht.

Ik heb nog maar nauwelijks aangebeld of daar staat Renata al voor me. God, wat ziet zij er goed uit! Zij straalt, zij spettert, zij geeft licht! De liefde doet haar bloeien als een roos, het is overduidelijk. Zij moet enkel nog haar armen openen en ik vlieg haar om de hals.

Renata blijft echter op de drempel naar me staan kijken en luisteren als naar een leurder van wie je geen zeep wil kopen maar voor wie je beleefdheidshalve toch de deur openhoudt. Ik moet me neerleggen bij de bittere realiteit. Haar allesverterend vuur is gedoofd, het smeult zelfs niet na. Mijn haring braadt niet meer. Dus zeg ik maar dat ik toevallig in de buurt was en niet wilde nalaten om even gedag te zeggen. Of alles goed is met haar? Beter kan niet, dat moet ik met eigen ogen vaststellen.

Omdat ik geen beter excuus kan bedenken om binnen te dringen, vertel ik haar dat ik net bij de slotenmaker ben langs geweest om een paar sleutels bij te laten maken en dat ik intussen mijn huis niet meer in kan. Zij begrijpt de hint niet of doet alsof. Zit Rolfie Tonne van achter een kast naar mij te loeren en mij uit te lachen?

Mijn oog valt op een schilderij dat tegen de muur van de woonkamer staat opgesteld maar vanuit het deurgat met een hoekje te zien is. Onmiskenbaar de poot van de Kale. Ik weet dat Naatje Blauwoog gaat zweven bij zijn gedichten maar ik begin te vermoeden dat hij zijn schilderijen gebruikt als paardjes van Troje om hier ook fysiek binnen te dringen. 'Mag ik even kijken?' Het is niet van harte dat zij mij er in laat. Ik moet haar bijna opzij duwen maar mijn nieuwsgierigheid is te groot.

Een stoet van fabeldieren wriemelt in wijzerzin over de randen van het doek. Centraal staat een steigerende Centaur, half paard, half mens, met graaiende handen en een knots van een fallus erectus. Een ondubbelzinnige boodschap. Op de salontafel staat een halfvolle asbak en ligt naast een dure aansteker een pak sigaretten. Renata rookt niet. Rolfie evenmin. De peuken zijn van hetzelfde merk dat de Kale paft.

En plots springt de duivel uit het doosje. Post Scriptum steekt zijn knikker in het deurgat. 'Koekoek!' – 'Van een verrassing gesproken.' – 'Je komt als geroepen.' Daar meent hij geen woord van maar nu ik er toch ben wil hij mijn mening horen over zijn konterfeitsel.

Terwijl hij zijn longen volzuigt met de rook van een sigaret wil hij weten wat ik er van vind en hij wacht duidelijk om weer uit te blazen tot ik een antwoord heb geformuleerd. Ik wacht tot hij helemaal rood aanloopt. De Kale is een meester met de pen maar zijn penseel zou hij beter steken waar ik denk. Zijn schilderwerk is een lukraak samenraapsel van allerlei stijlen.

Ik fluit van bewondering terwijl ik er, eerlijk gezegd, geen moer aan vind. Ik doe het voorkomen alsof mijn klomp er bij breekt. Renata kijkt me de woorden uit de mond. 'Merkwaardig. Intrigerend. Mysterieus en toch met een duidelijke boodschap. Het zegt wat het zeggen moet. Een perfect huwelijk tussen de literaire en de beeldende taal. Je raakt de kern van de zaak, PS.' Dat en nog meer nietszeggende frasen debiteer ik. 'We moesten het maar eens hebben over een tentoonstelling,' vindt hij. Naatje Blauwoog springt hem enthousiast bij. Zij ziet zich al de kroon dragen. Rolfie is nergens te bekennen. Die is waarschijnlijk langs zijn ladder zingend een gevel aan het opklimmen. Ik maak mij uit de voeten.

De koffie die Renata mij niet heeft aangeboden ga ik drinken in de Cap Nord. Ik zit wat door het venster te turen omdat ik de letters van de krant die ik net heb gekocht niet aan elkaar kan knopen. Wat als ik dat zaakje met Lydie nu eens anders had aangepakt? Lag ik nu misschien te vozen. Of ook weer niet. Was zij misschien de straat opgerend al schreeuwend dat ik haar had willen verkrachten.

Ik rijd naar huis en bij het binnenkomen laat ik de deur hard genoeg in het slot vallen om er geen misverstand over te laten bestaan dat ik er werkelijk ben. Ik fluit een deuntje. De zon schijnt. Het leven is mooi. Ik laat mijn koffer achter in de hal. De woonkamer ligt er bij te blinken. Foetsie de fles op de tafel en de pijp op het aanrecht. Stoelen netjes in het gelid. Vloertje spic en span. Zij heeft getoverd. 't Is kraaknet, ik moet het haar nageven.

Alleen het tabakgeurtje dat in huis hangt en dat zich niet helemaal heeft kunnen oplossen stoort mij mateloos. Ik vraag of zij rookt. Of vergis ik me? 'Ik pijp,' bekent ze wat verlegen en toont mij het rode, aarden pijpje met als versiering een paardje dat van de steel naar de kop springt. Wat ongewoon voor een vrouw, geeft zij toe maar zij lust geen sigaretten, roltabak noch sigaren. Alleen met een pijpje in de mond komt zij helemaal tot rust. Zoals voor een ander bidden of yoga, is pijpen, zoals zij het noemt, voor haar een meditatieve bezigheid. En waarmee verdrijft zij verder de vrije tijd, wil ik haar vragen. Met het eten van bonbons bijvoorbeeld? Of het consumeren van komkommers?

Hoe dan ook, ik zeg haar dat zij mooi werk heeft geleverd terwijl zij in de keuken bezig is met de bereiding van de koude sla. De komkommer ligt op het aanrecht. Hij ziet er gezond en stevig uit maar in haar genadeloze hand gaat hij evengoed aan schijfjes. Naast de gesneuvelde soldaat leg ik de afgesproken som geld voor het aantal afgesproken uren werk. Wij hebben nog een lange, leerrijke conversatie over de heilzaamheid van het biologisch tuinieren, Lydie en ik. Haar man heeft een moestuin.

Op jacht

Ik rijd naar de plaats van afspraak waar Meier mij zal komen oppikken. Diana is er al. Zij is heel erg benieuwd om mij te zien in mijn nieuwe outfit. Na onze uitstap naar Londen ben ik in mijn eentje naar Brugge gereden om daar in een sportwinkel alles te kopen wat mij nog ontbrak. Ik heb me door de verkoper raad laten geven en heb voor de gelegenheid een kniebroek, lange kousen en lage schoenen aangetrokken. Diana was een beetje in d'r gat gebeten omdat ik haar niet mee had gevraagd, maar een tweede rondje shop in shop uit met haar zag ik niet zitten. Eén keer had zij mij het vel over de oren getrokken. Vanaf nu kon zij er van op aan dat ik heel binnenkort langs zou komen om mijn investering in natura te verzilveren. Ze gaat plat of ik doe haar wat.

'Goede morgen, meneer Meier. 't Wordt een prachtige dag,' Gelaarsd en gespoord laat Meier zich voorzichtig uit zijn auto rollen. Als Diana hem wil opvangen en wat te dicht tegen hem aankroelt, duwt hij haar tot ons beider verbazing nogal nors opzij. Het zit hem niet lekker tussen de benen. Gistermorgen heeft hij de dokter moeten ontbieden om zijn waterleiding te herstellen en met een soort breinaald die prostaat van hem open te koteren. Hij dacht dat hij uit elkaar ging knallen en vreest dat hij niet langer een operatie zal kunnen uitstellen.

We rijden met een slakkengangetje door lanen en dreven, langs weiden als wiegende zeeën en houden halt bij een majestueuze villa. Daar worden we op de ochtendkoffie verwacht bij de jachtvriend die Meier moet ophalen. De deur wordt opengedaan door een dienstmeid met het obligate schortje die ons naar de salon loodst en ons verzoekt plaats te nemen. Nog goed dat ik stevig neerzit wanneer ik enkele minuten later in het deurgat niet minder dan die afschuwelijke kop van broekenverkoper Jean Salmèk zie verschijnen. De vriendelijkheid zelve, moet je dát zien! Met beide handen tegelijk grijpt hij mijn hand als die van een dierbare vriend die hij verloren waande en na jaren eindelijk terugvindt. Hypocriet! Ik vertrouw de hufter niet.

Met de poeha die ik van hem gewend ben staat hij tegen Meier over de zaken op te snijden en speelt hij voor Diana de mooie jongen. Het masker valt al even snel want plots begint hij het dienstmeisje af te zeiken omdat zij naast de porseleinen kopjes heel gewone en geen zilveren lepeltjes op het blad heeft gelegd. Wat een lul toch! Hij kan het niet laten.

Vooraleer te vertrekken moet Meier nog even naar het toilet. Terwijl hij langdurig aan het uitdruipen is, verdwijnt Salmèk met Diana naar een andere vleugel van zijn residentie en laat mij achter met een monster van een Deense dog die pal voor mij op zijn hurken gaat zitten en mij geen seconde uit het oog verliest. Hij heeft gecoupeerde oren, een muil groot genoeg om mijn hoofd te kraken en kijkt even vals uit zijn ogen als zijn meester. Hij ziet een hap als ik wel zitten. Hij heeft er verduvelde zin in, reken maar. Ik durf er donder op zeggen dat Salmèk hem de laatste week expres niets meer te vreten heeft gegeven. Dat beest is scherp uitgevast en heeft een kwaaie honger. Vandaag wil hij feestvieren en ben ik de klos. Het kwijl druipt met bellen tegelijk uit zijn bek. Hij hijgt als een blaasbalg en wacht op de minste beweging van mij om in de aanval te gaan. Ik verroer geen vin.

Het is Diana die mij van dat ondier komt verlossen. In haar spoor volgt een andere hond, een Duitse draadhaar, die mee moet op jacht. 't Ziet er een goede lobbes uit maar hij stinkt als de pest. In zijn kwijnende ogen zie je dat hij zo ziek is als een hond maar kan zijn. Maar jagen moet hij en jagen zal hij. Als we vertrekken helpt de dienstmaagd van Salmèk hem in de koffer van de wagen want daar op eigen kracht in springen lukt het dier niet meer.

We rijden richting Vlaamse Ardennen. Ik sluit mijn ogen en tracht wat te pitten om niet de hele rit naar dat oeverloze gelul over poenpakkerij tussen Meier en Salmèk te moeten luisteren. Het is echter Diana die me geen rust gunt. We zitten samen op de achterbank en ze begint waarachtig wat te voetvrijen, met een monkellachje op de lippen en recht voor zich uit kijkend. Vrouwen!

Langs de autosnelweg vlakbij de afrit Erpe is een auto tegen een lantaarnpaal geknald. Uit de openstaande deur hangt het lichaam van de chauffeur achterover met zijn armen naar beneden. Zijn handen raken de grond. Hij draagt een donkere broek, een wit hemd en zijn stropdas ligt over zijn gezicht geplooid. Net terug van een nachtje uit. Hij geeft geen krimp meer. Hoewel iedereen die kant heeft uitgekeken maar niemand het heeft gezien, sla ik luidkeels alarm. 'Geen tijd,' zegt Salmèk. Meier en Diana kijken snel opnieuw voor zich uit. Niks gezien, niks gehoord, niks aan de hand. 'Ik zou toch maar stoppen,' zeg ik. 'Misschien kunnen we nog helpen!' – 'Daarvoor zijn we al te ver en terugkeren op een snelweg is verboden. En trouwens, die man heeft zijn gaper gelaten, dan kon je zo zien.' Hij rijdt gewoon door. Tot mijn opluchting stopt de wagen die achter ons aan rijdt bij de plaats van het ongeluk. Salmèk heeft dat eveneens opgemerkt door zijn achteruitkijkspiegel. Hij vertraagt om het toneeltje te kunnen volgen. De Samaritaan maakt een hopeloos gebaar met zijn armen. 'Zie je wel! Niets meer aan te doen.' zegt de Broek met de evidentie van iemand die het altijd bij het rechte eind heeft.

Ik sla een mal figuur met mijn mietjesgeweer. Een echte vent houdt tenminste een kaliber .12 in zijn klauwen om dood en verderf te zaaien tussen huppelende konijntjes, vrolijk fladderende fazanten en spelende hazen, dat kan ik opmaken uit de spitse commentaar van de heren die, nog voor zij het eerste schot hebben gelost, al een paar keer de kruik hebben laten rondgaan. Het begint goed.

Blaaskoppen, vetpensen, jeneverneuzen, het kruim van de maatschappij op een kluit. Ze arriveren druppelsgewijs. Een bouwondernemer, een bankier, een meesterslachter, een industrieel, een chirurg, een brouwer, een procureur en noem maar op. Natuurlijk elk met een speldje van een of andere servicekloteclub op de pand van hun jas. L' Elite! En er is nog bekend volk bij ook! Kijk eens aan! Goede morgen en u ook een goede morgen! Niemand minder dan dokter Zonnebank! 'Jaagt u ook?' – 'Zoals u ziet.' Wat is de wereld weer klein, Meier had het al gezegd. Ik word voorgesteld aan een heer die mij niet kent maar met wie ik nauw ben verbonden door de banden van het zaad en het bloed, de alom gerespecteerde vader van de Druipertweeling, Kruit en Lont.

Op een meter of vijf afstand, met de pet in de hand, staan de drijvers die het wild voor ons uit beemden en struiken zullen jagen op het domein van een monsieur le baron de mes deux van wie ik de naam alweer vergeten ben.

We worden opgedeeld in twee groepen en krijgen van de jachtmeester duidelijke instructies over wat mag en niet mag. De jacht begint wanneer de hoorn weerklinkt en wordt op dezelfde wijze afgeblazen. Even demonstreren. Hij gebruikt voor zijn appèl hetzelfde onnozele blikken toetertje als de ijscoman. 'Aandacht, mijne heren!' De man heeft een bloedernstige mededeling te doen. 'Even uw aandacht! Heren, alstublieft!' De jachtmeester moet noodgedwongen pauzeren want eerst gaat de kruik nogmaals rond. Op één been kan een mens niet staan!

Als de heren zin hebben om even hun snater te houden, volgen de richtlijnen. In stilte voortbewegen. Netjes op één rij lopen en steeds met het geweer gebroken. Bij omsingeling van een bosje nooit in de richting schieten van waaruit het wild wordt opgejaagd om de drijvers niet te verwonden. Er wordt ook eerbied gevraagd voor de prooien. De nodige schootsafstand moet gerespecteerd worden om het wild niet aan flarden te schieten. Zelfbeheersing, mijne heren! We zijn hier om te doden, niet om krijgsgevangenen te nemen, smaalt hij. Doden op een propere manier, alstublieft. 'Mort Subite!' wordt er geroepen, veeleer als eerbetoon aan het biermerk dat straks aan tafel zal geschonken worden dan aan de slachtoffers die op het slagveld zullen blijven. Allen daarop in koor: 'Mort Subite!' Een andere vaste regel: we schieten fazanten en patrijzen enkel in de vlucht, hazen en konijnen wanneer ze op de loop zijn. Het wild moet een kans krijgen.

We rijden naar de startplaats van het grote gebeuren. In een algemene stilte gaat de kruik nogmaals rond, beide groepen verspreiden zich en zullen een omtrekkende beweging maken door de akkers om bij een verderop gelegen bosje weer bij elkaar te komen. De eerste tien minuten worden alle regels minutieus in acht genomen. Mondje dicht en met het geweer gebroken beweegt iedereen zich voort op één lijn.

Even later valt er een schuine mop en na tien minuten kwettert iedereen honderduit. Net een meute schoolkinderen die op het speelplein werd losgelaten. Het wild in de omtrek van een paar honderd meter kan gerust zijn, het wordt op tijd gealarmeerd. Daarenboven is er een van de jachthonden die onder een resem vloeken wordt bedolven omdat hij in plaats van de gebruikelijke paar meters veel te ver voor de jagers uit loopt. Alles wat poten en pluimen heeft gaat er vandoor.

Het eerste bietenveld, waar de klei bij iedere stap wat meer aan de laarzen kleeft en de voeten zwaarder doet wegen, is een maat voor niets geweest. De zieke hond van Salmèk loopt een eind achter de jagers aan, hij kan met moeite volgen. Salmèk tracht hem onder een regen van scheldwoorden en nu en dan een nijdige trap tot wat meer ijver aan te sporen.

Op de eerste tak van de eerste boom van het eerste bosje dat zal worden uitgekamd zit een fazant van de mooie omgeving te genieten en de bonte bende te bekijken die naderbij komt. Hij is zich van geen kwaad bewust. Die stomme vogel weet blijkbaar niet goed wat er van hem wordt verwacht. Pas gisteravond is hij hier samen met een vijftigtal andere tamme, speciaal voor de jacht gekweekte lotgenoten uitgezet en heeft zelfs de tijd niet gekregen om zijn nieuwe biotoop te verkennen. Hij is gedropt achter de vijandelijke linies, zeg maar, en komt direct in de vuurlijn te liggen. Een jager legt aan maar wordt er door de jachtopziener tijdig op gewezen dat er alleen op vliegende vogels wordt geschoten. Bovendien moeten we dichterbij kunnen komen om al het andere pluimvee in het struikgewas niet op te schrikken.

We duiken dat bosje in en verspreiden ons. Vlak voor mijn voeten zit een andere fazant die mij fixeert met een zekere nieuwsgierigheid. Misschien denkt hij wel dat ik hem kom voederen. Ik moet uitwijken om hem niet plat te trappen. Ik kan hem met de punt van mijn schoen aanporren om op te vliegen maar ik laat hem rustig zitten. Zelfs het puik van hun rashonden heeft hem niet gesnoven. Terwijl ik er overheen stap, brult iemand of ik blind ben! Hij heeft mijn aarzeling opgemerkt, komt aangehold en geeft die arme vogel zo'n trap tegen zijn kont dat hij ook zonder vleugels de lucht ingaat. Hij komt weer op de grond terecht en wanneer hij toch zijn heil in de vlucht wil zoeken, wordt hij van op amper een paar meter door drie geweren tegelijk afgeknald. Hij spat uit elkaar in een wolk van bloed en pluimen. De jagers zijn in hun schik. Het is tegen alle jachtvoorschriften in, maar dat mag de pret niet drukken. Ondanks het protest van de boswachter kunnen zij hun lol niet op. Monsieur le comte doet of zijn neus bloedt want de heren betalen goed. Per stuk geschoten wild, voor de huur van zijn domein en voor aangerichte schade. Hij zit gebeiteld.

En dan, terwijl geen mens daar op beducht is, gebeurt er plots een mirakel. Terwijl ik in mijn eentje door de brandgang van een bos loop, hoor ik geritsel in de struiken. Ik zie wat de lucht ingaan, schouder mijn geweer, sluit mijn ogen en schiet lukraak naar de sterren. Een twintigtal meter voor me valt een vogel uit de hemel. Ik ga er op af en als ik de warmte van zijn lijf in mijn hand voel krijg ik al spijt. Het kopje met de dwarsgestreepte kruin en de lange snavel hangt naar beneden. Het beeld van de verongelukte man langs de autosnelweg flitst me voor de geest.

Als ik wat later de buit aan mijn gezellen toon, ontstaat er direct een hele heisa! De krachtwoorden zijn niet van de lucht! Heb ik wat fout gedaan? Een houtsnip! De gevleugelde mythe! De heilige vogel! De onzichtbare! De kampioen van de slalomvlucht! Nog met geen tien geweren tegelijk om te leggen! Er komt geen einde aan hun jagerslatijn! Meier en Salmèk dromen al hun hele leven om een houtsnip neer te halen, het is hen nooit gelukt. Het zijn rotslechte schutters. Nog geen haas met vastgebonden poten zijn ze in staat te raken. Over die vogel en dat schot van mij blijven ze maar dooremmeren. Een houtsnip, denk eens aan. En met een .16 dan nog!

Plots kijkt iedereen heel anders aan tegen mij en mijn blaaspijp. Raak bij het eerste schot. Daar moet op gedronken worden. 'Mijn genodigde!' balkt Salmèk rond alsof hij in mij al veel langer dan vandaag onzichtbare krachten heeft ontdekt. Niet alleen op het gebied van de schone kunsten maar ook, zoals iedereen kan vaststellen, van ingewijde in de mysteries van het wildleven. Hij laat de kruik rondgaan en legt heel gemoedelijk zijn hand op mijn schouder terwijl hij met de andere een toost uitbrengt. Een betere vriend heeft hij niet.

's Middags wordt er in het feestzaaltje van een plaatselijk café behoorlijk geschranst en gedronken. Er worden sterke verhalen opgedist, nieuwe banden gesmeed en oude verstevigd. Ik heb reeds een viertal invitaties op zak voor jachtpartijen her en der en drie beloftes voor een bezoek aan mijn galerietje. Un bon fusil, dat zien ze altijd graag komen. Ik heb nog maar één schot gelost vandaag maar wat voor een. Ik leg aan die heren uit dat de wet van de sportiviteit mij dicteert andere schutters eerst de kans te geven alvorens ik zelf aanleg. Zoals een bokser die buiten de ring evenmin zijn vuisten mag gebruiken. Was ik immers geen topschutter ten tijde van mijn legerdienst?

Aan tafel heb ik plaats moeten nemen tussen Meier en Salmèk en rechtover Diana. Alle drie maken ze zich meester van mij, beide mannen met veel camaraderie boven en het vrouwtje met de voetjes onder de tafel. De aap komt vlugger uit de mouw dan ik dacht. En die heet Salmèk, met zijn arm rond mijn schouder en zijn lookadem vlak onder mijn neus. De geur is bijna evenmin te harden als die van zijn zieke hond. 'Ik heb vernomen dat je een fortuin in handen hebt, doodzwijger.' – 'Pardon?' – 'Doe nou niet alsof je niet weet waar ik het over heb. Niet met mij, nom d'une pipe!' Als er één gaatje is waar zijn opmerking niet naast is gevallen dan is dat het oor van Diana. Haar oogjes blinken, haar wimpers tikken de cijfers weg als een kasregister. Toch kijkt zij mij een beetje verwijtend aan. Stiekemerd die ik ben. Waarom heb ik die zilvervloot van mij zo listig voor haar verborgen? Salmèk mummelt verder met zijn hand voor zijn mond zodat niemand anders het gesprek kan volgen. Dat maakt haar nog nieuwsgieriger.

'Naar het schijnt heb jij een Magritte in de aanbieding.' – 'Een Magritte? Hoezo?' – 'Hou je niet van den domme, mec. Niet met mij.' Ik laat hem maar bazelen. 'En dan nog geen gewone ook. Neen, meneertje. Hét schilderij. La pipe qui n'est pas une pipe.' – 'Iemand heeft mij daar over gesproken, dat kan ik niet ontkennen, maar meer weet ik daar voorlopig niet over te vertellen. Ik heb het werk nog niet eens gezien. Laat staan dat ik een prijs ken. En of het überhaupt te koop is.' – 'Maak je een grapje? Een witz à la Magritte?' – 'Zo zit het en niet anders. Meer kan ik daar nu niet over zeggen.'

Alsof ik het aan zijn puistneus zou hangen. Uitgerekend aan de zijne. Dacht hij dat ik was vergeten dat hij mij had bedreigd met de zeven plagen van Egypte omdat ik hem een zogezegd vals werk had aangesmeerd dat niet echter dan echt kon zijn? 'Het uur waarop je daar wat kunt over zeggen, zeg je dat aan mij, mec, hetzelfde uur nog, aan niemand anders.' Hij geeft mij een schouderklopje en knijpt met zijn twee vingers in mijn wang. 'Bien evidemment,' zeg ik lachend, terwijl ik mij moet bedwingen om hem geen lel te verkopen. 'Heb ik je woord?' – 'Neen.'

't Komt harder aan dan een lel maar in aanwezigheid van al zijn mooie vrienden kan hij zijn eregenodigde niet voor schut zetten, dus lacht hij terug als een boer met kiespijn. Hij stoot me aan met zijn elleboog in de overtuiging dat ik alweer een witz maak, want Salmèk is een mannetje dat eerder stront zou slikken dan een weigering. 'Dat schilderij is voor mij en voor niemand anders,' snauwt hij.

Intussen zit ik mij af te vragen hoe hij aan de weet is gekomen dat ik bezig ben met dat ding. Van Meier? Neen, want die denkt alleen aan zijn eigen profijt. En dan zou Diana daar zeker tegen mij al een woordje over hebben gelost. Intussen vertelt haar voet me onder de tafel alles wat ik van haar weten wil. Terwijl zij zoete broodjes met Meier zit te bakken en doet alsof mijn conversatie met Salmèk haar helemaal is ontgaan, legt zij mij vaardig uit in haar tenentaal dat wij de banden wat nauwer moeten aanhalen.

Na de schranspartij hijsen al die wandelende vaten zich naar buiten voor de tweede ronde. Salmèk wil dat ik naast hem loop om vooral, naar zijn zeggen, geen stuk wild te missen. Natuurlijk wil hij dat. De smeerlap wil me onder schot houden, mij onder dwang van zijn geweer aan zijn genade binden, mij neerknallen als ik niet wil meelopen in de rit die hij heeft uitgestippeld. Een jachtongeluk? Het gebeurt geregeld.

We hebben nog geen vijfhonderd meter gestapt of hij laat zijn ware aard zien. Achter ons aan blijft die hond van hem zijn zieke karkas maar voortslepen, 't is ellendig om te zien. Hij had hem voor de rest van de dag beter in de wagen kunnen laten. Die sukkel hoort niet op een jachtterrein maar heeft dringend verzorging nodig. Hij moest er maar eens mee naar een dierenarts. Dat zeg ik hem ook. 'Denk je dat ik daar nog kosten aan doe? Hij is verdomme niet eens de patroon waard die ik door zijn kop ga schieten.' Daarop draait Salmèk zich om en blaast dat arme beest een lading hagel door zijn kanis. De hond is echter niet op slag dood. Hij ligt te janken, heeft stuiptrekkingen, en de angst rolt zijn ogen om. Ik wil het arme beest niet langer laten lijden, richt mijn geweer op zijn hartstreek en vuur van heel dicht. 't Is gauw voorbij. Daarop begint die Salmèk te lamenteren dat hij het al weken niet meer kon aanzien en dat zijn maatje hem een grote dienst heeft bewezen door zijn hond af te maken. 't Was mijn idee, 't was mijn schot.

Salmèk heeft zijn naam niet gestolen. Hij is geboren met een scheldwoord op zijn kruin. Sale mec! Smeerlap, als ik het vrij mag vertalen. Hij wordt gemener met het uur. We posteren ons aan de rand van een bosje van waaruit het wild door de drijvers zal worden opgejaagd. De wilde konijntjes wippen uit de struiken maar mister S. raakt nog geen staartje. Hij begint het behoorlijk op de heupen te krijgen. Ook omdat ik hem als assistgeweer van niet veel nut ben. Ofwel laat ik de beestjes lopen ofwel schiet ik er vlak naast. Hij begint te vermoeden dat ik het opzettelijk doe. Plots hoort hij het typische gefluit van fladderende fazantenvleugels uit het bosje opstijgen. En dan nogmaals. Deze keer ontsnappen ze hem niet, die vervloekte vogels. Hij schoudert zijn wapen en vuurt blindelings op manshoogte in de richting van het gefladder.

Hij heeft prijs. Een loodkorrel recht in het oog van een van de drijvers. Dokter Zonnebank schiet onmiddellijk te hulp. 't Ziet er vies uit. Pa Rooms toont zijn goed hart en geeft zijn autosleutels aan de man. Hij kan zolang in zijn terreinwagen gaan zitten. Na de jachtpartij zal hij hem met zijn kar naar de oogarts laten brengen die hem met kennis van zaken zal behandelen, weekend of geen weekend. Je hebt ergens vrienden voor. De enige commentaar van Salmèk, zijn enige zorg ook, is dat hij gelukkig een goede verzekering heeft. Een mens krijgt toch zin om zo'n hufter de loop van een geweer in zijn reet te steken en de trekker over te halen? Ook met een .16 moet het lukken.

De fut is er uit. De jagers lopen er bij met een druipgat. Niet dat verloren oog is de oorzaak, hoor! Wat dacht je? Het is de magere buit. Niet om aan te zien. Niet eens de moeite om een tableau samen te stellen en zich bij het uitgestalde wild te laten fotograferen. Als ze thuis niet uitgelachen willen worden zullen ze naar de winkel moeten om het vrouwtje te overtuigen dat ze werkelijk op jacht zijn geweest. Dat ze niet komen mopperen, zegt de boswachter, het is hun eigen schuld. Ze hadden van bij het begin op hun sokken moeten lopen, zoals hij dat had gevraagd. Ze hebben hun eigen wild verjaagd. Jagen is besluipen, verrassen, tegen de wind in de prooi benaderen en niet met de wind mee zoals zij wilden lopen omdat ze anders de zon in de ogen hadden. En een paar deugdelijke jachthonden meebrengen is ook geen overbodige luxe.

Het feest is aan volle gang op de aangrenzende jachtvelden. Luister maar! En inderdaad, daar knallen ze er lustig op los, net een echt vuurwerk. Je kan er donder op zeggen dat die vijftig uitgezette fazanten recht in de kookpot van de concurrentie aan het vliegen zijn.

Het avondmaal heeft plaats in de Knokse villa van Salmèk. Al die mooie heren hebben hun zondagse pak aangetrokken. Ook hun dames zijn door de gastvrouw uitgenodigd. Meier vindt het vanzelfsprekend dat ik Diana onder mijn vleugels neem en haar voor mijn vrouw laat doorgaan want die van hem zal straks ook van de partij zijn. Het kan maar gezellig wezen.

Mevrouw Salmèk zit braaf en gehoorzaam naast haar broekenschurk en moet met lede ogen aanzien hoe haar man zijn grove hand op de billen van het dienstmeisje legt. Het is een waardige dame. Ze doet haar mond niet open, glimlacht een beetje verlegen naar haar tafelgenoten en beaamt met een hoofdknik alles wat er gezegd wordt. Om oogcontact te vermijden plant Meier zijn vrouw op de breedste stoel met de rug naar ons toegekeerd. Een fraai gezicht is het niet. Het mens heeft een achterwerk als een platbodem. Diana voelt zich helemaal in de verdrukking komen door dat gevaarte.

Even later wordt warempel ook Ma Rooms binnengeleid door haar beide dochters, de hete tweeling. Ze zijn blij verrast me te zien en komen zich nestelen in mijn nabijheid. 'Is dat je vrouw?' vraagt Lont plagerig. 'Jawel,' valt Diana in nog voor ik mijn mond heb kunnen opendoen. 'Toch voor de avond,' wil ik daar aan toevoegen, maar ik doe er het zwijgen toe om mij de zusjes van het lijf te houden. 'Ik dacht dat je van haar af was,' zegt Kruit daarop, luid genoeg om Diana een koek te bakken. Deze bijt ogenblikkelijk terug: 'Van mij komt niemand af. Hij heeft levenslang.' – 'Arme troubadour.' Kruit heeft met mij te doen. 'Je zal maar over de liefde croonen.'

Het voetenwerk van Diana is stilgevallen. Het handwerk van beide zusters over mijn dijen is volop aan de gang. Ze willen "mijn vrouw" duidelijk een beetje jennen. Ze stellen voor dat ik haar meebreng als ik de volgende keer langs kom. Vaten van wijsheid zijn het, ze zitten vol goede raad. 'Laat hem niet loslopen, mevrouwtje. Hij zou wel eens de weg kwijt kunnen raken. Aan de leiband houden, zeg ik. Mannen? Het zijn honden!' Valse poezen onder elkaar!

Ze steken de lont aan het kruit. 'En hoe gaat het met de mooie Renata, zangertje?' 'Renata?' vraag ik, 'kennen jullie Renata?' – 'Sinds kort. We hebben haar ontmoet in The Gallery. Leuke meid.' zegt Kruit. 'Wie is Renata?' wil Diana weten. Kruit vervolgt zonder Diana ook maar aan te kijken. 'Ze was in het gezelschap van haar vriend, ene Rolfie Tonne, en twee dichters. Een kale en een dove. Renata sprak de ene aan op zijn Amerikaans, met zijn initialen. PS, je moet hem kennen. Hij schijnt heel beroemd te zijn. Naar eigen zeggen de beroemdste van allemaal. De naam van de andere ben ik kwijt. Hij zat er wat verwezen bij. In al dat rumoer kon hij de conversatie niet volgen. Het ene oor in en het andere weer uit, bij wijze van spreken. Haha!' En Lont daarop: 'Twee speelvogels. We hebben een leuke avond doorgebracht alhoewel poëzie mijn ding niet is. Al op school haatte ik dat woordgekraam. Allemaal loze praat, als je het mij vraagt. Ik heb hen dat ook gezegd. Weet je wat PS daarop antwoordde? 'Misschien houd jij niet van gedichten, meisje, maar de gedichten houden wel van jou. En de dichters zeker. Mooi gezegd toch?' – 'Daar moet je een dichter voor zijn.' – 'Later, het was al op de morgen, zijn we met z'n allen naar het huis van Renata getrokken.' Ik weet niet of ik naar het vervolg wil luisteren.

'Moet je horen,' zegt er ene – Kruit of Lont, wie maalt er om? – 'Een van de drie mannen, ik geloof dat het Rolfie was, stelde voor, in plaats van de gewone partouze, een toneeltje op te voeren, een soort wagenspel uit de middeleeuwen. Ze waren op het idee gekomen door een toneelstuk dat de dichters hadden gezien in het Casino.' – 'Ze zogen de tekst ter plaatse uit hun duim.' – 'Welke tekst?' zegt de andere, 'er werd praktisch geen woord gezegd.' – 'Wat ze te vertellen hadden kregen ze gemakkelijk met hun handen uitgelegd.' – 'We lagen slap van het lachen. Rolfie en zijn twee kompanen speelden de rol van de Heilige Drievuldigheid. Pietjebloot! En Renata kreeg de rol van een meisje dat door de duivel werd verleid en in de goot terecht kwam. Ze vertolkte de rol van de zondares met zoveel overtuiging dat de mannen direct bereid waren hun postje in de hemel op te geven om haar te volgen naar de hel.' – 'En ik kan jullie vertellen dat ze eenmaal daar aangekomen geen moeite hebben gespaard om hun hemel weer te verdienen.' – 'Laat ik zeggen dat ze ons een beetje als ladder hebben gebruikt om er opnieuw in te komen, als je begrijpt wat ik bedoel, zangertje.' Ik begrijp het maar al te goed. Nu kunnen ze op hun beurt gloeiende kolen pissen, de Heiligen van de Drievuldigheid.

Volgens Diana besteed ik teveel aandacht aan de tweeling, ze laat zich vangen aan haar eigen spel. Ze wordt nog jaloers ook, sakkerbleu! Eerst op Meier, nu op mij. Als we de koffie gebruiken in de salons komt zij dicht tegen me aanklitten en drumt de zusjes genadeloos opzij. Dat is dan duidelijk weer niet naar de zin van Meiertje. Zoveel ijver heeft hij me niet gevraagd aan de dag te leggen. Hij ziet groen. Helaas, hij ligt machteloos onder schot van het vijandelijke slagschip aan zijn zijde. Hij kan geen kant uit. De aandoening slaat hem zichtbaar op de blaas. Als hij zich terugtrekt in het pissijn, grimmelt Diana: 'Daar zijn we dan weer voor een tijdje vanaf.' Zou de beurs scheurtjes beginnen te vertonen? 'Kom morgen,' zegt ze. 't Is een bevel.

De snip

Na het blinde schot uit mijn .16, waarmee ik een snip uit de hemel bliksemde, lichtte het aureool van scherpschutter rond mijn hoofd op als heilig vuur. Na de jachtpartij werd ik door de meeste van mijn gezellen bekeken als een geluksvogel. Meier en Salmèk bleven er bij dat er meer dan mazzel nodig is om met een proppenschieter als die van mij een houtsnip neer te halen.

De onfortuinlijke pluimbal werd in mijn handen gelegd als een offerande want enkel de jager die de kunde had getoond hem neer te schieten was ook waardig hem te nuttigen. 't Was een traditie.

Maar wat moest ik met mijn heilige vogel? Volgens wat ik had opgevangen kon ik me best voorbereiden op een culinair hoogstandje terwijl ik niet eens het flauwste benul heb van de basis keuken. Diana was er als de pinken bij met haar voorstel om dat zeldzame maal door haar moeder te laten bereiden maar Takketak was wel de laatste aan wie ik dacht om mij te laten verwennen. Het was een list om mij mijn buit te ontfutselen voor de bek van Meier ofwel om hem zelf naar binnen te spelen. Zoals de bijbelse Ezau zijn eerstgeboorterecht versjacherde voor een bord linzensoep, leek zij ineens bereid haar huid te verkopen voor deze legendarische lekkernij.

Ik dacht aan Renata. Als er iemand waard was om een keertje goed in de watten te worden gelegd, was zij het. Ik had haar de laatste tijd wat verwaarloosd. Haar bloed kookte niet meer voor mij maar ik bleef me niettemin een ietsepietsie schuldig voelen. Het was een uitgelezen kans om een en ander goed te maken en intussen te vernemen of zij en haar kompanen geen nefaste gevolgen hadden ondervonden van hun entrevue met de gezusters

Kruit en Lont. Ik zou Diana en haar tetterende moeder wel wat anders aansmeren, al was 't een dooie mus.

Met een overjarige bosduif die de jagersbent mij gisteren als surplus bovenop mijn jachtaandeel heeft meegegeven en die nog te taai is om tot moes te verwerken, ga ik bij Diana aanschuiven. Morgen is het dinsdag en is Meier aan de beurt. Ze ziet me komen en wijst op de plastic zak met daarin mijn vogel, verpakt in krantenpapier. 'Van een verrassing gesproken!' – 'Zoals er jou in lang geen werd bezorgd.' Ze straalt. Zij heeft altijd al geweten dat ik een schat was.

Zij moet steun zoeken om niet om te vallen van verbazing. Ze doet of ze diep is geroerd door het gebaar, zij speelt het uitstekend, maar in feite geeft ze d'r geen ruk om. De manier waarop zij mijn offerdier op het aanrecht in de keuken keilt, zegt genoeg. Hij kan haar wat, die vogel. Zij is op wat anders uit. 't Is die verdomde Pijp die haar interesseert, dat schilderij van Magritte waar Salmèk het gisteren over had tijdens het avondmaal. Het was in haar hoofd blijven spelen.

Enkele maanden geleden had zij de naam van Magritte nog niet eens horen vernoemen en vandaag is zij zelfs gaan natrekken wat zo'n schraal beetje verf op een armoedig stuk linnen wel kan kosten als het een illustere handtekening draagt. Mijn oren gaan tuiten als ik verneem dat zij deze morgen al heeft gebeld naar Peter Wilson in Londen om te weten voor welke prijs de kunstwerken van de meester onder de hamer gaan. In alle vroegte had zij zijn telefoonnummer opgevraagd bij het hotel waar we hebben gelogeerd.

Sinds Meiertje haar die aquarel van Spilliaert cadeau heeft gedaan, is Diana gebeten door een woekerend organisme dat in staat is een mens op te vreten met huid en haar, de verzamelmicrobe. Ik zie de vreemde koorts waarmee het verschijnsel gepaard gaat in haar ogen branden. Ik ken het fenomeen, ik heb het al veel eerder gezien. Bij de jood Blijwater en bij mijn oma onder andere, als ze samen hun zaakjes deden. En bij sommige van mijn klanten. Het is een drift, een soort razernij om te zoeken en te bezitten wat een ander niet krijgen kan.

Zij wil alles weten over dat schilderij. Ik speel blufpoker. Met een uitgestreken facie laat ik het voorkomen alsof ik al jarenlang eigenaar ben van dat ding. Een of andere kleinigheid uit familiebezit. Ik zet mijn armezondaarsgezicht op. Ik speel de bescheiden jongen. Dat valt op tussen de blaaskaken waar zij dagelijks mee omgaat. Een Magritte? Toe dan! Voor mij de gewoonste zaak van de wereld! Zo doodgewoon dat ik er niet eens aan dacht zelf het onderwerp ter sprake te brengen. Met haar geilste smoelwerk staat ze me af te likken als een echte winnaar, de enige soort die haar interesseert. Mister Big, c'est moi!

Ze fleemt en spint en komt als een krolse kat tegen me aankroelen alsof ik de schatten bewaak in de grot van Ali Baba. Ze denkt de sleutel daarvan ter hoogte van mijn kruis te vinden. Zij laat het masker vallen. 't Is een schaamteloze bitch. Met losse hand kneedt zij mijn gulp, op zoek naar de steel van de Pijp. Meier heeft afgedaan. Vandaag ben IK de man met de geloofsbrieven. Het is nu mijn vogel die aan de beurt is om hier rond te vliegen en mooie liedjes te fluiten.

Zij blaakt van begeren. 'Mijn deugd voor dit koninginnenhapje.' In haar ogen kan ik duidelijk de boodschap lezen. Inwendig juich en triomfeer ik: 'Te paard! Te paard!'

Ik laat betijen, terwijl ik haar als een bezielde leraar de betekenis probeer uit te leggen van het befaamde letterschilderij dat een pijp voorstelt met het onderschrift *Ceci n'est pas une pipe*. 'Oh...' zegt ze, 'wat merkwaardig. Een pijp die geen pijp is. Wat is het dan wel?' – 'Hoe zal ik het zeggen? Een liefdeslied dat tijdens het minnespel op de fluit van de man wordt gespeeld. Faire une pipe, zoals de Fransen zeggen.' – 'Gewoon pijpen, bedoel je?' – 'Niets anders.'

Zij doet heel gedecideerd de voordeur op de knip, ritst mijn broek open en met mijn stamper in haar hand sleept zij me mee. Voor wij de trap bestijgen, brengt zij hem vluchtig de eerste honneurs. 't Is een ruwe tante. Ze gaat tekeer alsof zij een maïskolf aan het afkluiven is. Als ik dan denk aan de zoete mond, aan de tedere maar dwingende tong en lippen van Roodborstje, krijgt dat schilderij pas zijn echte betekenis.

Diana kijkt op de klok, we hebben nog een dik halfuur. Geen tijd om ergens heen te rijden dus zullen wij het hier doen, boven in het optrekje. Het komt goed uit, haar moeder is er niet. Ik heb haar helemaal voor mij alleen.

Wij naar dat kamertje, een klauterpartij langs een smalle trap tot helemaal in de nok. Er komt geen einde aan. Ik, opgewonden. Zij, in slow motion, absoluut geen haast. Ze beweegt als in een vertraagde film. Schiet wat op, meid! Zij geeft mij ruim de tijd om van het zicht op haar wiegende derrière te genieten. Ik zit bijna met mijn neus in d'r reet en krijg veel te raden maar weinig te zien. Ik tril op mijn benen en geef haar een tik tegen de billen om voort te maken.

Zij gaat liggen als een blok. Ik kronkel over haar heen. 't Is een houten paard. Ze beweegt niet. Ze weet niet eens hoe zij haar bekken moet laten rollen. En ondertussen maar kreunen en zuchten en faken. Plots begint zij gaten in het dak te schreeuwen. Zelfs de hemel moet weten in welke zee van genot zij baadt. Wat een zielige vertoning! Wat een slechte actrice! Zij vraagt om de zweep! Elke zin vergaat mij om er nog langer op los te rammen. Bovendien is het ijskoud in dat hok. Mijn ballen vriezen er af. Dat heeft zij natuurlijk expres gedaan. Ze wil er zo gauw mogelijk van af. Voor haar is 't een klus als een andere. Ik vraag me af hoe zij dat flikt met Meier. Ook op een koude mansarde? Ook onder de pannen? Of in een comfortabel hotel, overgoten met champagne en daarna afgespoeld onder de douche? Ik neem me voor dat ik haar vandaag voor de laatste keer de kleur van mijn geld heb laten zien. Maar omdat het voor mij bij die ene wip mag blijven wil ik ook niet eerloos afgaan. Ik wil achter mijn rug niet worden uitgelachen op de koop toe.

Een foto van de twee zusjes, Diana en Marina, fier op hun eerste vormen, die naar de rommelzolder is verbannen en daar onder het stof in een hoekje staat te vergaan, brengt redding. Om weer opgewonden te geraken lig ik te kijken naar dat zusje en begin hard aan haar te denken, aan de hoogzwangere Marina in haar huisje met haar tuintje en met al haar geluk dat niet op kan en waarvan zij misschien nog een beetje voor mij heeft bewaard. Het gaat al direct beter. Ik stel mij voor hoe zij met neergeslagen ogen mijn eikel vangt tussen haar warme Assepoezenlipjes. Ik ben onmiddellijk weer bij de les. Ik beuk nog wat, maar net voor het zingen duwt Diana mij de kerk uit. Mijn schot wordt gekraakt op haar buik. Vanuit haar foto lacht Zusje Zonneschijn mij vrolijk tegen.

Terwijl Diana mij aankijkt alsof zij ligt te drijven op wolkjes van de zevende hemel, smeert zij de hele kwak met beide handen uit over haar bos, buik en borsten, tot in haar hals, ze wrijft zelfs de barstjes en kloven dicht in het plamuur dat haar smoelwerk bedekt. 't Is geen gezicht. Wat een vieze troep! Ik hang onmiddellijk slap. Ik heb mijn bekomst van Diana.

In het naar beneden komen breek ik bijna mijn nek door van het laatste steile trapje naar beneden te donderen. Door dat kabaal maak ik de poes en de muizen wakker. Er scheurt een luid gegil door het huis uit de richting van de keuken en meteen daarop hoor ik haar nader komen – takketak-takketak-takketak – Moeder Mankepoot, met een haast alsof zij een dief wil betrappen. Ik kan haar niet ontlopen. Zij blokkeert de uitgang zodat ik zelfs niet langszij kan ontsnappen. Ik sta tussen haar en haar dochter geprangd. Over haar schouder zie ik in de gelagzaal Assepoes staan met een meewarige glimlach op dezelfde gulzige lipjes die mij daarnet in vervoering hebben gebracht. Moeder is nu zo dicht genaderd dat zij mij in één uitval de strot kan afbijten. De carrière van haar dochter in gevaar brengen? Ik zal het geweten hebben. Terwijl zij met haar ene hand die dooie bosduif staat te wurgen, zoekt de andere in de zak van haar schort naar een schaar, een schilmesje of enig ander wapen van de huisvrouw. Ik voel me niet veilig. Het is Marina die me uit de gevarenzone helpt door een kramp in haar zwangere buik te veinzen. Ik ga er als een haas vandoor zonder nog gelijk wat aan gelijk wie uit te leggen.

Om niets aan het toeval over te laten heb ik aan Lydie, mijn pijprokende poetsvrouw, gevraagd mij een recept te bezorgen voor de bereiding van een houtsnip. In een van de villa's waar zij aan de slag is moet dat zonder moeite te vinden zijn. Zij kijkt me aan alsof ik haar vraag in de kerk de offerblokken leeg te maken. Ergens iets wegnemen? Nee maar!

Zij kan mij echter wel van dienst zijn. Een paar jaar geleden had zij eenzelfde ceremonie bijgewoond toen een van haar werkgevers, een inmiddels failliete vastgoedmakelaar, van de jacht was weergekeerd met in zijn weitas de koningin onder al wat zich op vleugels door het luchtruim beweegt. De bereiding op zichzelf bleek een fluitje van een cent te zijn, maar het hele gedoe er rond had haar met verstomming geslagen. Het leek wel alsof die jager per ongeluk een engel uit wolken had geschoten. Nadat hij de wondervogel zelf had gepluimd mocht niemand anders dan zijn vrouw hem met een vinger aanraken, daar zag hij op toe. Het scheelde niet veel of hij liet de pastoor opdraven om het vlees te wijden maar die zou ook een portie hebben gelust en er was amper genoeg te bikken voor één flinke eter.

Die dame dus, die van de hele dag geen poot uitstak, moest het meidenschortje omgorden en zich op haar eentje kwijten van de taak. Het was geen gezicht. Met haar kleren van Chanel, d'r haar opgetut, en rammelend van kralen en armbanden stond dat mens daar te sloven aan de kookpot waarvan zij anders nooit meer dan de schaal had opgelicht. Lydie en de keukenmeid mochten hoogstens de ingrediënten aanreiken en mondelinge instructies geven uit het kookboek. Zij had alles goed onthouden en zal het voor me opschrijven.

Wat er zo bijzonder is aan die bereiding wordt mij gauw duidelijk. Je mag een snip niet leegmaken, legt Lydie me uit, enkel de krop met het niet verteerde voedsel verwijderen en het darmkanaal uitknijpen. De ogen worden uitgelepeld maar de kop en de hals blijven aan de romp zitten want de snavel moet door de boutjes worden gestoken om het geheel goed bij elkaar te houden. Dan het vlees larderen met een laagje spek en braden in de pan met hete roomboter. Je moet bij de zaak blijven, want langer dan twintig minuten duurt het niet, en midderwijl het vlees regelmatig overgieten met het braadvocht. Als het beestje klaar is, het vet afgieten, flamberen en wat wildfumet toevoegen. Daarna de ingewanden fijn hakken en bij de saus voegen. Maar dat wilde die meneer niet. De darmen moesten er in blijven.

Hij ging alleen aan tafel. Door een kier sloegen zij hem gade. Toen hij neerzat sloeg hij een kruis en bedankte de hemel en al zijn heiligen voor deze speciale gave. Hij raakte het vlees niet aan met mes of vork, hij at met zijn handen. Grommend als een beer kluifde hij eerst het karkas af, goot de saus in de buikholte die hij dan vervolgens met de ingewanden naar binnen zoog. Daarna smulde hij aan de boutjes. Toen er niets meer overbleef, beet hij de strot over en hield hij het kopje bij de lange snavel vast tussen duim en wijsvinger. Hij stak het omhoog, mummelde wat, bracht het naar zijn mond en liet toen de schedel tussen zijn tanden kraken. Na haar vertelling had ik al onmiddellijk geen zin meer in houtsnip.

Ik sla mijn voorraad in en om het geheel zo echt mogelijk te maken stop ik samen met het legendarische vederwild een paar flessen champagne in mijn weitas om Renata te gaan verrassen.

Van de duivel gesproken. Op de Lippenslaan loop ik zowaar Mister Florida tegen het lijf, de vastgoedmakelaar waar Lydie het daareven nog over had. Onlangs is hij kopje onder gegaan. Hij heeft jarenlang het geld van zijn klanten naar de meisjes gedragen en is nog net in een versleten broek uit een faillissement gekropen. Ik vraag me af wat er van zijn chique dame is geworden en zijn prachtvilla. Vandaag is hij zelfs te berooid om een goedkope hoer te betalen. Ik heb nog een eitje met hem te pellen. Hij heeft mij verleden jaar nog een poot proberen uit te draaien door mij een perceel bouwgrond langs de kust van Florida met een vaargeul recht naar de bootgarage aan te praten. Op papier zag het er fantastisch uit maar dat plekje lag niet op het land maar ergens in de oceaan. Achteraf bleek dat alleen de verkoopfolders echt waren. Er was dan ook op geen kosten gekeken om ze te drukken.

Die weitas wekt natuurlijk zijn nieuwsgierigheid. Wie loopt nu, half uitgedost als jager, in het centrum van de stad rond? Alleen de hoed en de laarzen ontbreken nog. Als ik hem de inhoud toon die ik naar mijn liefje wil brengen wordt hij even niet goed. Hij slaat aan het jammeren als hij denkt aan betere tijden toen de goede dingen des levens voor het grijpen lagen, toen hij nog zonder zorgen het kopje van de houtsnip tussen zijn tanden vermaalde.

Hij wil weten hoe het in de liefde gaat. Dat brengt me meteen op een idee. Om hem wat moed te geven zing ik de lof van alle vrouwelijk schoon en inzonderheid van Diana, mijn minnares, die me net de bons heeft gegeven. Ik ben er kapot van. Ik word ziek als ik aan haar terug denk. Die meid heeft het lichaam van een renpaard, gestroomlijnd, afgetraind, klaar om op Ascot de koninklijke race voor volbloeden met lengten voorsprong te winnen. Ik geef hem een beschrijving om vingers en duimen bij af te likken. Ik ben op dreef. Hij ziet zich al met de knieën in haar flanken gedrukt vierklauwens naar de eindmeet snellen. Trek van leer, Flo! Geeft ze de sporen! En een tik van de zweep! Ik ben in bloedvorm. Hoewel ik hem nog niet half de kool verkoop die hij ooit aan zijn klanten heeft verpatst, gaat hij zodanig op in mijn verhaal dat hij helemaal opfleurt bij het vooruitzicht van een nieuw avontuur. Nog voor hij de schaduw van Diana heeft gezien is hij al tureluurs gedraaid. Ik stel hem op zijn hoede. Als hij haar in het echt ziet loopt hij de kans op een hartverlamming, zo onweerstaanbaar is zij. Daar maalt hij niet om. Alles voor de liefde! Hij kan niet gauw genoeg bij haar zijn. Haar adres wil hij en snel een beetje! Eerst geef ik het hem niet, ik doe een beetje moeilijk. Te delicaat. Ik laat hem sudderen. 't Is een hete duvel. Hij staat zowaar op de stoep te dansen. Als hij niet gauw dat adres krijgt loopt hij de kans hier voor mijn voeten op te branden. Ik laat het mij als het ware een beetje afpersen omdat ik vrees dat hij er zijn gezondheid bij inschiet. Een beurt zoals deze die hem te wachten staat heeft hij in zijn leven niet meegemaakt. Ik sta er mijn kop af te liegen. Ik pook zijn vuurtje aan. Hij windt zichzelf op tot hij er kierewiet van wordt.

Als hij in zijn rammelkar stapt om naar Diana te rijden staat hij knalrood in zijn kam. Ik zeg hem dat hij vooral niet op de middelen mag kijken. Geen probleem voor Mister Florida, het mag een duit kosten. Hij heeft nog een huisje in de Zeeuwse polder, net over de grens, dat aan de klauwen van de deurwaarder is ontsnapt. Verwittig alvast de notaris, wil ik hem nog zeggen, maar hij is al vertrokken.

Kunst en Handel

Voor het huis van Renata staat een té dolle kar uit Hippieland geparkeerd. Op het koetswerk, met fluoverf, een feest van lachende harten, blitse bloemen en psychedelische paddenstoelen die voor mijn ogen aan het dansen gaan. Ik krijg er een dronken gevoel van. Waar kan zij mee bezig zijn, bij alle goden? Ik bel aan. Het duurt een eeuwigheid vooraleer wordt opengedaan. Ruim de tijd om te overdenken hoe ik hier voor de eerste keer aan de bel hing en al dronken werd door in het diepste blauw van haar ogen te kijken.

Terwijl ik rond sta te trappelen neem ik een kijkje in de veelkleurige vw-bus. Er liggen dekens op de bodem en tegen de wand staan vormen die aan ingepakte schilderijen doen denken. Een barstensvolle rugzak en kookgerei. Er staat zelfs een brits in gemonteerd. Een motel op wielen.

Renata is compleet verrast me voor haar deur te vinden, maar of ze daar echt blij mee is laat zich niet zo gemakkelijk van haar smoeltje aflezen. Ze doet een beetje geheimzinnig. Ze heeft bezoek, zegt ze, hoog bezoek, en wijst op die mobiele bloemenbak. Ze staat in twijfel of het ogenblik wel geschikt is om mij er in te laten. Ik wil me echter niet laten afschepen als een schooier. Ik sta hier niet met lege handen.

Met de échte houtsnip, die ik vanmorgen eigenhandig voor haar heb gepluimd, en twee flessen champagne kan ik haar lijmen. Aan de weitas, waarin alles verpakt zit, hang ik een leuk verhaaltje op van Maupassant, een van haar lievelingsauteurs, uit zijn *Contes de la Bécasse*. Mijn vrees dat er voor meer dan twee personen amper te eten zal zijn, uit ik niet.

Rolfie is er niet. Die gaat de laatste tijd regelmatig op bezoek bij de kapster van Renata voor een hoofdmassage. Het is de Kale die de vesting bezet. Naast hem zit Heer Hippie. Lang haar, volle baard, zweetband rond het hoofd, klompen aan de voet en een schapenvacht om de schouders. Zijn hemd en broek zijn van opvallend fijner weefsel dan de dracht van het ongewassen tuig op de Dam en in het Vondelpark. Hippie de Luxe. Hij wordt mij voorgesteld als een kunsthandelaar uit Amsterdam die het werk van PS in het koninkrijk der Nederlanden wil bekend maken. Ik geef hem de vijf. In plaats van een stevige poot schuift hij op kruishoogte twee gestrekte vingers in mijn hand en brengt me daarmee lichtjes van mijn stuk. Biedt hij mij op deze wijze zijn mansdeel aan?

Heer Hippie baat aan de Nieuwe Spiegelgracht een galerie uit die De Lege Ruimte heet. Wedden dat achter die naam een zwaar filosofisch geladen idee schuilgaat? Oosters geïnspireerd ongetwijfeld, 't is volop mode. Ik vrees dat ik niet zal kunnen volgen als hij uitpakt met een van die onwaarschijnlijke theorieën die in zwang zijn om al dat hedendaagse kunst- en vliegwerk aan de man te brengen. Ik wil me vandaag in geen enkele discussie laten meeslepen en neem mij voor de man in alles gelijk te geven.

Hij is hier om het werk van Renata te bekijken. Haar achterwerk voornamelijk, als ik hem zo van opzij gadesla. Nauwelijks verhuld door een minirok zet zij die billen van haar voorbeeldig in de etalage. Het gedroomde volume om zijn Lege Ruimte mee te vullen.

Als ik de commentaren van de kunstprofeet over de konterfeitsels van Renata mag geloven staat een nieuwe ster op het punt geboren te worden. Hij zeikt er maar op los. Naatje begint mij al beschuldigend aan te kijken. Heb ik er dan moedwillig naast gekeken? Of ben ik blind geboren? Sorry, Blauwoog, maar de landschapjes die alleen van een zekere handigheid en gedegen huisvlijt getuigen, hebben mij nergens ontroerd. Die houtskooltekeningen in de map, opgeborgen achter de bank daarentegen...

Heer Hippie verwondert er zich ook over dat ik het werk van PS nog niet heb tentoongesteld. Ik omzeil de kwestie door te zeggen dat ik mijn tentoonstellingsprogramma voor de volgende seizoenen nog moet opmaken.

Ik sta niet te springen om het werk van De Kale te exposeren, maar dat zeg ik hem niet. Zoals ik zijn woordkunst naar waarde weet te schatten, zo vind ik aan zijn schilderkunst geen reet. En wat mij zeker niet aanzet om met hem te werken is zijn verfoeilijke gewoonte om schilderijen achter de rug te versassen aan klanten van de galerie die hem de kost geeft. Soms heb ik de neiging om die etterbak van een Salmèk bij te vallen als hij uitroept tegen ieder die het horen wil: 'Een goeie artiest is een dooie artiest!' Terwijl hij toch hun laatste druppel bloed wil opzuigen.

De heren hebben het zich best gezellig gemaakt. Voor hun neus staat, rechtop in een glas, een prestigieuze Cohibasigaar met haar achterste in een bodempje rum gedrenkt. PS draait het vochtige uiteinde van de sigaar over zijn tong en lippen, sabbelt er op om de rum te proeven en zuigt dan een flinke pluim rook naar binnen. Het moet hem een zalige roes bezorgen want het hele ceremonieel voert hij uit met gesloten ogen. Daarna opent hij wijd zijn mond en kapt hij een flinke slok rum in zijn keelgat.

Moet hij wat van mij, Hippie de Luxe? Hij heeft me in de smiezen, het valt op. Heeft hij me met zijn uitgestoken vingers een geheim teken willen geven? Ik begin me ongemakkelijk te voelen bij zijn belangstelling. Hij zal zijn gram in de herenliefde elders moeten halen, als dat de bedoeling is.

We blijven elkaar tersluiks bespieden om er achter te komen of we elkaar al niet eerder hebben ontmoet. Ik heb hem stellig nog gezien en niet en passant. Hoe langer wij elkaar beloeren, hoe meer het mij begint te dagen. Ik ken hem. De trekken van zijn geitenkop zijn te karakteristiek om zomaar uit het geheugen gewist te raken. Ik tracht hem te ontkleden, te kappen en te scheren. Hoe kan hij er hebben uitgezien voor zijn transformatie tot Hollandse hippie? Het haar in een streep en gladjes geschoren? En uiteraard in andere kleren gestoken. Meer bepaald in een lange zwarte rok. Mijn twijfels ebben weg. Pater Coevoet? Aspirant-jezuïet tijdens mijn collegetijd? De surveillant die bij de toiletten de wacht optrok om te spieden naar leerlingen die zich in de hokjes terugtrokken om te roken of andere viezigheden uit te halen? Bewaker van de lichamelijke gezondheid en de goede zeden. Die Coevoet was ten tonele verschenen tijdens de laatste maand van het laatste schooljaar en dus had ik hem daar maar heel kort gekend. Hoewel niet zeker voor het volle honderd procent, besluit ik het er toch op te wagen.

'Pater Coevoet?' Er verschijnt een brede grijns op zijn bokkensmoel. Hij verbetert. 'Meneer Coevoet, collega. Zeg maar Karel.' De rum heeft zijn tong goed losgemaakt want onmiddellijk steekt hij zijn verhaal af.

Dat paterschap is al een eeuwigheid voorbij, weet hij mij te vertellen. Bezweken voor de zonde van het vlees, had hij zijn kap over de haag gekeild en was getrouwd met het voorwerp van zijn passie. De vrouw van onze wiskundeleraar? Het lekkere stuk dat onze puberale verwarring compleet maakte toen zij aan de arm van haar Vierkantswortel de mis bijwoonde? Zelfs in de kerk was er verborgen gekneed van handen en geknars van tanden. Wat je me nou vertelt, Karel! Neen, het verwondert me niet, integendeel. Dat vrouwtje mocht er best wezen en die kwibus van haar was een droogkloot, zonder meer.

Het koppel ging toen al over de tong omdat ze, ondanks hun vurige wens, geen kinderen konden krijgen en toch geen enkele moeite ontzagen om er aan te komen. Naar de verste oorden waren ze op bedevaart getogen om vruchtbaarheid af te smeken over hun dorre huwelijk. Het mocht niet baten. De lol ging er af en de klad kwam er in.

Op dat ogenblik kwam die Coevoet op de proppen. Hij dacht daar met zijn zalvend woord ook zonder enig gevaar zijn kwakje kwijt te raken. Het was immers woestijngrond waar zijn zaad zou in begraven worden. Hij was safe!

Het vrouwtje bleef bidden en haar gebeden werden verhoord. De pater moet in de hemelen op een wit voetje hebben gestaan want het wonder voltrok zich omzeggens ogenblikkelijk. En hij maakte haar niet zomaar een klein beetje zwanger. De volle lading had hij haar gegeven. Het dametje kreeg een tweeling. Het jaar daarop was het weer prijs. En elk jaar dat daarop volgde.

De Vierkantswortel was intussen, na vakkundig rekenwerk en voor de hand liggende fysieke gelijkenissen, achter de ware oorzaak van al die mirakels gekomen. Zijn echtgenote kreeg met haar wonderkinderen het gat van de deur en Coevoet werd voor zijn verantwoordelijkheid gesteld. Zijn oversten hadden de herrie nog proberen te sussen door de wiskundeleraar te wijzen op zijn christelijke plicht van naastenliefde. Hij had toch zelf kinderen gewild in de eerste plaats? Hoefde hij armoe te lijden om een mondje meer? Er waren de ruime sociale voorzieningen en tenslotte waren we toch allemaal Gods eigen kinderen? Die koters waren uit liefde verwekt en moesten in liefde worden gekoesterd en grootgebracht. Dat alleen was belangrijk. Hij moest het leren bekijken als een vingerwijzing Gods. De Maagd Maria was toch ook niet door haar uitslover van een timmerman zwanger gemaakt? Dat wist elke simpele duif. Was dat voor hem een reden geweest om uit de zevende hemel te vallen? Bien au contraire. Ze konden preken tot 's anderendaags, er hielp geen lieveheren aan.

Langs de andere kant werd Coevoet op de kop gezeten door zijn compadres. Iedereen in de Orde, en die lui hadden toch een eeuwenlange ervaring, verzekerde hem dat hij nog altijd beter af was met een wilde zijsprong als de natuur hem dat bij tijden gebood dan met een vaste stek waar een vrouw en een kroost hem op de nek zaten. En binnen het internaat waren er toch voldoende knapenkontjes en kinderpiemels in de aanbieding? Waarover beklaagde hij zich?

Toch wisselde Coevoet het kleed voor de broek, ontfermde zich over het broed en nam verder het gebod van de vermenigvuldiging erg letterlijk. Hij ging verder op zijn elan en die vrouw wierp als een zeug. Met de naamgeving van zijn Lege Ruimte had hij zeker haar buik niet in het hoofd. Hij heeft haar in amper vijf jaar tijd zeven kinderen gemaakt, zeven dochters, waaronder twee tweelingen. En nu, je gelooft het niet, is zij opnieuw zwanger. Het zou wel weer een meisje worden. En hij die zo graag een zoon wil! Hij kan er bij janken als hij daar aan denkt. Maar hij versaagt niet. Hij zal blijven proberen tot het lukt, er zit niets anders op. Hij wil uit zijn papenzaad een kind van het mannelijk geslacht geboren zien worden. Mevrouw Coevoet weet al wat haar te wachten staat indien zij hem opnieuw een meisje schenkt. Hij laat mij een foto zien van zijn gezin. Die kinderen zijn van hem, dat valt niet te loochenen. Die kopjes! Die snoetjes! Het zijn net de zeven geitjes. Alleen de hoorntjes ontbreken. Daar zouden ze in hun latere leven ruim de tijd voor krijgen.

We halen wat herinneringen op aan wat hij voor de goede, oude tijd blijft verslijten. Hoe dieper ik graaf in mijn herinneringen, hoe donkerder de schacht waarin alles zit opgeborgen. Ik kan mij geen gelukkig uur voor de geest halen. Het was een tijd die ik zo snel mogelijk heb willen vergeten. Sombere uitzichtloze jaren waar nooit een einde leek aan te komen. Een gevangenis zonder deuren of vensters, alleen grauwe muren. Ik heb het moeilijk gehad maar mijn dromen hebben ze nooit kunnen opsluiten. Dank zij hen had ik het overleefd.

Ik laat hem opmerken dat hij zich in zijn jaren als bewaker had gedragen als een geniepige kleine smeerlap. De jongens waren behoorlijk bang voor hem. Hij was kwistig met straffen en reprimandes. Je kon niets goed doen in zijn ogen. Dat was dan recht tegen zijn hart en natuur in, repliceert hij. Hij moest gehoorzamen. De Orde is geschoeid op militaire leest. Hun overste wordt met Pater-Generaal aangesproken. En hij, Coevoet dus, was een arme soldaat van Christus en als die, bij monde van zijn plaatsvervangers marsbevelen uitvaardigde, moest er gemarcheerd worden. Wie was hij, nietige sterveling, om tegen te pruttelen? Befehl ist Befehl!

Ik vraag hem hoe dat nu zit met zijn geloof. Daar is niets mee aan de hand. Dat staat als een rots, verzekert hij me. Hij is geen afvallige, daar wil hij geen enkel misverstand over laten ontstaan. Eens priester, altijd priester. Hij is niet benoemd zoals een ambtenaar, hij is gewijd. En dat ten eeuwigen dage. Zijn probleem zat niet in zijn hoofd of in zijn hart maar in zijn broek. De plicht tot celibaat heeft hem parten gespeeld, maar verder is er geen vuiltje aan de lucht.

Ik heb het bestaan de wijze van bereiding die Lydie voor mij heeft opgeschreven kwijt te raken, maar Renata heeft intussen langs de telefoon een doodsimpel recept gekregen om onze snip klaar te maken. De vogel moet maar voor twintig minuten de pan in en klaar is kees. En de saus met de fijngehakte darmen dippen we op met een goed geboterd stuk bruin brood. PS begint al te juichen als hij denkt aan de lekkernij en Hippie Coevoet lust ook wel een hapje. We kunnen al beginnen met de flessen te kraken die ik heb meegebracht.

Voor mijn neus zitten de Kale en Coevoet bij het genot van een fluit champagne het edelste vlees, dat het verhemelte van de fijnproever kan eren, onder veel gesmek en vingergelik op te smullen. Ik moet het gedogen. Voor Naatje Blauwoog blijft nog een schamel boutje over. Voor mezelf haal ik wel een pak frieten.

De glazen bol

'Wanneer krijg ik dat schilderij nu eindelijk te zien, PS?'. Post Scriptum boort zijn kale kop doorheen een sigaarwolk. Zijn ogen dobberen in de rum. 'Welk schilderij?' – 'La Pipe, natuurlijk. Waarover anders hebben we het al die tijd gehad?' Als ik denk hem daarmee in verlegenheid te brengen heb ik het goed mis. Hij vaart uit. Hij voelt zich tot niks verplicht! Tegenover wie dan ook! En evenmin wil hij worden aangepookt. Voor eender wat. Bovendien heeft hij schijt aan die Pijp. Zijn eigen werk is belangrijk. Zijn eigen werk is voor hem het enige dat telt! Heb ik daar ooit al bij stilgestaan? Heb ik er zelfs ooit al naar gevraagd? Is er voor mij nog leven na de pijp van Magritte? Ik doe net alsof er na die verdomde rookmaker geen kunstenaar meer is geweest die een penseel kan hanteren.

Post Scriptum draait meteen de zaken om en geeft me lik op stuk. Waar blijf ik van mijn kant met dat fameuze familiestuk waar ik zijn kop goed gek heb mee gedraaid? Dat horloge waar op de wijzerplaat mannetjes en vrouwtjes slag om slinger hangen te neuken? Hoe zit het daarmee? Ik had beloofd hem dat toch op zijn minst te laten zien? Ik weet toch hoe dol hij daar op is? Ik zeg hem dat ik in tijden mijn familie niet meer heb gezien en dat ik ook geen aanstalten maak om ze te bezoeken. Misschien komt het er ooit nog eens van. 'Dan geldt dat ook voor dat schilderij,' zegt PS.

Overigens weet Post Scriptum zelfs niet of hij in de toekomst nog ander dan zijn eigen creatief werk wil verkopen. Hij is geen handelaar. Hij is een scheppende geest! Niet langer dan de dag van gisteren is hem ten enenmale duidelijk geworden wat hem te doen staat. De schellen zijn hem van de ogen gevallen en hij heeft het licht gezien. Bij de waarzegster nog wel! Daar is hem zijn hele toekomst in een visioen geopenbaard. In een glazen bol, godbetert!

Aan de hand van een foto, waarop hij samen met Eustachius is te zien aan het stuur van zijn open sportwagen, had die toverkol om te beginnen dingen uit zijn verleden onthuld die een ander mens onmogelijk over hem kon weten. Details die hij zelf al vergeten was. 'Verbazingwekkend toch! Ik zat met open mond naar haar te luisteren. Zij kende zelfs de kleur van het eerste autootje waar ik ooit als kind mee had gespeeld. Blauw! Zij wist dat het blauw was.'

PS neemt een flinke slok, zuigt aan zijn sigaar en blaast ringen uit. 'Deze kleur was het, het blauw van tabaksrook.' Hij staart zijn verbrand verleden na. Met gedempte stem, om al onze aandacht te krijgen, onthult hij hoe de vrouw verstomde toen zij de kamer had verduisterd om zich enkel nog te concentreren op haar magische bol. Zij schrok van wat komen moest, ze zweette hevig, ze worstelde met zichzelf en verzette zich tegen uitwendige krachten. Zij bond duidelijk de strijd met haar duivels aan. Wanneer ze weer tot zichzelf was gekomen begon ze te spreken. De woorden kwamen niet eens uit haar mond, haar lippen bewogen niet, ze werden als het ware aangevoerd door de damp van de reukstokjes die zij brandde. Net zoals in Delphi de stoom opsteeg uit een spleet in de aarde en als orakel uit de mond van het medium kwam.

PS veert recht, dooft de luchter en bij het licht van de enige kaars die op de salontafel staat te branden, gaat hij voor de levensgrote spiegel staan pronken. Hij strijkt de plooien uit zijn kleren en laat bedachtzaam een hand over zijn hoofd glijden op de plaats waar ooit zijn haar heeft gezeten. Niet wars van een flinke dosis pathetiek neemt hij een theatrale pose aan en strekt een bezwerende vinger uit naar zijn spiegelbeeld. 't Is net Papa, de dazende toneelvorst die zich opmaakt voor het uitspreken van een boodschap waar de wereld op wacht. De sprekende bijbel!

Hippe Coevoet, Renata en ikzelf zitten er bij als rekwisieten terwijl PS aan het orakelen slaat: 'Een scheppende god zijt gij maar tevens een vernietiger van werelden. Eer en roem vallen u te beurt maar er zal niemand zijn om het genot ervan met u te delen, gedoemd als gij zijt om te lijden aan eenzaamheid en te sterven aan de kwaal die liefde heet.'

't Is fraai geformuleerd. Hij houdt ons in de gaten om te zien welk effect zijn woorden sorteren, pauzeert even en oreert dan verder met een druk alsof hij stoom afblaast. 'U zult tot grote roem komen. Veel zal in uw handen worden gelegd maar gij zult uw vingers niet sluiten. Uit moedwil. Uit overmoed. Gij zult goud uitstrooien als water en elke mond bijten die u kust. Wees op uw hoede! Gooi niet achteloos weg wat gij zult krijgen aan liefde en rijkdom indien gij niet wilt eindigen als Job op zijn mestvaalt, berooid en verlaten door de uwen.' Hij pauzeert om zijn woorden diep tot ons te laten doordringen. Langzaam, als een Meester van de Scène, draait hij zich naar ons toe. 'Zo heeft zij het gezegd. Haar eigen woorden.'

Coevoet klapt in de handen, ik geef geen krimp. Naatje heeft tranen in de ogen, haar hart van koek gaat open en zij stapt op PS toe om hem in haar armen te sluiten. Arme, gedoemde Post Scriptum. Hij heeft al direct een hand op haar billen.

'Heeft je waarzegster het niet gehad over dat schilderij?' vraag ik fijntjes. 'En of zij het er over heeft gehad! Maar misschien wil je het liever niet horen.' – 'Vuur maar af. Ik kom niet zo gauw onder de indruk van wat een kaartlegster uitkraamt. Ik krijg wel meer onzin te verwerken.' – 'Onzin? Vat dit niet te lichtvaardig op, maat. Hoe kwam die waarzegster er trouwens bij om over dat schilderij te beginnen? Hoe wist zij dat de vraag op mijn tong lag nog voor ik ze had gesteld? Alleen aan de hand van een foto in mijn portefeuille die zij nog niet eens te zien had gekregen, sprak zij mij van een kunstwerk dat moest gelezen en ontcijferd worden. Wie leest nu een schilderij? Dat bekijk je toch? Gelezen en ontcijferd. Nogmaals haar eigen woorden. De vrouw was heel duidelijk. Ik kon die foto maar beter meteen weggooien en me verder niet met de zaak inlaten. Dat schilderij heeft rampspoed gebracht in het verleden en brengt ongeluk aan al wie er mee in aanraking komt.'

Weer knettert het vuur me om de oren. Het knaapje dat ik was rent voor zijn leven. De rook prikkelt mijn ogen en schroeit mijn keel dicht. De stank van puin is niet te harden en overal rondom mij vallen doden. Ik proef een smaak van asse op mijn tong en grijp mijn glas om met één grote slok al die narigheid uit het verleden eens en voorgoed weg te spoelen. Drinken en uitpissen! Door de plee ermee!

Heel in de verte hoor ik de toornige stem van Post Scriptum: 'Niet een pijp had Magritte op dat vervloekte doek moeten aanbrengen maar een doodshoofd! En een knekel in plaats van een steel. Vanwaar dat idee trouwens om op een schilderij woorden neer te schrijven die kant noch wal raken?' Hij is op dreef. Als een profeet met zijn vinger naar de hemel wijzend om donder en bliksem te bevelen. 'Kijk naar de wand! Daar staan de woorden geschreven! Met vuur! Mene Tekel Ufarsin. Uw dagen zijn geteld, uw daden gewogen en te licht bevonden. Daar op de wand! Met vuur!'

Bravo, PS! Voorbeeldig opgevoerd, dat nummertje! Je had acteur moeten worden. 'Geef hem nog een borrel, Renata,' zeg ik, om het zaakje te ontmijnen. Hoe hoogdravend zijn woorden ook weergalmen, ze hebben hun effect niet gemist. Ik verdenk hem ervan een tekst van buiten te hebben geleerd die hij zelf heeft geschreven om hier indruk te komen maken.

Een waarzegster! Zo'n pruik met koperen ringen in d'r oren en een lang bloemenkleed is een kermisattractie. Haar uitlatingen klinken heel wat trivialer dan de oudtestamentische volzinnen die de Kale daarnet in petto had. Gewoonlijk krijg je van zo'n verklede kol te horen dat je een meid zult ontmoeten met blond haar en blauwe ogen en wie dat gelooft kijkt op den duur niet meer met dezelfde aandrang naar donkerharige vrouwen met donkere ogen. En ja, hoor. Alsof PS mijn gedachten heeft geraden pakt hij uit met het vervolg van de voorspelling die profeteert dat hij zonder verwijl een knap blondje zou ontmoeten met grote ogen van een zeldzaam blauw. Naatje zit te smelten. Hij beschrijft haar met zoveel vuur dat je wel blind moet zijn om er naast te kijken. Alsof hij er de handleiding bij heeft gekregen met daarop ook haar naam en adres.

Zijn Nostradama had nog een ander beeld opgeroepen, beweert hij. Dat van de man die op de foto bij hem in de auto zat, zijn bloedbroeder Eustachius, dandy en dichter. 't Was net een droomgezicht zoals zij het beschreef. Een trap kwam uit de grond gekropen als een slang en slingerde zich naar omhoog tot hij in de wolken verdween. Je kon omzeggens te voet naar de hemel wandelen. Hij zag Eustachius de trap bestijgen. Halverwege draaide hij zich om en wuifde een vaarwel. Om zijn hoofd zweefde een gouden kroontje zoals bij een sint op een icoon. Hij glimlachte. Eustachius glimlachte, hij leek perfect gelukkig. Dan hervatte hij zijn klim. En hoe hoger hij klom, hoe kleiner hij werd, tot hij helemaal oploste in het wolkendek. Als ik het goed begrijp staat Eustachius er niet te goed voor. Zijn lot lijkt, eerder vroeg dan laat, bezegeld.

En dan die auto zelf, Zijn Auto, daar raakte PS evenmin over uitgepraat. Datzelfde voertuig zou eindigen als een sculptuur! Jawel! In Frankrijk was een beeldhouwer aan de slag die bij de schroothandelaar autowrakken liet samenpersen, zijn handtekening op de compressie zette en ze aldus uitriep tot kunstwerk. Denk eens aan! Zijn kar naar het museum! Misschien nog eerder dan zijn schilderijen. 't Was de wereld op zijn kop. Dat beeld was haar verschenen in een visioen.

Ik denk te vragen waar hijzelf blijft in die hele historie. Of hij tijdig uit dat wrak is geraakt? Ik doe er het zwijgen toe om de spanning, die hij met zijn verhalen heeft opgeroepen, niet te breken

Maar daar komt het al. Bij het handlezen poogde die vrouw ook nog de plotse onderbreking in de nochtans lange levenslijn van PS te verklaren met een enigmatische uitspraak. 'Wie oud wordt geboren en eeuwig wil leven verlangt naar een vroege dood.' Hij heeft het woord voor woord genoteerd maar komt er niet uit. 'Heb je zelfmoordplannen?' vraag ik hem. 'Neigingen tot zelfdestructie zijn me niet vreemd.'

Alweer heeft hij bij Renata de juiste snaar geraakt. Hij bespeelt haar als een instrument. De arme ziel voelt zich geroepen om deze halfgod te redden van de ondergang. Groot talent moet gespaard blijven. Als hij zijn levenswerk maar kan voltooien is zij bereid zijn plaats in te nemen als de Bleke met de Zeis de oogst komt binnenhalen. 'Ach wat!' zegt PS op een gemaakt vrolijke toon:

'Laten we toosten! Op een lang leven en een snelle dood!' – 'Op een lang leven en een snelle dood!' klinkt het in koor. Daar kan iedereen zich in vinden. En we hijsen.

Even later leren we de prozaïsche kant van Post Scriptum kennen. Hij heeft zakenbloed dat kruipen wil waar het niet gaan kan. Uit een kartonnen doos diept hij heelder pakken nylonkousen op, sierstukken voor de fraaie benen van Renata. Ik denk bij mezelf, hij geeft haar twee of drie paar cadeau, maar lekker niet. Moet ik mijn ogen en mijn oren geloven? Hij wil ze haar verkopen! Niet om het geld zoals hij beweert maar om het plezier van het zakendoen. Hij maakt haar een zacht prijsje. De man van de bijbelse openbaringen blijkt een ordinaire marskramer te zijn die het restant van zijn koopwaar aan afbraakprijzen te koop aanbiedt. Wat zei je daarnet, PS? Geen handelaar? Het is voor een scheppende geest geen schande om kousen te verkopen, dat deed ook vader Vondel voor de kost, maar ik vind dat je het nu toch wat te bruin bakt. Ik trek mijn portefeuille en leg zonder discussie over de prijs de gevraagde som op tafel. Het is mij een waar genoegen Naatje op een paar kousen te trakteren.

De verovering van Brussel

In het bloemenschip van Karel Coevoet laten wij ons naar Brussel varen waar PS en Eustachius in het Paleis voor Schone Kunsten met een keur aan dichters uit binnen- en buitenland poëzie zullen voorlezen. Ze krijgen een internationaal podium!

We maken een ommetje langs Brugge waar we een andere woordkunstenaar zullen ophalen die met ons de grote oversteek naar de hoofdstad zal wagen. Ik zit voorin naast de Hippe en PS achterin met Naatje die al direct na het instappen de krijgstrompet steekt. Ik draai de achteruitkijkspiegel zodanig dat ik de hele slag kan volgen die zij levert met de Franse soldaat van de Kale. 't Is een dappere meid, een toonbeeld van moed en zelfopoffering, zo ken ik haar. Ze gaat onverschrokken te keer, toont geen spatje angst en kan tegen een stoot. De brits van Coevoet kraakt in zijn voegen. Ze hardebollen tot we de grachtengordel hebben bereikt en door de stadspoort rijden. PS zal het geweten hebben. Hij smeekt om een bestand maar zij wil van geen overgave weten en genade kent ze niet. Ze blaast de aftocht volgens de beproefde tactiek van de verschroeide aarde.

Om van de emotie te bekomen wil PS eerst nog naar 'Blik en Tin', de kunstkroeg waar ik onlangs heb gevedeld en gezongen. Gekke Zorro is in elk geval dolblij ons weer te zien. Met een paar knallen van de rijzweep tegen zijn laars beveelt hij al onze wensen in te willigen bij de eerste wenk. Het snoezige Pareltje, dat ik toen in steek heb gelaten voor een schimmige aanblik van Roodborstje, komt onmiddellijk haar gracieuze diensten aanbieden. Het is alsof ik maar even weg ben geweest. En de knappe gouverneursdochter is er ook. Net vandaag komt zij haar wekelijkse portie van de zweep halen. Ze heeft trouwplannen met een nobiljon die aan de andere kant van het land woont. Dat heeft haar vader in haar plaats beslist. 't Zal haar kontje varen.

Heel wat zeldzame exemplaren van de plaatselijke fauna willen met ons naar het big event in het Paleis karren. Op de Grote Markt vormen we een karavaan en toeterend verlaten we de stad voor onze mars op Brussel.

We zoeken een parkeerplaats in de buurt van het Eenmansstraatje, een steeg net breed genoeg om elkaar buik aan buik te kruisen. Elk bezoek aan de hoofdstad begint voor ons met een bezoek aan de Pili-Pili, een duistere krocht waar al wat naam en faam heeft op de kunstscène de doorsteek heeft gemaakt. 't Ziet er uit als een rovershol. Donkere hoekjes en kantjes waar je onder het licht van een peertje bij elkaar hokt om complotten te smeden. De muren leven. Ze hangen vol met de meest vreemde taferelen, achtergelaten door schilders die hun vertier niet konden betalen.

Eustachius is er al. Hij is zo dronken als een tor. Als ik vraag hoe het met hem gaat, ziet hij nauwelijks mijn lippen bewegen. De betekenis van mijn woorden ontgaat hem compleet. Hij wauwelt wat, zijn tong sputtert, hij hakkelt enkele klanken uit die een antwoord moeten zijn op een vraag die hij niet heeft begrepen. Of kan het een kort, hermetisch gedicht zijn dat hij mij in avant-première aanbiedt? Ik mummel iets dat evengoed ja als neen kan betekenen. We begrijpen elkaar. Ik geef hem een schouderklop en wens hem goede moed bij zijn optreden later op de avond. Uit wat hij daarop antwoordt denk ik te moeten opmaken dat hij het klote vindt dat de prijs van de sigaretten morgen weer flink de hoogte ingaat.

De Kale heeft hem intussen ook al flink om. We begeleiden onze helden naar het Paleis waar zij met hun gelal het volk zullen vermaken. Wij zijn de bemanning die is uitverkoren om de lege stoelen te bezetten en in de handen te klappen. Heilige Televisie is er ook. Morgen onze smoel in elke huiskamer! De roem wacht.

Er is een hoop volk komen opdagen. Waarschijnlijk meer omwille van de reputatie van relschopper en dwarsligger die enkele dichters meedragen dan om de kwaliteit van hun poëzie. Ze zitten om geen sterke uitspraak verlegen en durven lekker staan schelden op het podium. Daar houdt het publiek van. Je zou haast geloven dat de mensen op zo'n vertoning afkomen om zich te laten uitschijten.

Dat is vanavond niet anders. Na een paar minder bekende verzenmakers is Eustachius aan de beurt. Hij wankelt dat podium op, gaat naast zijn stoel zitten en valt languit op de planken tot hilariteit van het publiek. Omdat hij geen aanstalten maakt om recht te staan wordt hij door twee hulpjes van de inrichter op de been geholpen. Vooraleer van start te gaan neemt hij een slok van het kleurloze vocht dat op de leestafel staat. Je ziet de stomme verbazing op zijn gezicht. In de zekerheid dat hij op zijn minst een glas rum of wodka waardig wordt geacht en tot de vaststelling komt dat hem een smaakloos glas water is voorgezet, sproeit hij er even snel alles weer uit. Van wat dan volgt draagt geen kat wat mee. Hij zit een hoop ongearticuleerde klanken uit te stoten waar je geen touw kan aan vastknopen. Hij krijgt toch een beleefd applaus. De tijd dat hij werd uitgefloten lijkt voorbij.

De Kale staart zeker een minuut lang voor zich uit tot het muisstil is geworden in de zaal. Hij weet zijn publiek ook zonder woorden perfect te bespelen. Als het volk respectvol zwijgt, schraapt hij zijn keel en beleeft dan de verrassing van zijn leven. De eerste zin heeft hij amper uitgesproken of een Jonge Turk, een cartoonist met een scherpe, stoute bek, komt dat podium opgesprongen en neemt hem meedogenloos op de korrel. Eerst is onze Dante zodanig uit zijn lood dat hij geen wederwoord vindt. Dat iemand het verdomde lef heeft hem op zijn beurt door de buis de trekken, daar heeft hij niet van terug. 'Wie is dat?' roept hij naar de inrichter die zich schuilhoudt achter de gordijnen. 'Ik ben Sutra!' juicht de snaak. PS pikt het niet en vaart fel uit tegen die knul: 'Wat kom jij hier godverdomme doen?' Waarop de andere doodleuk antwoordt: 'Jouw plaats innemen.' – 'Mijn wat? Mijn plaats?' – 'Je tijd zit er op. Je wordt afgevoerd, bij de bloemen gezet, op rust gestuurd.' PS versteent. Hij denkt aan een smakeloze grap van de concurrentie of de inrichter zelf om extra aandacht te krijgen voor zijn evenement. Dan herpakt hij zich langzaam en bezweert de spotter er mee op te houden. Dit is geen ogenblik om grapjes te maken maar een bloedernstige zaak, een even historisch moment als in den beginne, toen het Woord was...

Op declamatorische toon richt de jonge muiter zich tot het publiek: 'De Moor heeft zijn werk gedaan, de Moor kan gaan.' Dat is de boodschap. Die knul maakt PS uit voor ouwe lul en jan mijn kloten en meer van dat fraais. Hij krijgt de lachers op zijn hand. PS snapt het niet. Hij heeft nog niet door dat de volgende generatie zich al aandient en op dezelfde manier het rijk wil veroveren. Het laatste heilige huisje dat eertijds nog enige beschutting bood heeft hij zelf tegen de grond gehaald. Waarover verwondert hij zich? Hij heeft verdomme zelf nooit wat anders gemaakt dan kabaal om zijn naam in de krant te krijgen. Hak het hoofd af van de koning en zet het jouwe in de plaats. De troon blijft dezelfde.

Post Scriptum voelt zijn artistiek priesterschap bedreigd en trapt in de val. In plaats van het spel mee te spelen, maakt hij zich kwaad. Hij gaat op die knaap af om hem met harde hand van het toneel te sleuren maar de rum heeft lood in zijn schoenen gelegd. De andere springt in het rond als een veulen en onder het trekken van gekke bekken debiteert hij geparafraseerde teksten van de meester. De woorden waarmee PS zijn eigen tragisch lot beschrijft worden op een dolkomische manier ten gehore gebracht. Pure Commedia del Arte. Die knul is een echt podiumbeest. Hij rukt de veren uit het gat van de pauw die achter hem aan blijft hollen zonder hem te pakken te krijgen.

De piepjonge Sutra behaalt een daverend succes. Hij trekt de rode loper weg onder de voeten van PS. Het publiek krijgt waar voor zijn geld en weet het onverwachte optreden naar waarde te schatten. De applausmeter gaat in het rood en dit handgeklap is niet voor de Kale bestemd. Hij krijgt in één klap de rekening gepresenteerd die hij ooit de anderen heeft doen betalen. Dat heeft zijn waarzegster niet gezien.

Helemaal boven zijn bier, luid brallend en een fles boven zijn hoofd zwaaiend als een knots, zwijmelt een nagenoeg blinde dichter, die ik onlangs in Gent bij wijze van happening met een bijl een piano aan spaanders heb zien hakken, over de tegen elkaar geschoven tafels, waaraan het dichtersbent is gezeten. Gedragen door de luchtigheid van een flinke dosis alcohol en het ritme van zijn verzen, laveert hij tussen de glazen door met de perfecte evenwichtszin van een koorddanser. Met veel enthousiasme wordt hij toegejuicht en aangemoedigd door de nieuwlichters maar met stijgend ongeloof nagestaard door de poëten van de oude garde die de laatste jaren al flink op de horens van de bok zijn genomen en bij deze ultieme profanatie van het Woord, dat reeds in den beginne was, verontwaardigd de zaal verlaten.

PS is helemaal van zijn melk, ontroostbaar. Hij is langs de coulissen weggeslopen en probeert ongezien uit het Paleis weg te komen, maar vlakbij de uitgang botst hij tot zijn ongeluk op de massieve romp van Rolfie Tonne die uit het niets is komen opdagen. Die laat hem niet zomaar wegmuizen. Rolfie is gekomen om lol te trappen en liefst temidden van lachende gezichten. PS gaat dus maar in een hoek van de zaal zitten mokken, wrokkig alsof hij het gelag moet betalen voor dat hele verdomde feest dat hij niet eens besteld heeft en waar hij flink te kakken is gezet. Renata doet haar best om hem op te beuren maar hij laat de armen hangen.

Wij, mannen, krijgen een knipoog van onstuimige Rolfie maar Naatje pakt hij ongegeneerd beet waar hij haar krijgen kan. Het wordt een warme, natte omhelzing. Zij laat zich knijpen en kussen en hoewel zij het speels houdt kan de Kale het niet velen. Zijn gedeukt ego ligt nu helemaal onder de sloophamer. Die tafelspringer op het podium kon hij al niet de baas en om een kolos als Rolfie Tonne met lijfelijke dwang tot minder frivole gedachten te brengen, moet je van gewapend beton zijn. Post Scriptum kan alleen zijn woede en verbittering verbijten. 'Wijven?' snauwt hij me toe. 'Sletten zijn het! Allemaal!' – 'Behalve je moeder en je zuster dan?' Hij schokschoudert en verwaardigt zich niet eens daarop te antwoorden.

Sinds we deze middag Brugge verlaten hebben, troon ik dat Pareltje mee als een trofee waar ik behoorlijk de kam bij opsteek. Het lieve kind glimt als een ring aan mijn hand. Wanneer ik na het spektakel het Paleis verlaat en met haar naar buiten wandel, loop ik, door het noodlot gedreven, recht in de armen van Roodborstje! 'Oh, la belle Roseau!' hoor ik van alle kanten. Ik krijg een hoofd als een boei. Te laat om Pareltje weg te moffelen. Ik probeer mij te verstoppen achter een excuus. 't Is mijn kleine zusje, wil ik zeggen, iets in dien aard, let niet op haar, het stelt niets voor. Maar vooraleer ik de eerste letter van haar naam kan lispelen, zegt Roodborstje met haar liefste glimlach: 'Ik zie dat je me gemist hebt.' Dat heb ik, zij weet niet half hoeveel, ik meen het. Maar ik zou mij belachelijk maken door haar dat uitgerekend nu met zoveel woorden te vertellen. Ik ben sprakeloos.

Roodborstje heeft het gebeuren niet van in de zaal meegemaakt maar van achter de scène. Als speciale genodigde van Eustachius dan nog wel. Hij is bijgelovig, daarom moest zij in de coulissen over hem waken als zijn beschermengel. Doorheen een gordijnspleet had zij mij opgemerkt. Tussen het optreden van de dichters door had zij nog geprobeerd mijn aandacht te trekken maar dat lukte niet omdat ik meer opging in mijn eigen tortelduivenspel dan in wat zich op het toneel afspeelde. Dat is genoeg voor Pareltje, mijn flikflooimeisje, om met haar hete vingers de brij nog eens om te roeren. Een beetje te nadrukkelijk naar mijn zin. Ik wil me losmaken van haar maar zij klampt zich vast. Die laat zich deze keer in het centrum van Brussel niet wandelen sturen zoals destijds in de 'Blik en Tin'.

Terwijl we er niet uitkomen waar we naartoe zullen gaan, verdwijnt Rolfie Tonne met Naatje in de straten van de stad zonder zich om de rest van het gezelschap te bekommeren. Ik zou hen willen volgen. Noodgedwongen trek ik met de anderen naar de Dolle Mol, een bruine kroeg die wordt uitgebaat door een bloemetjesprovo, eertijds leraar aan de militaire school en steeds in onberispelijk driedelig pak gekleed, tot hij in zijn bol kreeg het gezag te ondermijnen.

De stemming zit er niet in. De Kale is niet aanspreekbaar en Eustachius zit wat tegen een bierglas te stamelen in een poging alsnog het onverstaanbare in mensentaal om te zetten. Pareltje probeert onder de tafel iets op te beuren maar ik lijk wel verlamd. Roodborstje en Coevoet spreken op gedempte toon, ze schijnen elkaar al langer te kennen. Ik hoor de naam Blijwater vallen en vang iets op over de plannen die zij heeft voor een spoedig bezoek aan Amsterdam.

Terwijl Pareltje zich even naar het toilet verwijdert, vraag ik aan Karel Coevoet over haar te waken en haar veilig terug naar

Brugge te brengen. Ik neem Roodborstje bij de hand en zichtbaar tot haar eigen blijde verrassing laat zij zich door mij ontvoeren. Voor de anderen het beseffen, verdwijn ik met haar in de
nacht.

Smokkelwaar

Mesens is opnieuw te been. Amélie Poëzie heeft er voor gezorgd dat ik hem toch te zien krijg. 't Is een schatje. Zij heeft hem de rook van de Pijp recht in het gezicht geblazen. Zijn ogen prikken er nog steeds van en hij wil dat verhaal nu ook eens uit mijn eigen mond horen, het intrigeert hem.

Helaas kan ik hem alleen mijn blote handen tonen, ik ben niet eens bij machte hem een foto van het schilderij te laten zien. Ik heb het beeld goed in mijn hoofd geprent en voor de rest moet ik mijn verbeelding laten spreken. E.L.T. heeft vast zelf genoeg fantasie om mijn verhaal in te kleuren en te raden wat hij weten wil.

Deze keer heb ik als enige gezelschap voor de reis naar Parijs mijn gitaar meegenomen. Voor Amélietje. Het is me gelukt een meeslepende melodie op een van haar ballades te componeren. 't Kwam spontaan. Geen minuut heb ik er mijn hoofd hoeven op te breken. De muziek welde op uit haar eigen woorden als water uit de bron. Ik hoop dat zij er gelukkig mee is en dat zij mij er een beetje geluk voor teruggeeft, ik kan het gebruiken. Wie weet wat er van komt, als ik haar hartje raken kan. Ik wil de emotie doen trillen in elke snaar van mijn instrument tot zij er kippenvel van krijgt. Een deuntje doet het altijd. Muziek bespaart de mens een hoop gelul.

E.L.T. Mesens zit mijn verhaal met een eigenwijs glimlachje te aanhoren. Het is blijkbaar niet de eerste keer dat iemand met een vreemde vertelling over Magritte bij hem aankomt. Er doen een hoop legendes de ronde over de kring van kunstbroeders – het Genootschap van het Mysterie – waartoe zij behoorden en waarvan Mesens een van de weinigen is die het nog allemaal meegemaakt heeft. De laatste jaren leeft hij op een eiland, heeft Amélie mij verteld. De dood, de wedijver, een nieuwe tijd en oude vrouwengeschiedenissen hebben lelijk huis gehouden tussen de roervinken van toen. Ik merk dat hij ongeduldig wordt om zelf aan het woord te komen. Ik maak het zo kort mogelijk.

Als ik mijn verhaal heb gedaan, wil E.L.T meteen van wal steken, maar verstikt bijna in een krakende hoestbui. Hij rolt met zijn ogen. Hij moet lucht putten uit de diepste afgrond van zijn longen. Steek nog een peuk op, Mesens. Rook d'r nog eentje, denk ik bij mezelf. Terwijl hij raspt en rochelt, ga ik voor het venster staan en wacht tot hij bedaart. Vanuit mijn ooghoek bespied ik hem. Hij spuwt een flinke klodder in zijn zakdoek, bestudeert grondig en langdurig het product en grijpt dan naar de hals van de wijnfles die Amélie op zijn bijzettafeltje heeft neergezet. En hopsa! Kap nog eens vol dat glas en liefst tot aan de rand om de slijmballen weg te spoelen. En om helemaal bij te komen nog een sigaretje, jawel.

Eens op stem klinkt de man als een oude bard, een overlevende uit de school van de epische vertelkunst. Zijn woorden galmen als klokken. In een kleurrijke taal beiert hij het ene verhaal na het andere uit over de tijd van Dada en zijn vriendschappen met de musicus Erik Satie, de beeldhouwer Constantin Brancusi, de kunstenaars Man Ray en Francis Picabia, alsook de dichter Tristan Tzara. Stuk voor stuk mensen die geschiedenis hebben geschreven. Niet dat hij het altijd met de nieuwlichters eens was. Hij roeide van nature uit graag tegen de stroom in. 'Ik ben een geboren dwarsligger,' schalt hij, 'met mij was het altijd kop tegen kei. De aard van het beestje!'

Met Magritte zou het niet anders zijn. Hij leerde de kunstenaar kennen in 1920, toen hij een tentoonstelling van diens werk bezocht. Hij was nog geen zeventien en pas zijn korte broek ontgroeid maar even volwassen als René die vijf jaar ouder was. Het klikte onmiddellijk tussen hen, zoals het later even gemakkelijk zou botsen, want intellectueel en artistiek zaten ze niet steeds op dezelfde golflengte. Mesens bereidde zich net voor op het conservatorium maar componeerde al sinds zijn veertiende. Hij had vooral teksten van zijn aanbeden dichters Apollinaire en Tagore op muziek gezet.

'De broer van René was ook muzikant, nietwaar?' gooi ik er tussen om te tonen dat de familie Magritte weinig geheimen voor me heeft. 'En van wie dacht u dat hij zijn eerste lessen heeft gekregen? Van niemand minder dan Edouard Louis Théodore Mesens, ici présent! Na onze ontmoeting heeft René zijn vader overgehaald om mij in dienst te nemen als pianoleraar van kleine broer Paul. Wat dacht u daarvan?' – 'Het wil lukken dat ik Paul onlangs heb bezocht met hetzelfde doel en toen heeft hij mij een tekening verkocht die Magritte van hem had gemaakt als pianist.' – 'Ha, die Paul! Nog steeds op de dool, of heeft hij intussen wat vastigheid gevonden?' – 'Hij woont op een appartement in Zeebrugge, samen met zijn vrouw.' – 'Die goeie, ouwe Betty. Hij mag zich in de hemel prijzen met zo'n vrouw.' – 'Het lijkt mij een gelukkig stel te zijn.' – 'Om gelukkig te zijn heb je niet veel nodig, jeune homme. Kijk naar mij. Op mijn leeftijd is een goede gezondheid al voldoende. Hoe is die van hem trouwens?' – 'Uitstekend zo te zien. Hij blonk.' – 'Hij liep er altijd afgeborsteld bij. 't Was een knappe jongen. Goed van hart maar geen groot licht. Een eigenzinnige knaap. Matig begaafd maar hij geloofde dat hij geweldige dingen maakte. Zijn we niet allemaal zo? Van al wat we voortbrengen, vinden we het ene al weergalozer dan het andere. Kom, laat me nog even bijvullen.'

Mesens schenkt met onbekrompen maat, tot de glazen bol staan. Bij het drinken morst hij een flinke kwak op zijn hemd en strooit daarna de as van zijn rookstok er bovenop. 'Ah, putain!' Amélie komt toegeschoten met een servet. Hij wrijft alles hopeloos door elkaar. 'Ziezo! Een staaltje van abstracte kunst. Een kind kan het. De signatuur van een meester er onder en het is een smak geld waard. Paul dacht ook dat hij een meester was zoals hij de hele dag zijn piano zat te vingeren. Hij heeft trouwens van dat getokkel zijn beroep gemaakt. Zijn ganse bestaan zwierf hij rond als barpianist. Verder heeft hij het niet geschopt. Een heel onzeker bestaan, hoor. Hij kwam nauwelijks aan de kost. Bill Buddie was zijn artiestennaam. Hij heeft het als componist van populaire liedjes geprobeerd met dingen als *Quand je t'ai donné mon cœur...* Tu vois le genre. Veel had dat niet om het lijf. René zelf had er geen hoge pet van op. Hij vond Paul maar een slome, maar 't was zijn broer. Hij hielp waar hij kon. Paul logeerde trouwens bij zijn broer toen die in Parijs woonde. De kost verdiende hij met het spelen in nachtcafés en overdag zat hij tot ergernis van Georgette constant op hun piano te hengsten.' – 'Heeft René hier lang gewoond?' – 'Een drietal jaren. Hij is naar hier gekomen zoals iedereen in die tijd die dacht dat de onsterfelijkheid alleen was te vinden in wereldsteden als New York, Berlijn of Parijs. De Fransen waren destijds en zijn ook vandaag nog overtuigd dat God in Parijs verbleef toen Hij de wereld schiep. Gezien de resultaten zal dat na een nachtje Pigalle zijn geweest. Maar soit, voor Magritte was dat geen reden om daar aan te twijfelen en toen hij in 1927 naar de Lichtstad verhuisde was dat om samen met de surrealistische broederschap de schepping over te doen en de wereld een nieuw aangezicht te geven. Nauwelijks drie jaar later keerde terug naar huis, toen bleek dat hij met doodgewone stervelingen en al hun onhebbelijkheden te maken kreeg. In 1929, het jaar dat René de Pijp schiep, voelde de paus van het surrealisme, André Breton, zich helemaal in de rook gezet en dat kon Zijne Heiligheid niet hebben. Hij keek René hier buiten.'

Mesens steekt nog een sigaretje op. 'Hoe stelt hij het verder, ce cher Paul?' – 'Ik denk niet dat hij het breed heeft.' – 'Hij heeft zijn hele leven droog brood gevreten.' Hij tankt nog eens vol om de keel te smeren. 'Drink op, dan laat ik je wat zien.' Hij neemt me mee naar zijn bureau om mij een schilderij te tonen dat Magritte van hem heeft gemaakt en dat veel zegt over de merkwaardige relatie die zij met elkaar onderhielden. Het dateert uit 1930 en stelt Mesens voor als een fijn uitgedoste meneer, helemaal in het pak, glad geschoren en netjes gekapt, met strikje en dure manchetknopen. Met een ijskoud gezicht brengt hij met een wurgkoord een keeshondje om de hals, het soort keffer waar René elke dag mee op de wandel was en er zich graag liet mee fotograferen.

'Een slachter in smoking, zo stelde hij me voor. Het beeld spreekt voor zichzelf. We waren echte vrienden, we hielden van elkaar, en toch lagen we regelmatig in stokken. Eigenlijk heb ik het niet anders geweten. 't Was zalven en slaan ons leven lang. We hebben in elkaars armen gelegen en elkaar aan stukken getrokken. Eigenlijk is er in onze houding tegenover elkaar niets veranderd sinds de tijd dat wij elkaar ontmoetten. We bleven grote kinderen. Ik meende altijd alles heel ernstig en René was een spotter. Hij had een tong als een scheermes. Maar ik ben ook niet altijd mals voor hem geweest.'

Mesens verklapt mij dat hij tijdens een van hun homerische ruzies ooit in een tijdschriftartikel had geschreven dat de vader van Magritte elke zondag met een krultang het haar van René friseerde, en dat hij er met zijn borsalino en zijn knooplaarsjes uitzag als een eerstecommuniegebak onder een kaasstolp. 'Dat heeft hij niet graag gelezen.' – 'Geef toe dat het scherp was.' – 'Het was toch mooi geformuleerd?' – 'Dat was het zeker. Maar waar kwam al die irritatie dan uit voort?' – 'Heel simpel. Ik kon hem niet vertrouwen. Hij was te hebberig. Toen ik zijn handelaar was deed hij zaakjes achter mijn rug. En van mij vond hij dan weer dat ik hem zijn rechtmatig deel niet gaf. Hij bleef dood op een halve cent. 't Was altijd wat. Met artiesten moet je leven als vrienden en rekenen als vijanden. Knoop dat goed in uw oren, jeune homme, als u het in de kunsthandel wil maken.'

Hij pauzeert even om een paar flinke slokken te nemen. 'Dat geld, jeune homme, steeds dat geld! Hoewel René het graag liet voorkomen dat rijkdom hem koud liet. Je zult weten dat hij in de beginperiode zijn verhaal vooral op relatief kleine doeken borstelde. Tot hij plots overstapte op groot formaat. Wel, ik heb hem meermaals verweten, en ik blijf het beweren, dat hij op groter formaat begon te schilderen nadat hij een contract had gekregen waarbij hij werd betaald per vierkante meter. Dan had je hem moeten zien steigeren! Dat hoorde hij niet graag! Als ik hem dat op de neus wreef schold hij me voor rot. 't Was een artistieke keuze, weerstreefde hij. Artistieke keuze? La me lachen.'

Mesens steekt nog een sigaret op. Ik doe Amélie teken een venster te openen om wat zuurstof binnen te laten. Ze trekt weerloos haar schouders op. 'Hoe dan ook,' vervolgt E.L.T. onverstoorbaar, 'was het dat niet, dan hadden we gauw wat anders bedacht om in de clinch te gaan met elkaar. Mijn eigen kunstenaarschap onder andere. Nog zoiets! Daar vond hij dus geen zak aan. In zijn ogen was ik een duizendpoot maar bleef ik een dilettant, een nul, zeg maar. Ergens had hij natuurlijk wel gelijk, maar een mens hoort het niet graag. Hij moest echter wel erkennen dat ik een crack was in het maken van tentoonstellingen. Mijn neus voor het ontdekken en aankopen van de beste kunst heeft hij steeds geprezen. Ton pif, Mesens, il n'y en a pas deux comme ça.' Zijn eigen woorden. 'Geen neus als de mijne.'

Amélie wil dat hij een proper hemd aantrekt. 'Voor wie?' vraagt hij. 'Voor jezelf, tiens.' Dat wuift hij weg. Hij wil voortgaan op zijn elan. We installeren ons weer in de salon. 'Het geruzie hield eigenlijk niet op. Ik heb Magritte ooit in een brief verweten dat hij zijn vrienden verraadde, net zoals hij met mij in verleden had gedaan. Ik wond er geen doekjes om. Voor hem waren we maar vulgaire zakenlui. Duitenpakkers, waar je geen respect voor moet opbrengen. Hij heeft mij meer dan eens in de kou laten staan. Hij verzweeg dingen, hield informatie achter. Maar opgelet als je in zijn zakken zat. Zijn goud was gewijd brood. Ik zal je een anekdote vertellen, verdomd leerrijk. Je zal meteen alles begrijpen.'

Eindelijk gaat hij zelf een venster openen om wat lucht te happen. 'Neem nu die Pijp van jou. Ik ken dat werk niet. Nooit gezien. Het kan een vervalsing zijn maar daar wil ik niet eens van uitgaan. Zonder het stuk zelf onder ogen te krijgen, zegt mijn gevoel toch dat je goed zit met dat ding. En ik zal je ook zeggen waarom. Ik heb lang gedacht dat ik al het werk van Magritte had gezien, de volledige productie, maar dat was zonder de kunstenaar gerekend. Mijn ogen zijn voorgoed opengegaan in 1954 toen ik in New York was voor het opzetten van een historische expositie van zijn woordschilderijen die hij gemaakt had tussen 1927 en 1930, de periode waarin ook 'Ceci n'est pas une Pipe' is ontstaan. De tentoonstelling werd georganiseerd door Sidney Janis, een heel ernstig en gereputeerd galerist. Tot mijn opperste verbazing zie ik daar twee versies hangen van een beroemd stuk, *Die Traumdeutung*! Twee! Ik kende het originele werk maar van een andere versie had ik zelfs nooit gehoord. Er was nergens een spoor van, het was nooit vermeld, niet in een cataloog of in gelijk welk andere publicatie ooit afgebeeld.'

E.L.T. neemt een boek uit het rek en toont mij de afbeelding van *Die Traumdeutung* uit 1927, een sleutel tot onze dromen, waar

Magritte de hemel voorstelt als een handtas, een vogel als een knipmes, een tafel als blad en een spons als een spons.

'En luister nu goed. Alle schilderijen van Magritte waren zogezegd door mijn handen gepasseerd, allemaal zonder uitzondering! Ik had immers bij Jean Milo zijn hele collectie gekocht. Of niet soms? En achteraf was ik zijn handelaar gebleven. Bij die twee versies van *Die Traumdeutung* stond ik eensklaps in het duister te tasten. Ze waren allebei zuiver op de graat, maar de oorsprong van een ervan was dat veel minder. Ik wist niet eens dat ze bestond! Het kon niet anders dan smokkelwaar zijn, een product van de zwarte markt. Sidney Janis had het kort voordien aangekocht van een tussenpersoon die het op zijn beurt had van een handelaar uit Parijs. In zijn cataloog situeerde hij *Die Traumdeutung* in 1930 en de tweede versie in hetzelfde jaar met de toevoeging N° II in Romeinse cijfers. In werkelijkheid was het al drie jaar eerder, in 1927, geschilderd en verkocht. Bedrog van de kunstenaar zelf, misleiding van zijn handelaar, ici présent. Dat ben ik achteraf met zekerheid te weten gekomen van de verzamelaar die het toen heeft gekocht.'

Volgens Mesens zou precies hetzelfde kunnen gebeurd zijn met mijn variant van La Pipe. Langs de eigenaar, aan wie hij de eerste versie van *Die Traumdeutung* had verkocht, was hij op het spoor gekomen van de verkoper van de tweede versie, ene Camille Goemans, een concurrerende galerist en dichter in zijn vrije uren, die dikke mik was met Magritte. 'Die verzensmid zat niet om een woord verlegen. En, net zoals onze schilder, om een bedrog evenmin. Il m'a baisé, ce cher René! Genaaid heeft ie me! En niet één enkel keertje, maar deze keer stond ik er wel met mijn neus bovenop.' – 'Is die Goemans nog in leven?' vraag ik met in mijn achterhoofd de gedachte die meneer op te snorren om bij hem de levensloop van La Pipe te achterhalen. 'Neen, hij is in 1960 al gestorven.'

Mesens heeft binnenpretjes. Hij grijnst van genoegen. 'In 1931 heb ik die Goemans toch een flinke loer gedraaid. Als ik er vandaag aan terugdenk, geniet ik nog van de wraak. Die sjacheraar had een geldschieter. En op een dag ging die mooie meneer er met de minnares van Goemans vandoor. Het lief weg, de geldkraan dicht en als toemaatje de economische crisis. Onze poëet was verplicht zijn galerie te sluiten. Om hem nog wat dieper in de grond te stampen, organiseerde ik als de wervelwind een tentoonstelling van Magritte in mijn eigen galerie. Het was een gelegenheid om de definitieve terugkeer van de kunstenaar uit Paris te vieren. 't Werd een surrealistisch spektakel. Alles was in duisternis gehuld en enkel bij het licht van een reuzenkaars werden de bezoekers verwelkomd door een paar lakeien in rode jassen en witte broek, hun haar was rood geverfd en hun gezichten groen geschilderd. De genodigden werden naar een bar geleid en volgegoten met korte drank. Even na middernacht gingen de lampen aan en werden de sluiers gelicht waarachter de kunstwerken verborgen zaten. Ik zal je de orgie niet beschrijven die doorging tot de morgenstond. En ondertussen kon die schooier van een Goemans van pure ellende zijn krent afvegen met zijn gedichten.'

Mesens staat wat dromerig uit zijn ogen te kijken. 'Het enige wat ik ooit met dat onderkruipsel van een Goemans had willen delen was zijn vrouw, de aanbiddelijke Sacha Gigirinsky, een Russin. Een beeld van een vrouw. Eén brok Slavisch vuur. Groot, blond en weelderig van vorm. Paul Delvaux heeft van haar in 1945 een statig portret geschilderd. Tegen de achtergrond van een lustprieel zit zij wat ongemakkelijk op een stoel, heel waardig gekleed met een bloemenhoed op het hoofd en de handen gelaten gevouwen in haar schoot. Er ligt een diepe weemoed in haar ogen en een wat mistroostige trek om haar mond. Mystificatie, mon cher! Haar ware ziel wordt door de kunstenaar ontbloot in een aantal werken uit die periode. Wie goed toekijkt ziet haar rond die tijd stralend naakt, enkel getooid met bloemen in het haar of met losse manen, door de droomlandschappen van zijn naaktschilderijen kuieren.'

Omdat Jean Milo me naar hier heeft gestuurd wil hij dat ik hem bij mijn terugkeer de groeten doe. De sfinx noemt E.L.T. hem, omwille van zijn starre oogopslag. Hij haalt nog wat herinneringen op aan de man. 'Milo was in dienst van Le Centaure. Hij heeft mij daar toentertijd als manager vervangen en voor een jonge knaap heeft hij behoorlijk werk geleverd. Dat contract met

Magritte was tijdens de economische malaise nog een extra molensteen aan de hals van de galerie. Milo heeft dat elegant opgelost. Ook de voorraad van Tatave heeft hij me toegespeeld.'

De voorraad van Tatave... Amélie geeft mij een knipoog. We zijn op een gevoelig punt aangekomen. Met Tatave bedoelt hij Paul Gustave Van Hecke, in zijn tijd de drijvende kracht achter de nieuwste kunstbewegingen in de Belgische hoofdstad, van wiens mooie vrouw Norine onze vriend Mesens de minnaar is geweest. Hij was toen nauwelijks twintig. Norine was een merkwaardige vrouw, een grote couturière, die een eigen en gedurfde mode wist te creëren op het ogenblik dat iedereen Parijs na-aapte. Een dame die de harten niet onberoerd liet, want ook Paul Magritte heeft een lied voor haar gecomponeerd in die tijd, toen de blues volop in de mode waren: Norine Blues. Op tekst van ene René George, alias René en Georgette Magritte.

Toen Mesens zijn minnares Nono beu was, stuurde hij haar weer naar haar echtgenoot en ging er met zijn collectie vandoor. Correct betaald, daar niet van, maar niettemin handig afgetroggeld. Tatave was niet meer bij de werken. Ik wist van Amélie dat Mesens daar na de tweede fles wijn graag over opschepte. En daarbij vergat hij vooral niet te vermelden hoeveel miljoenen hij daardoor waard was.

Wanneer ik mijn eigen opvatting toelicht over de tekst 'Ceci n'est pas une pipe' die onder de pijp staat geschreven, schiet Mesens in een luide lach. 'A blow job? Heb je dat gehoord, Amélie? Zou dat de verklaring zijn van het raadsel?' Zij krijgt er alleen rode oortjes van, Amélie Poëzie. E.L.T. vindt mijn uitleg even zinnig als elke andere en iedere interpretatie daaromtrent zou Magritte zelf hebben aangemoedigd door eens fijntjes te lachen. De waarheid is een valstrik die we met het nodige mysterie bedekken om er niet botweg in te trappen.

Mijn opvatting als zou Magritte niets anders hebben bedoeld dan pikzuigen, wanneer hij een pijp schildert waarvan hij tegelijkertijd beweert dat het geen pijp is, kan zelfs recht uit de brief komen van de schilder aan de dichter Paul Colinet die in de dertiger jaren de minnaar was van Georgette en waarin hij schreef hoe hij zijn vrouw lekker moest maken. De snaak! 'Geloof het of niet, jeune homme, die brief bestaat. Onder vrienden sprak René daar openlijk over. Hij was er nog behoorlijk trots op ook. Tot Georgette er mee dreigde hem voorgoed te verlaten. Dan ging hij wel anders fluiten.'

Als Georgette ter sprake komt vertel ik hem mijn ervaring met de gouache die ik aan Salmèk had verkocht en die zij voor vals verklaarde. Weer kan hij zijn lach niet bedaren. Die hufter van een Salmèk kent hij. 't Is een schurk in zijn ogen, een waardeloze vent. En Georgette... Hij zit wat voor zich uit te staren. Amélie begint te blozen als een kriek als zij mij aankijkt, hopend dat ik niet te berde zal brengen wat zij mij heeft toevertrouwd. Dat was onder ons en het moet onder ons blijven. Toen zij net weduwe was geworden heeft Georgette een huwelijksaanzoek van Mesens afgewezen en dat moet hem niet lekker gezeten hebben.

'En Georgette... Na de dood van haar man is het arme mens beginnen denken dat zij tussen al de vleiers en profiteurs de plaats van Magritte op aarde had ingenomen. Weet je wat er onlangs in een Brusselse galerie is gebeurd? Tijdens de vernissage van een expositie met gouaches van Magritte was zijn eeuwenlange vriend Scutenaire aanwezig die de hele mikmak ontmaskerde als vulgaire vervalsingen. Zonder de waard gerekend! De uitbater kwam aandraven met de documenten waarin Georgette die prullen voor echt en heilig had verklaard. Dus als ze die gouache van u onder ogen kreeg zal zij bij zichzelf hebben gezegd: Hola! Geen tweede keer! Onder ons gezegd en gezwegen? Goed of slecht, zij ziet het verschil niet. Ik vraag me af waar ze haar hele leven heeft naar gekeken.'

Aan de wand hangt een foto van Magritte op wandel met zijn bolhoed op het hoofd en zijn dwergkees aan de leiband. 'Misleiding, zelfs die foto is misleiding,' zegt Mesens, 'hij maakte er een sport van de wereld te misleiden. Hij nam met iedereen een loopje als het ging om zijn legende. Hij droeg een deukhoed zoals jan en alleman. Alleen als er een journalist in de buurt was zette hij zo'n halve zwarte meloen op zijn kop omdat hij de bolhoed in zijn werk vereeuwigd had. Zoals hij graag zijn kunsthandelaars misleidde. Hij antidateerde zijn werken om stiekem aan verzamelaars te kunnen verkopen in de periodes dat hij onder contract stond. Hij geilde op geld maar spuwde gif naar elke kunstenaar van Pissodroom Duchamp tot Broodthaers, Marcel la Moule zoals hij hem noemde, omdat zij zich lieten corrumperen door het kapitalisme. En contradictorisch genoeg hield hij zelf een schuldcomplex over aan het feit dat succes en erkenning hem welstand hadden gebracht. Het gaf hem het gevoel dat hij zich had vergist. Magritte voelde zich beter in zijn vel toen hij arm was. Met geld ging hij zich voelen als een geslaagde zakenman, net het soort waar hij een hekel aan had. Het veranderde hem in een zure appel.'

'En Blijwater, meneer Mesens? Hebt u ooit van Blijwater gehoord?' – 'De naam is mij niet onbekend. Een jood, nietwaar? Zegt mij iets, maar ik heb nooit zaken met hem gedaan. Heeft hij iets met die rechte pijp te maken?' – 'Ik vermoed het maar ik weet niets met zekerheid.' – 'Kunt u hem dat zelf niet vragen?' – 'Niet meer, helaas. Hij is verdwenen tijdens de oorlogsjaren.' – 'En aan Goemans kan je het ook niet meer vragen. Die had anders redelijk wat introducties bij de kinderen van David.'

Ik wil Mesens uitnodigen voor het avondmaal maar hij geeft er de voorkeur aan thuis te blijven. Hij heeft trouwens helemaal geen honger. Hij trekt zich terug in zijn slaapkamer met een fles wijn en een glas. Met Amélie trek ik de stad in. Na het eten wil zij mij meenemen 'en boîte'...

Sofie Vierkantswortel

Naatje gaat het maken, daar is kunsthandelaar Karel Coevoet vast van overtuigd. Laat haar kale mentor zich tevergeefs de schedel opblinken, zij zal hem in succes verre overtreffen, beweert hij onomwonden, maar ik mag aan niemand zeggen dat ik dat van hem heb, om op geen zere tenen te trappen. Renata heeft een aangeboren gevoel voor de plastische taal, Post Scriptum daarentegen blijft een man van het woord, een literator. Hij vertelt eendere verhaaltjes op doek als in zijn teksten. Dat mag allemaal, maar je moet ze op een andere manier zichtbaar maken. Een penseel is geen pen, dat heeft zijn eigen taal en gehoorzaamt aan zijn eigen wetten. Met het penseel moet je niet teveel tekst en uitleg willen geven. Je moet proberen een spanning tussen vorm en kleur op te bouwen en de toeschouwer zelf het raden laten naar wat je wil uitdrukken. Dixit Karel Coevoet.

Hippe Karel heeft Renata een deelname voorgesteld aan een gezamenlijke tentoonstelling voor opkomende talenten in zijn Amsterdamse galerie. Hij heeft haar verzekerd dat hij over de beste introducties beschikt bij pers en musea. Die knapen eten uit zijn hand, als je hem zo hoort. Het zou voor haar wel eens een knal van een start kunnen worden.

PS is niet van de partij. Hij voelt zich over het hoofd gelopen en mokt alweer. Zijn troon wankelt, niet alleen in de schrijverij, maar blijkbaar ook in het schildersvak, en dat steekt hem, maar Coevoet heeft er zich vanaf gemaakt met het argument dat hij zich als geconsacreerd kunstenaar niet tussen debutanten mag mengen. Zijn ster moet schitteren, niet verbleken. Daarmee blaast hij het ego van de Kale net genoeg op zodat er voldoende lucht in blijft om niet van pure ontgoocheling in één zucht leeg te lopen.

Want hoewel zijn geloof in eigen kunnen als plastisch kunstenaar onmetelijk is, verteert hij het gemis aan erkenning niet van al wie in de branche wat betekent. Deze gelegenheid zou de gedroomde kans zijn geweest om zich in het buitenland te profileren en de inlandse markt van halfblinden een neus te zetten. Hij was van plan zijn prijzen meteen te verdubbelen en dan het gerucht te lanceren dat zijn hele handel al was uitverkocht nog voor de officiële opening. De kopers rukten zijn spullen gewoon van de muur! Ze sloegen hem met bankbiljetten om de oren! Ze vochten er om! Dat zou hij aan de wereld verkondigen. Zelfs de grootste sceptici zouden niet meer om hem heen kunnen. Zijn marktwaarde zou meteen gevestigd zijn. Poen is voor hem de maatstaf. Zolang zijn talent niet in harde munt wordt verzilverd, vindt hij zichzelf niet geslaagd.

Om de Kale toch in zijn waarde te laten heeft Coevoet hem gevraagd het woord te voeren tijdens de vernissage en de debutanten aan het publiek voor te stellen, maar Post Scriptum ziet zichzelf nog niet openbaar de lof zingen van het jonge volkje dat hem naar de kroon steekt. Hij wil wel het feest opluisteren met het voorlezen van eigen gedichten, minstens tien. De keizer moet krijgen wat hem toekomt, maar dat wil Karel dan weer niet. Alle aandacht moet gaan naar de door hem ontdekte talenten.

Er wordt overeengekomen dat PS en Eu elk drie poëmen van eigen makelij zullen voordragen en dat ik, om het geheel niet al te plechtig te houden, de vrolijke noot zal blazen door het zingen van enkele losbandige liedjes, mezelf begeleidend op de gitaar. Dat is een idee van Renata. Zo ontstaat een artistiek evenwicht waarmee ook de exposanten tevreden zullen zijn. Ik ga direct akkoord.

Een reisje van enkele dagen naar Amsterdam zie ik meteen zitten. Vooral omdat ik de heimelijke hoop koester daar, in het spoor van de dichtertweeling, mijn muze terug te vinden en dan voorgoed met haar te ontsnappen, zwevend op een wolk over het land van de Grote Rivieren, naar een of ander liefdesparadijs. Daarvoor zal ik echter moeten rekenen op de voorspraak en de goodwill van de Kale en de Dove en dat zit me niet lekker. Als ik haar naam uitspreek krijgt de ene een punthoofd en blijft de andere niet aan één maar aan beide kanten doof. Als het om Roodborstje gaat, zweren ze samen, PS en Eu, in naam van Papa. Hufters!

Ze weten niet wat ze me daarmee aandoen. Zij snijden mijn tong af, ze smoren mijn stem, want zonder haar kan ik niet zingen. Het gaat me elke dag wat moeilijker af. Voorheen streelde ik mijn gitaar als de vrouw waar ik van hield en zij beantwoordde mijn liefkozingen met bedwelmende melodieën. Onder mijn vingers kwam zij tot leven, zij liet zich naaien als een minnares en de roes, waarin zij mij brengen kon, heeft geen meid mij ooit gegeven. Ik liet haar zingen en zuchten. Samen hebben we gelachen en gejankt. Samen zijn we vaak dronken geworden. Zij troostte me als ik in de shit zat. Uit haar put ik mijn hoop en kracht in donkere dagen, als ik vertwijfeld op zoek ben naar Roodborstje, het magisch licht in mijn duisternis, mijn duisterlicht.

Op het klankbord van mijn vedel had ik Renata gevraagd iets te schilderen dat met liefde te maken had. 'Hoezo, met liefde?' – 'Gewoon, met liefde.' Ze keek me aan, stelde verder geen enkele vraag, ze had me meteen door. Zij weet al langer wat er met me aan de hand is en kan me daarbij van geen enkele hulp zijn. Ik moet er zelf maar uitkomen. Ik heb mijn gitaar bij haar achtergelaten omdat zij niemand rond zich heen wil als zij het penseel hanteert.

Toen ik het instrument terug ging ophalen had zij er een rode vlek van onbestemde vorm op geschilderd, omgeven door kleinere vlekken en spatten, aangebracht met een driptechniek. Het kon een bloedend hart zijn waar het leven uit weg druppelde onder de vorm van tranen. Of gemorste wijn. Zelfs een tere roos die door een woeste wind was mishandeld en halfnaakt achtergelaten. 't Was pure kitsch maar 't was raak. 'Een rode vlek?' – 'Een rode vlek. Gewoon een rode vlek.' Toen ik haar vroeg wat ik me daar moest bij voorstellen, antwoordde Renata enigmatisch: 'Niks.'

Ik wil het allemaal zelf meemaken. We rijden samen naar Amsterdam, Renata en ik. Zij is goed gezelschap. Bagage mee voor enkele dagen want we willen ook wat van de stad zien. Haar schilderijen zijn al vertrokken in de bloemenbak van de Hippe maar we hebben beloofd een handje toe te steken bij het ophangen van de werken. Ik wil haar op de beste plaats.

Ik vind een hotelletje vlakbij het Rijksmuseum, niet ver van de galerie en in de buurt waar Coevoet woont met zijn vrouw en de zeven geitjes. Intussen is er een geitje bijgekomen of, beter gezegd, een bokje, net als zijn vader. De koningswens van pater Coevoet is in vervulling gegaan. Om verdere uitbreiding van de stal te voorkomen is mevrouw Vierkantswortel nu aan de pil. Als gezagstrouwe katholiek had Karel daar eerst principieel bezwaar tegen gemaakt maar het vrouwtje vond dat het welletjes was geweest. Het was de pil of de deur ging dicht. Zij dreigde ermee voorgoed en vrijwillig de kuisheidsgordel aan te gespen en de valbrug neer te halen zodat hij verder alleen op kruistocht moest.

Ik kijk mijn ogen uit als ik haar na al die tijd terugzie. Mevrouw Vierkantswortel, eens het voorwerp van onze natste jongensdromen, heeft een transformatie ondergaan. Reeds in haar oudmodische, zedige kleedjes, bracht zij onze hoofden op hol. Toen reeds glinsterden haar ogen als splinters van sterren. Toen een gesmoorde vulkaan, nu pas uitgebarsten in al zijn pracht. Sofie, zo heet zij met haar meisjesnaam, is er met de jaren alleen maar mooier op geworden. Een weelde om te zien. Het werpen is haar wel bekomen. Zij draaft ongegeneerd door het huis met een rokje tot aan d'r reet, met haar tieten bloot, terwijl die koter met zijn gulzig bekje de ene en met zijn teentjes de andere tepel bewerkt. Bekijk me die lenden! Zie me die achtersteven aan! Zo vol, zo roze en sappig als verse ham. Wat een stuk! Je geeft het haar niet aan dat ze ooit een kind heeft gebaard. Geen spatadertje op die slanke benen, geen valse plooi in die gladde buik, geen gram cellulitis. Strakke en gespierde dijen die je in de tang kunnen nemen als een bankschroef. Geen wonder dat die pater daartussen zijn hoofd is kwijtgeraakt.

Het is een vrolijke bende in dat toch niet zo ruime Coevoethuis maar Sofie dirigeert dat luidruchtige volkje als een koor. Er valt geen enkele valse noot te horen. Na nog geen halfuur heeft zij mij, zonder het uit te lokken, al behoorlijk opgewonden. Ik vergeet er zowaar Roodborstje bij en trek mij terug in het toilet van de goedezedenpater om van pure drift zowat mijn arm uit de kom te rukken bij het beeld van een moeder met acht kinderen. In gedachten bewerk ik haar kont tot zij er uitziet als een apenreet.

Ik heb het zwaar te pakken en de bui trekt niet over in een twee drie. In het hotel lok ik Renata met een of andere stomme smoes naar mijn kamer om het met haar te doen. Met de al even stomme smoes dat zij ongesteld is, poeiert zij mij af. Zij heeft meteen de hele situatie door. Niet op haar hoofdje gevallen, dat Naatje. 'Ik heb je wel zien lonken naar die patersvrouw. Het stak de ogen uit. En trouwens, we moeten maar eens en voorgoed klare wijn schenken tussen ons beidjes. Ik ben bij Rolfie en voel me goed bij hem. Hij verdient niet dat ik hem horens op zet. En zeker niet met iemand die hij als zijn beste vriend beschouwt.' Ons Naatje wil alleen nog vrijen uit liefde en niet meer gepakt worden als een hondenteefje. Ik ben er vet mee. Ze spelt me de les. Ik moet niet denken dat ik me zomaar kan gerieven.

Ik kan het vuil spelen en haar verklappen dat haar geliefde Rolfie naast de pot piest. Dan valt ze gegarandeerd jankend in mijn armen en is zij zo getroost, maar ik kan toch mijn vriend niet verraden? En als ik haar eens herinnerde aan haar slippertje met de Kale in de bloemenbak van Coevoet op onze trip naar Brussel? Wat zou Rolfie daar van vinden? Ik ben niet vies van een beetje chantage maar houd mijn klep dicht om de sfeer hier voor haar niet te verpesten. 't Is een goeie meid, ze verdient het niet.

'Je weet dat ik een boontje voor je heb,' zegt ze, 'maar ik wil geen surrogaat zijn.' Zij wil eindelijk eens weten wie er in mijn hoofd en met mijn hart speelt. Ik tracht haar in de fuik van mijn gitaarspel te lokken maar Renata laat zich niet vangen. Ook met muziek kan ik haar niet overtuigen.

Sinds Roodborstje mij in de straten van Brussel na de Nacht in het Paleis verdoold heeft gespeeld, zijn mijn snaren hun ziel kwijt en ik mijn stem. Aan welke demon is zij toen plots ten prooi gevallen om mij voor de zoveelste maal haar spoor bijster te maken?

We hadden nog maar net de Dolle Mol verlaten of ze zat al bovenop mij, in zo'n achterafsteegje dat niet eens een naam heeft, het soort hotel voor honden en daklozen. Zij was witheet en wilde me afwerken in een mum van tijd, maar ik wilde met haar naar een echt bed. Ik wilde haar de gehele nacht voor mij alleen, haar alles geven wat zij mij vroeg. Het mocht me de kop kosten.

Wij dus op zoek naar een hotel, zij zocht ijverig mee. Toen ik dacht eindelijk onderdak te hebben gevonden, stuurde zij mij alleen naar binnen om een kamer te boeken. Terwijl ik mijn naam op een fiche aan het invullen was, ging zij ervandoor. Net zoals op dat kerkhof waar wij onder ons beidjes de Groote Oorlog hadden overgedaan.

's Anderendaags heb ik me nog een aap geschrokken toen ik in het televisiejournaal de gevel van datzelfde hotel uitgebreid in beeld zag komen. In een van de kamers waren twee vuilniszakken volgepropt met valse dollarbiljetten gevonden. Van de boeven geen spoor. Misschien lag de politie daar wel in een hinderlaag. De flikken konden me voor hetzelfde geld in de kraag hebben gepakt en een nachtje in een cel te koelen gelegd.

Wat heb ik me toen rot gevoeld. Sindsdien ben ik zonder nieuws van haar. Niet meer gehoord of gezien. Ik probeer haar uit mijn hoofd te zetten maar het lukt niet. Telkens als ik mijn droom de deur uit jaag, komt hij als een nachtmerrie terug. Zij is mijn spook.

Ik heb toegezegd op de vernissage enkele nummers te brengen om er eens uit te zijn en Renata een plezier te doen, maar ik vrees dat ik er weinig van bak. Sinds de paleisnacht heb ik het gevoel dat mijn stembanden en de pezen van mijn vingers zijn doorgeknipt. Ik vind de juiste toon niet noch de juiste woorden. Het wordt een makke vertoning, dat kan ik zo voelen, maar ik neem het mee als een welgekomen afwisseling. Misschien gebeurt er iets dat een onverwachte draai geeft aan mijn leven. Het is het onbekende dat een mens op adem houdt. Hij blijft zoeken, tegen beter weten in, ook al gelooft hij niet meer dat er nog wat te vinden is. De queeste alleen al maakt het de moeite waard.

Met de aankomst van Rolfie Tonne in Amsterdam mag ik een definitief kruis maken over een ritje met Renata. Binnen het uur is zij van haar ongesteldheid genezen en ze laat het nog blijken ook. Terwijl ik mij klaar maak om naar de vernissage te gaan voert zij met lovely Rolfie een luidruchtig nummertje op in de kamer die aan de mijne paalt. Ik wil niet weer aan Sofie Vierkantswortel denken. Door overtollig handtastelijk werk loop ik het gevaar mijn ruggenmerg leeg te melken, zoals mij eertijds door pater Coevoet en consorten werd onderwezen.

Exit Eustachius

Vernissage in de Lege Ruimte. In de grote en de kleine zaal op het gelijkvloers hangen de schilderijen, in de kelder, die langs een wenteltrap is te bereiken, zijn de beeldhouwwerken opgesteld. Karel Coevoet heeft de zaak goed aangepakt. Hij heeft zich geen moeite ontzien. Het lijkt wel alsof hij de halve stad heeft geronseld. Voor de exposerende dames heeft hij zelfs bloemen laten aanrukken. Alles loopt op zijn vlotst bij een natje en een droogje in een opgewekte en gemoedelijke sfeer.

De verrassing van de avond komt op mij afgereden in een rolstoel. Daarin een dwerg met de smoel van een ratelslang en een been in het gips dat hij als een stormram voor zich uitsteekt. Een agressief klein stuk vreten, amper anderhalve meter groot, maar heel prominent aanwezig. Hij schreeuwt iedereen opzij. Je kan maar beter uit de weg gaan als hij komt aangewield.

Iedereen denkt dat het om een act gaat en speelt het spel mee. Hij krijgt alle ruimte. Zijn enorme hoofd ligt genesteld tussen de borsten van de vrouw die zijn kar duwt en dat zijn niet minder dan de beroemde moorkoppen van Melodie, de ex-vriendin van Pêche-Merle, die ik onlangs een bezoek heb gebracht in de Warme Landen met de bedoeling zijn adresboekje in handen te krijgen. Ik heb haar meteen herkend aan haar tieten. Bij het zien van haar gezicht was ik haar waarschijnlijk gewoon voorbijgelopen, het is zwaar opgemaakt. 't Is haast een masker dat zij draagt, meelwit met overwegend zwart om de ogen en een bloedrood mondje. Ze glimlacht naar mij en Rolfie.

De Hottentot zet zijn keel open omdat we niet snel genoeg opzij springen. Hij beveelt zijn nurse ons onderuit te rijden maar Rolfie zet zijn grote voet tegen de steun en blokkeert de kar. Halte là, kameraad! Jij gaat nergens naartoe. Wij willen graag eerst een praatje maken met de dame. De wielman laat zich uit zijn kar zakken en blaast zichzelf op als een kikker. In zijn veel te wijde kleren, met zijn baard, zijn neusknijper, zijn gekke hoedje en steunend op een wandelstok wil hij volgens Rolfie te verdacht veel op Toulouse-Lautrec lijken. Hij vraagt dan ook aan het gedrocht: 'En wie mag jij wel zijn, Toulouse?'

't Is Pim Pee. De performer die zijn doeken uitspreidt over de grond, vervolgens borst, buik en billen van zijn modellen insmeert met verf en die meiden dan over het linnen doet kronkelen terwijl hij ze ruggelings berijdt en gratis van katoen geeft. Antropokinese, noemt hij zijn kunstjes. Bewegingen van het menselijk lichaam met andere woorden. Hij weet er met zijn onooglijk lijf maar zijn ongetwijfeld geduchte kwast de wereld behoorlijk mee aan het tollen te krijgen. Melodie vertelt dat hij onlangs een poot heeft gebroken bij een van zijn artistieke experimenten. Van een weerspannig model gedonderd, als je 't mij vraagt. Wat weer eens bewijst dat kunst niet zonder gevaar is.

Melodie is heel verrast me hier aan te treffen en dat is die dwerg ook opgevallen. Hij wil weten waar we mekaar van kennen. Hij is duvels jaloers. De arme meid is nog maar pas onder de ene slavernij uit of ze ligt al aan de ketting bij een nieuwe tiran. 't Is een geboren slachtoffer. Ik geef Rolfie een knipoog om Toulouse in draai te houden zodat ik een woordje kan wisselen met Melodie. Hij snapt het onmiddellijk en begint gul bloemen te gooien naar het oeuvre van Hittepetit waarvan hij nog geen penseelstreek gezien heeft. Het mist zijn effect niet. Pim Pee denkt al direct een koper aan de haak te hebben en geeft driftig uitleg over zijn Antropodinges.

Ik vraag Melodie hoe het nu zit met dat begeerde adresboekje van Pêche. Zij bekent mij dat zij het aan Pim heeft gegeven op de dag dat zij bij hem is ingetrokken.

Het was een van de voorwaarden. Zij heeft gekozen voor bestaanszekerheid. Hij weze dan een schreeuwlelijk en een onderdeur, Pee is van goeden huize, van héél goeden huize. Daarom heeft hij ook zoveel noten op zijn zang. De schaduw van Pee biedt haar meer lommer dan het schemerlicht van een baancafé. Ik geef haar geen ongelijk want het beste is er af, zij is op haar retour.

En Hottepetot heeft het ook goed bekeken. Met Melodie beschikt hij over een gratis en gewillig model waarmee hij op zijn zogenaamde happenings kan uitpakken en sinds kort over een benijdenswaardig klantenbestand om zijn rommel te slijten. Hij stelt zelfs voor om later op de avond een live optreden te verzorgen met zichzelf en Melodie in de hoofdrol. Hij heeft steeds linnen, verf en kwasten in de auto liggen voor het geval de gelegenheid zich voordoet. Hij heeft alles bij de hand, zowel atelier, materiaal als model en kan overal en op elk ogenblik een demonstratie van zijn kunnen geven, of het nu zij op een straathoek tijdens een jaarmarkt of op zondag in de kerk. En die gebroken voet zal hem worst wezen.

Melodie laat me verstaan dat ik, mits een soort gouden handkus, aan een kopie zou kunnen komen van het Pêche-Merleboekje of gedeeltes ervan die ze voor de zekerheid eerst heeft laten kopiëren. Toulouse krijgt ook maar mondjesmaat informatie over de belangrijkheid van de namen die het bevat. En de herinnering van Melodie functioneert de ene dag al beter dan de andere. Zij past wel op. Het is haar al te vaak overkomen dat zij het vel van de beer veel te vroeg verkocht.

Zij zijn hier vandaag vooral aanwezig om mensen te ontmoeten wiens naam in haar fameuze boekje voorkomen, en vooral om het portret te bekijken dat Ding Dong, een Chinese kunstenaar en liefhebber van vrouwelijk schoon van haar in opdracht van wijlen Louis Pêche-Merle heeft geschilderd. De Chinees werkt volgens de eeuwenoude techniek van waterverf op rijstpapier en heeft zeeën en continenten doorkruist om hier een reeks van westerse schoonheden te vereeuwigen. Ik had al een kijkje op voorhand kunnen nemen en een praatje met hem gemaakt. Leuke vent. Vanuit zijn spleten gezien leken al onze vrouwen schepselen die aan de grondslag lagen van de zondeval. Wijven die je moest bekijken met één hand in je broekzak. Geile grieten die in elke appel beten. Het sociaal-realisme was duidelijk niet aan hem besteed want één enkele Rode Gardiste zag je al die kleurenpracht niet plat marcheren.

Om modellen te lokken had Coevoet hem op het idee gebracht een advertentie te plaatsen in verschillende kranten. Hij stond versteld van het aantal antwoorden. Nochtans logen die lokkertjes er niet om. Ze moesten uit de kleren, die meiden. Hij wilde naaktmodellen, niets anders, en ze konden niet mooi genoeg zijn. Wat het hem deed was de vermelding dat die besjes de eer hadden te mogen poseren voor een heel beroemde schilder. Hij stelde zich niet bescheiden op maar dat mag ook niet als je alleen het beste wil. En bovendien kon een veelgeprezen artiest zich veroorloven die meestal nooddruftige nufjes met een aalmoes tevreden te stellen. Het klassieke kluitje in het riet. Zich koesteren in de glans van zijn roem was al meer dan ze mochten verwachten.

Ze waren er bij bosjes op afgekomen. Hij had maar te schiften, de ene zag er al beter uit dan de andere. En ze bleven maar aanschuiven. Wat moest hij met al die meisjes? Hij wist er geen blijf mee. En bovendien bleken een niet gering aantal van deze schoonheden speciaal gekomen om zich door een beroemdheid te laten naaien. Sindsdien heeft hij zich het vlees van de graat geneukt.

Hij kan het wel, ik moet het hem nageven. Voor het portret van Sofie Vierkantswortel val je gewoon in zwijm. Haar ogen schitteren als parels. Haar exuberante vormen, even rond en sappig als watermeloenen, zitten losjes verpakt in een veelkleurige kimono. Een weelde van vlees met gulzige openingen. Vandaag wordt mij geen enkele bekoring bespaard.

De werken van Ding Dong zijn in de kleine zaal opgehangen. Met het portret dat hij van Melodie heeft geschilderd, heeft Pim Pee de grootste moeite. Het lijkt wel een Chinese pimpelmees. Hij trekt er zijn neus voor op. Hij durft niet anders dan monkelend toegeven dat het een uiterst geslaagde weergave is maar voegt daar onmiddellijk aan toe, het kon niet uitblijven, dat de maker naar zijn inzicht toch niet het diepste wezen van zijn lief heeft weten te vatten.

Wat begrijpt die wortelsteker dan wel dat een ander niet zou snappen? Hij likt zijn lippen om beter zijn gif te kunnen spuiten. Om te beginnen was op die weelderig begroeide boskut van Melodie geen pijltje haar overeind gebleven. Glad geschoren en even naakt als een kindermuis heeft hij haar geschilderd. Dat ergert hem. Daar zou hij niet aan willen! En hebben jullie die borsten gezien? Het lijken wel koeienuiers! Melodie heeft peertjes waarmee je nauwelijks één hand vult. Roomsoezen! Hij heeft een totaal vals beeld van haar opgehangen. Elke verhouding is zoek. Niet alleen uiterlijk had hij er met zijn pet naar gegooid, de ziel heeft hij evenmin kunnen vatten. En daar gaat het toch om? Of niet soms? De ziel, mijne heren. Waar was de ziel? Die moet een kunstenaar met de punt van zijn penseel kunnen kietelen om ze de toeschouwer stralend toe te laten lachen. De ziel moet als het ware uit de achtergrond opstijgen als een zon en omheen het figuur een aura toveren die eigenlijk niet met het blote oog te zien is maar zelfs door een blinde duidelijk waar te nemen. Nou, moe! Als toetje had Ding Dong er in de rechterbovenhoek heel ontoepasselijk een portretje van PéPé Rubens en Hélène Fourment aan toegevoegd. Nee maar! De schilder van het Heilige Vlees boven zo'n mager uitgevallen besje! Snappen wij wat hij bedoelt? We moesten maar eens een bezoek brengen aan zijn atelier om dat te begrijpen. Hij zou ons een staaltje van zijn kunnen laten zien.

Naatje komt ons dol van geluk melden dat zij drie van haar werken heeft verkocht – de fantasmagorische voorstellingen die zij tot vandaag voor iedereen verborgen had gehouden en waarvan ik ooit al een glimp had mogen opvangen – twee uitnodigingen op zak heeft voor een tentoonstelling in Utrecht en Eindhoven, plus een opdracht van een multinational. Zij wordt van alle kanten gefeliciteerd, van Toulouse eerst en dan van de collega's altegader. Het onnozele wicht is de enige die het perfide spelletje onder kunstenaars niet doorheeft. Naar de mond belijden ze de ware kunstbroederschap maar in werkelijkheid lusten ze elkaar rauw. Ze strijken pluimen om achteraf elkaar beter kaal te kunnen plukken. Er wordt verwacht dat je het product van de concurrentie de hemel in prijst maar achter de rug mag je er geen goed woord voor over hebben. Dat is heulen met de vijand. Kleine, krententellende middenstanders.

Naatje heeft nog maar net de rug gekeerd of daar begint Pim Pee al gal te braken over haar. Hij raakt niet ver. Rolfie dreigt hem een vuist in zijn smoel te planten. Als hij met zijn venijn ook niet al zijn tanden en zijn tong wil uitspuwen kan hij alles maar beter meteen inslikken. Te merken aan haar ogen en haar ademhaling heb ik het gevoel dat Melodie die gebalde hamer van Rolfie zou willen kussen.

Wanneer Renata met haar blijde boodschap PS en Eu aanklampt steekt Eustachius beide armen in de lucht als een triomfator. Post bedaart hem en brengt Eu terug op de grond. Bij hem kan er nauwelijks een flauw glimlachje af. Hij kijkt sceptisch, ongelovig. Er is hem ooit al zoveel beloofd. Zonder te horen wat hij zegt kan ik van zijn lippen lezen dat hij haar staat uit te leggen dat je niet elk woord mag aannemen voor contant geld. Hij heeft gelijk, maar wat heeft Naatje daarmee te maken? Zij gelooft het, ze ziet het zitten. De schaduwen uit haar verleden zijn in één klap weggeveegd. Voor haar schijnt de zon.

'Ons gemeenschappelijk vriendinnetje heeft naar jou gevraagd. Met veel aandrang trouwens. Met bijzonder veel aandrang.' Eustachius is aan het woord. Hij is al goed door het ijs van zijn whisky gezakt. 'Welk vriendinnetje?' – 'Hou je niet van de domme. Ik heb zo'n donker vermoeden dat je haar behoorlijk het hoofd op hol hebt gebracht.' – 'Ik? Maak het nou! Wat heeft zij jou verteld?' – 'Banaliteiten. Maar ik voelde haar vissen. Om de haverklap wierp zij een lijntje uit. Kijk uit, minstreel, kijk uit!' – 'Waarvoor?' – 'Ik moet jou een geheimpje verklappen.' – 'Ik luister.' – 'Straks. We hebben nog de ganse avond. Bereid je maar voor op heel bijzonder nieuws.' – 'Aangaande het schilderij of ons gemeenschappelijk vriendinnetje, zoals je haar noemt?' – 'Over het een of over de ander. Of over allebei. Raden maar.' – 'Komt zij vanavond hierheen?' – 'We zullen zien wat we zullen zien.'

Eustachius draagt een gedicht voor. 't Is alweer een cryptische tekst waar de kop zijn staart niet in terugvindt. Hij eet zijn woorden op. Erg somber van toon, het gaat over de dood. Dat wordt pas echt duidelijk wanneer onverwacht een stem, die me bekend voorkomt maar die ik niet thuis kan brengen, als een echo opklinkt uit het gat van de slakkentrap, een diepe bariton, die het dronken gestamel van de dichter omzet in welluidende, gearticuleerde klanken. Een perfecte mise-en-scène.

Staande voor een inktzwarte rivier die negenmaal rond de onderwereld cirkelt, schreeuwt de man zijn wanhoop uit omdat hij geen obool op de tong draagt om de oversteek te betalen. Zijn stem beangstigt me. Terwijl hij de trap beklimt merk ik tot mijn verbazing dat de declamator niemand minder is dan Papa, de toneelvorst. Is hij uit het asiel ontsnapt? En heeft hij in zijn vlucht Roodborstje in de vleugels geschoten? Of is zij meegelopen in zijn spoor? Ik kijk vluchtig om me heen om te zien of zij toch niet in een of andere gedaante is neergestreken zonder dat ik het merkte. Is hij op verovering uit van de Amsterdamse scène, waar elke loslopende gek het vandaag de dag kan maken? Hij geeft in elk geval een demonstratie van zijn kunnen die geen enkele regisseur onberoerd zou laten. Het publiek hangt aan zijn lippen en verwelkomt hem als de nieuwe ster van de stad. Hij krijgt een daverend applaus en laat zich dat zichtbaar welgevallen. Het is een tijdje geleden dat iemand nog voor zijn daden in de handen klapte. Als hij ongeveer dronken is van het summiere succes, neemt hij Eustachius bij de schouder en leidt hem als een schaap naar zijn plaats op het verhoog dat Coevoet voor de gelegenheid heeft laten timmeren.

Daarna komt Post Scriptum aan de beurt, weliswaar met minder elan dan gewoonlijk maar toch met genoeg zwier en inhoud om zijn publiek te boeien. De man heeft charisma, dat valt niet te ontkennen en zijn teksten gaan er in als pap. Zelfs Renata kan haar opwinding niet verbergen want vele van die mooie woorden zijn toch ook een beetje voor haar geschreven. Zij laat niet na mij daar bij elke gelegenheid als deze aan te herinneren. Haar Mokumse dagen kunnen in elk geval niet meer stuk.

Ze hebben naast elkaar postgevat op het verhoog: het triumviraat, de Ridder-Dichters en de man die zich eens koning waande, de Meesters van de Scène. Ze zitten in de kern van het gebeuren en hebben alle aandacht naar zich toegetrokken. De exposanten, waar het hier tenslotte om gaat, worden er zowaar bij vergeten.

Het is mijn beurt om op te treden. Ik voel me op mijn ongemak. Ze houden me in de gaten, het drietal. Ik maal mijn liedjes af, het afgesproken aantal, zonder een greintje overtuiging, zoals je een litanie afdreunt, om er van af te zijn. Ik kijk zelfs niet eens mijn publiek aan. Ik houd de ogen gericht op mijn vingers die perfect in de maat, maar zielloos, de snaren bespelen. Plots begin ik te zweten. De woorden van Eustachius zinderen als krekels tegen mijn trommelvliezen. Ik haper, vergeet mijn tekst, herbegin, val uit de toon, neem de ene strofe voor de andere en geef er voortijdig de brui aan. Ik sla een mal figuur. Een schooljongen zou beter doen. De mensen voelen zich bij de bok gezet. Ik krijg een applausje, die naam niet waardig, maar op de bank van de Drievuldigheid kan de pret niet op. Een van de drie heeft zelfs bis geroepen, ik geloof dat het PS is.

Vooraleer Eustachius helemaal overmand wordt door de drankduivel, wil ik zijn tong losmaken. Hij moet nu eens eindelijk voor de draad komen met het nieuwtje dat hij voor mij in petto heeft. Twee eerdere pogingen zijn mislukt. Hij kon geen tijd voor me vrijmaken, hij was met belangrijker dingen bezig. Eerst was hij Renata aan het versieren en toen zijn haring niet braadde probeerde hij in het vuurtje te poken van Sofie Vierkantswortel. Maar daar stak Papa zijn stokje voor. Karel Coevoet zal verdraaid goed op zijn hoede moeten zijn met deze mooiprater die een onuitputtelijke voorraad aan onsterfelijke verzen in zijn trommel heeft zitten. Hij tapt het liefdeselixir zo uit het vaatje. Het vrouwtje laat zich graag beroezen en loopt al helemaal rood aan van de dosis die hij haar toedient. Hoor ik Sofie daar zeggen dat zij altijd actrice heeft willen worden? En Papa dat zij er voor gesneden lijkt en dat het voor een mens nooit te laat is om de roep van zijn hart te volgen? Doen, Sofietje! Doen! Moeke Geit, blatend aan de paal, smachtend naar het ultieme geluk in de klauwen van een tijger met nog een resem jongen voor het grijpen. Zo heeft Papa zijn dagje wel.

Het wordt alsmaar moeilijker om Eustachius te strikken. Nu draait hij al een hele tijd rond Melodie tot ergernis van haar Toulouse. Zijn ogen raken de weg kwijt achter de doorschijnende tule van haar bloes. Hij is weg van haar moorkoppen en prevelt de lof van haar tepelhof. Zijn gretige vingers graaien in de lucht en komen dan vervaarlijk dicht bij haar lekkernijen. Pim Pee slaat groen en grauw uit, hij grijpt in. Onverbiddelijk bestraft hij Eu voor zijn vrijpostigheid en geeft hem een ferme tik op de vingers met zijn wandelstok. De vrije liefde staat uitsluitend voor het eigen persoontje in zijn programma geschreven.

Hij dreigt Melodie, van zogauw ze thuis komen, zijn stok in d'r reet te rammen, dwars door haar lijf, tot hij er langs haar strot weer uitkomt. Ze begrijpt dat hij geen geintjes maakt en houdt zich gedeisd. Een artistieke performance, doorgedreven tot haar uiterste consequenties, zo zou hij het uitleggen, wanneer ze haar zouden vinden, levenloos, met haar darmen rond zijn kuierstok gedraaid.

Eustachius laat zich niet zomaar zijn snoepjes afhandig maken door de dwerg. Hij plaagt Pim Pee een beetje door hem zijn hoed over de ogen te trekken en bij hem aan te bellen met het koordje van zijn neusknijper. 't Is allemaal heel onschuldig bedoeld maar je ziet Antropo Pim gelijk verbleken. Hij verbijt zijn woede. Eustachius staat wat te wauwelen en te waggelen naast het keldergat waaruit Papa daarnet als een hellegod is opgestegen. Wanneer hij merkt dat zijn glas en dat van Melodie leeg is, neemt hij haar bij de arm om aan de dranktafel even bij te tanken. Ik zie hoe Pim Pee stiekem zijn wandelstok tussen de voeten schuift van Eustachius die struikelt en als een blok langs de slakkentrap in de diepte dondert.

Tegen de tijd dat ik bij hem ben is hij al levenloos weggezakt in het zwarte water van de rivier die hij zonet heeft bezongen. En met hem het sprankeltje hoop dat ik even heb zien schitteren bij zijn belofte om de sluier op te lichten die het mysterie van de Pijp en het ware gelaat van Roodborstje bedekt houdt. Er stijgt geen orakel op uit zijn open mond. Die is even diep en donker als een vergeetput.

Even uitwuiven

In het mortuarium van het ziekenhuis zijn we even naar Eustachius wezen kijken, Renata en ik. Hij had veel allure, vond ik, 't was een nobel lijk. Hij zag er niet mistevreden uit. Alsof hij verwachtte dat het aan de andere kant wel zou meevallen.

Ze hadden hem voor de gelegenheid in de tuxedo gestoken waarin Karel Coevoet met zijn Sofie was getrouwd. Ze hebben ongeveer dezelfde maat. Sinds Karel gekleed gaat als een rol ouderwets behangpapier heeft hij dat soort mondaine spullen niet meer nodig. Het pak knelde wel een beetje maar daar zal Eu geen last meer van ondervinden.

Zijn hoofd lag in een vreemde houding ten opzichte van zijn lichaam. Alsof het er achteraf apart bij was geplaatst. Rond zijn kruin heeft Renata zelfs het aureool zien oplichten zoals in de voorspelling van de waarzegster aan de Kale. Mij is niets opgevallen.

Het deed toch maar raar. De stoffelijke resten van iemand die even tevoren nog een echt lichaam had met een stem, met gedachten en verlangens. Alleen zijn omhulsel blijft nog enkele dagen onder ons om daarna onder de grond te verdwijnen en te vergaan. Het is onwezenlijk.

Renata heeft nog even aan zijn schouder geschud om zeker te zijn dat hij dood was en daar niet lag te slapen. Ze had het beter niet gedaan. Dat hoofd kwam vanzelf in beweging, helemaal op zijn eentje. Het rolde opzij als wilde het er vandoor. Ik heb geprobeerd het weer op zijn plaats te wrikken maar dat wilde niet meteen lukken. Ik ben al een kluns van nature en ook niet elke dag in de weer met een koude klomp weerbarstig mensenvlees die bovendien nog erg zwaar was ook. Het steuntje onder de kin was weggegleden en de mond wijdopen gezakt. Alsof Eustachius plots in opperste verbazing tegen de eeuwigheid lag aan te kijken.

Het was geen gezicht zoals ik daar met dat hoofd aan het manoeuvreren was volgens de instructies van Renata. We hebben de hulp moeten inroepen van de dodenwaker, alleen lukte het ons niet. Toen hij de kamer binnenkwam voelden we ons net twee betrapte kwajongens. De man legde ons deskundig uit dat dat hoofd uit zichzelf aan het rollebollen was gegaan omdat Eustachius zijn nek had gebroken. De hulpdiensten hadden nog alles gedaan om hem te reanimeren, werkelijk alles, ik weet het, ik was er bij. Geen enkele moeite hebben ze zich ontzien. Het heeft niet mogen baten. Hij moet op slag dood zijn geweest.

Na de val van Eustachius was Pim Pee de eerste om met veel misbaar uiting te geven aan zijn verdriet. Hij wierp zijn hoed weg, brak zijn wandelstok in twee stukken op zijn knie en scheurde zijn hemd ten teken van rouw. Hij jankte als een vrouw en was in zijn eentje het koor waard dat de geslagen held bejammert in een Griekse tragedie. 't Was allicht zijn beste act tot nu toe.

Melodie was in alle staten. Zij had net als ik gezien wat er was gebeurd en gaf zichzelf de schuld. Zij stond op haar benen te trillen, haar borsten schudden in haar bloes. Zij bedekte haar moorkoppen met beide handen opdat ze niet zouden zien wat ze hadden veroorzaakt. Melodie wilde de schuld niet krijgen.

De dood van Eustachius heeft onze plannen voor een meerdaags verblijf in Amsterdam grondig in de war gestuurd. Renata is te zeer aangedaan om nog een dag langer te blijven. Het corpus moeten we toch achterlaten. Die onfortuinlijke dooie is morgen nog niet thuis. Gelukkig hebben we onze correspondent ter plaatse om zich bezig te houden met de paperasserij voor het transport van het lijk. Karel Coevoet zorgt voor alles.

Een mens heeft geen idee wat daar allemaal bij komt kijken. Je denkt beter tweemaal na alvorens ergens ver weg het stof van je voeten te schudden. Je sterft beter thuis, in je bed. Daar wordt je zonder veel poespas afgevoerd en naar eigen keuze onder de grond gestopt, gecremeerd of ga je naar de universiteit. Alsof het een verschil maakt. Het fileermes, de wormen of het vuur, wie maalt er nog om? In een vreemd land ben je iedereen tot last, je vrienden en de buitenlandse bureaucratie. Je glipt er niet zomaar tussenuit voor je laatste reis. Ze houden je gegijzeld en er moet nog aardig wat geld op je bankrekening staan of je blijft waar je bent, in de koelkast.

Eu werd op het ijs gehouden. Eerst deed men wat oppervlakkig onderzoek naar de omstandigheden van zijn dood. Niet dat iemand dacht aan misdadig opzet, dat werd van bij het begin af uitgesloten. Het was meer een formaliteit, een beetje doen alsof om indruk te maken. Oom Agent vroeg wat rond om zo snel mogelijk van de klus af te zijn. Grondig werd er niet gesnuffeld omdat iedereen het hield op een jammerlijk ongeval, voorgekomen in een beschaafd milieu tussen beschaafde mensen. Boeken dicht en een goeiedag verder.

Meteen na het bezoek aan de dooie en ondanks het succes dat zich voor haar aankondigt, reist Renata met Rolfie terug naar België. Ik heb aanvankelijk getwijfeld om hen al dan niet te vergezellen, maar nu ik er toch ben, besluit ik te blijven om een spoor te zoeken van de familie Blijwater. 'Wie is dat nou weer, de familie Blijwater?' wil Rolfie weten. 'Een moeder met drie dochters?' Hij geeft mij een vette knipoog. 'Mensen die ik vroeger heb gekend. De man was verzamelaar en de familie kan een schilderij bezitten dat mij in hoge mate interesseert.' Renata schudt laatdunkend het hoofd. Die heeft me wel door.

De ware reden, al beken ik het niet graag voor mezelf, is Sofie Vierkantswortel die de tijger in mij laat brullen. Ik wil haar besluipen, ik wil haar bijten en verscheuren. Ik wil haar godverdomme lava doen spuiten. En deze kans is te mooi om er geen misbruik van te maken. Netjes aan haar stek gebonden, stel ik me voor dat zij geen al te moeilijke prooi moet zijn. De frivoliteiten die zij zich van Papa heeft laten welgevallen tijdens de vernissage hebben mij op speelse gedachten gebracht. Ik heb haar goed in de gaten gehouden. 't Moet een heet stuk zijn. In al de jaren dat zij met de Hippe is getrouwd heeft zij geen dag haar benen dicht gehouden. Sofie Vierkantswortel, verdraaid nogantoe! Ik moet niet goed bij mijn hoofd zijn.

Als baby Coevoet van de grote honger zijn keel wijdopen zet, kan ik mijn kunsten tonen. Ik neem dat mormel uit zijn wieg, leg het op de tafel, veeg de kak van zijn gat en wikkel het in een propere luier. Wanneer Sofie plaats heeft genomen op de bank om het kind de borst te geven zet ik het op haar schoot en blijf voor haar op mijn knieën zitten. De baby is het object van al mijn liefde en aandacht, ik gebruik hem als een soort geleider en speel met zijn teentjes om het nauwste contact met zijn moeder te onderhouden. Daar zijn ze toch voor, die schatjes! Je bent nog altijd beter af met een mensenkind dan dat je tegen je zin een keffer over zijn schurftige kop moet aaien om een gesprek met zijn bazinnetje aan te knopen.

Zij trekt haar shirt omhoog en plaagt dat gulzige slokkertje met haar tepel. Haar romige tiet zit zo vol dat Sofie met een lichte druk van haar vingers de melk moeiteloos van op een halve meter afstand recht in mijn smoel spuit. Haar lach heeft de klank van kristal. Ik weet niet welke air ik me moet geven en zit daar wat schaapachtig te lachen. Ik veeg mijn gezicht af en lik mijn hand schoon. Net op dat ogenblik komt Karel de kamer binnen en staat vertederd het gebeuren te observeren, een tafereel van bijbelse onschuld. 'Het lijkt wel de aanbidding van de Madonna met het Kind,' is zijn commentaar. Ik sla een mal figuur.

Tegen zijn verwachting in kan Coevoet me niet vergezellen. Hij moet de wacht optrekken bij de zeven geitjes, want Sofie gaat op stap. In d'r eentje. Zij is wat blij dat zij er ook even tussenuit kan. Vandaag gaat zij opnieuw uit de kleren voor Ding Dong. Het portret dat de Chinees van haar maakte is bij de kenners zo'n knaller dat hij een reeks naaktschilderijen aan haar schoonheid wil wijden. Een schlemiel had zelfs opgemerkt – het zou mij niet verwonderen dat het Papa was – dat Eustachius het aanschouwen van deze vleesgeworden doodzonde met zijn leven had bekocht. Zijn licht ontvlambare hart was tegen zoveel bekoring niet bestand geweest.

Coevoet doet zijn best om mij enigszins wegwijs te maken in de doolhof van het Amsterdamse kunstmilieu, zoals elders een heel gesloten wereldje. Geen zorg, ik vind wel een sleutel. Ik vertel er niet bij naar wat ik op zoek ben omdat ik niet weet hoe hecht zijn vriendschap is met de Kale en in hoeverre ik hem kan vertrouwen. 't Is en blijft een jezuïet.

Om de naam Blijwater te traceren, beproef ik eerst mijn geluk bij de stadsadministratie. Dat loopt van een leien dakje, zeg ik bij mezelf, fluitje van een cent. Ik had mij de moeite kunnen besparen. De pennenlikkers van dienst sturen me met een verveeld gezicht van het kastje naar de muur. Niemand kan me helpen en op veel goede wil hoef ik niet te rekenen. Ze nemen het uit de hoogte. Een stofjas, bijgevallen door zijn ijverige collega's, pretendeert de naam Blijwater niet eens te kennen of in de archieven terug te vinden. Ik heb hem zelfs niet zien zoeken. Daarenboven word ik met een zekere argwaan behandeld. Wie ik zelf ben en waar ik vandaan kom met die rare tongval van me, dat willen ze weten. Hun wantrouwen krijgt pas echt vorm wanneer ik loslaat dat ik eigenlijk op zoek ben naar een kostbaar schilderij. Ze slaan dicht, alsof ik mijn vingers in hun binnenzak heb gestoken. Handen thuis! Raak nooit aan het bezit! Dat is mogelijk nog erger dan raken aan het leven.

Ik bezoek enkele galeries en loop ten slotte binnen bij Mak Van Waay, een veilinghuis met een oude geschiedenis. Mak was kunstschilder en een rijke jongen die er in tegenstelling tot het merendeel van zijn landgenoten een verre van zuinige levensstijl op nahield. Bovendien viel hij ten prooi aan dezelfde microbe die mijn oma had gebeten, de verzamelwoede. Een dure zaak. Naar een mooie collectie blijft geld vloeien als water naar zee. Om de vloed te stelpen en wat bij te verdienen, organiseerde hij in 1839 zijn eerste kunstveiling. Hij associeerde zich daarvoor met een deurwaarder die B. van Geluk heette. De naam was een goed voorteken, ze scoorden meteen een hit.

Sinds de oorlogsjaren staat ene meneer H.S. Nienhuis aan het roer. Hij heeft het venduhuis tot grote bloei gebracht. De mare gaat dat Sotheby's, de grootste speler op de wereldmarkt, zijn oog heeft laten vallen op dit succesrijke bedrijf. In ieder geval hebben de Engelsen op een steenworp hier vandaan een pand gekocht aan het Rokin en dat zal niet zijn om kersen te verkopen. Ze komen een val opzetten, als je 't mij vraagt.

Er zijn net kijkdagen. Ik koop een cataloog met de kunstwerken die overmorgen geveild worden. Misschien vind ik wel wat. Ik overloop aandachtig de laatste nummers want het zijn deze die ik speciaal in de gaten moet houden. De beste slag is over het algemeen te doen als de veiling op haar einde loopt, dan moet je wakker zijn. Ofwel zitten de kopers door hun centen, ofwel zijn ze in slaap gevallen.

In de grote zaal wordt mij door een van de bedienden de man met de hamer aangewezen, H.S. Nienhuis zelf. Ik stel mij voor en na wat algemeenheden tracht ik zijn neus te kietelen met mijn histoire de pipe. Hij hoort er niet eens van op, het klinkt als vertrouwd nieuws in zijn oren. Onlangs was hij daarover gepolst door een collega uit Londen, mister Peter Wilson van Sotheby's. Die wilde weten of Van Waay tussen zijn klanten een zekere heer Blijwater telde. Wilson? De man die mij de raad had gegeven mijn zoektocht te beginnen bij het begin? Zou hij zelf zijn eigen queeste aan het voeren zijn als een ware zoon van het perfide Albion? Dus zo loos kunnen de geruchten over de legendarische uitbreidingshonger van de Engelsen niet zijn. Misschien hebben ze al één voet tussen de deur.

Nienhuis gaat er blijkbaar van uit dat ik hem alleen mijn lege handen kan tonen, maar hij schuift me toch niet volledig opzij. Hij moedigt mij zelfs aan om mijn speurtocht onverminderd verder te zetten. En wanneer het mij lukt de hand te leggen op dat unieke kunstwerk, houdt hij zich warm aanbevolen om het met groot vertoon onder de hamer te brengen. Urbi et orbi! Magritte in Amsterdam, denk eens aan! Daarmee zou hij Londen en Parijs de loef af steken. Om van New York maar te zwijgen. Dan zou ik tegen hem geen neen mogen zeggen, al was het maar om redenen van goede nabuurschap.

Dat is allemaal mooi maar de liefde kan niet van één kant komen, meneer Nienhuis. Ik speel het zo charmant mogelijk maar een minimum aan inlichtingen die mij verder op weg kan helpen, krijg ik er niet uitgeperst. Niets wat de moeite waard is. Nienhuis lost zijn duiven niet. Als ik bedenk welk een encyclopedie aan informatie onder deze schedel zit opgeslagen, bekruipt me de zin om zijn bek met geweld open te breken!

Een bezoeker, groot, grijs, met een dikke hoornen bril, komt op ons toe en drukt Nienhuis de hand. Hij stelt zich aan mij voor als Jacob Katz. 'Ik heb onvrijwillig meegeluisterd, H.S. Sorry daarvoor, maar mag ik deze heer even van je lenen?' – 'Natuurlijk, Jacob, natuurlijk mag je dat.' Als ik van Nienhuis afscheid heb genomen, neemt de man me apart.

Als het niet een engel is die me naar hier heeft gezonden, dan is het een toeval uit de duizend. Katz is even benieuwd als ik naar het lot van Bram Blijwater die in een ver verleden goed bevriend was met zijn vader. Hij herinnert zich nog levendig de bezoeken die de man in de jaren dertig bracht aan Amsterdam, grappig genoeg meer om schilderijen te zoeken dan om te handelen in steentjes, wat toch zijn beroep was. Hij was een fervent bewonderaar van de toenmalige surrealistische nieuwlichters en inzonderheid van de meest bizarre klepper onder hen, René Magritte. 'En heeft hij het nooit gehad over een even bizar schilderij van die kunstenaar dat een pijp voorstelde die geen pijp was?' – 'Niet voor zover ik me herinner, maar ik kijk daar ook niet van op. Hij reeg de meest doorgetripte verhalen aan elkaar. Blijwater was een fantast. Fictie en werkelijkheid haalde hij met het grootste gemak door elkaar. Bij hem was niets wat het leek. En daarbij nieuwsgierig als een ekster. Bram keek graag bij iedereen in de pot maar als je in de zijne wilde roeren, ging het deksel er op.'

Wij trekken naar een kroeg op het Leidseplein, dat praat wat makkelijker. Ik trakteer hem op een neutje jenever. Katz is een rustige man met een enorme kokkerd en opvallend grote handen. Hij spreekt met een diepe stem en heeft zachte, droeve hondenogen. Je zou hem geld lenen op zijn eerlijke gezicht.

Door de naam Blijwater uit te spreken hebben we een geest opgeroepen die ons linea recta naar de hel voert. Mijn gesprekspartner draagt de sporen van ijs en vuur nog diep in zijn vlees. De familie Katz heeft de wereldbrand overleefd maar is achteraf in een leegte terechtgekomen. Iedereen was weg, de wereld leek wel ontvolkt. De oorlog zijn ze doorgesparteld in onderaardse kooien, in stallen en achterhuizen. Hun hele hebben en houden is opgegaan aan zwijggeld. De keel van Katz kropt als hij spreekt over zijn vader. Die leed aan tuberculose en heeft zich aan het leven vastgeklampt tot op de dag van de overwinning. Hij is de verschrikkelijke hongerwinter doorgekomen, niets scheen hem stuk te krijgen, zelfs de angst niet. Op de dag dat Nederland werd bevrijd heeft hij alles losgelaten, ook het leven. Hij haalde graag herinneringen op aan de levenslustige man die Bram Blijwater was en die eind van de jaren dertig op het punt stond uit te wijken naar de Verenigde Staten om daar zijn geluk te beproeven. Hij was volop zijn zaakjes op orde aan het brengen tijdens de schemeroorlog die na de Poolse nederlaag was begonnen. Hij wuifde zelfs het risico van een Duitse inval weg omdat er nog steeds naar een uitweg werd gezocht en de moffen toch niet zo stom zouden zijn om wereldmachten als Frankrijk en Engeland met wapengeweld uit te dagen, laat staan onder de voet proberen te lopen. Het zou wel blijven bij provocaties en een hoop geschreeuw. Vader Katz overtuigde er graag zichzelf van dat het Bram gelukt was tijdig de oceaan over te steken.

Ik verzeker hem dat Bram Blijwater tijdens de oorlog nog in België woonde omdat ik hem toen meermaals heb bezocht met mijn oma. Zij heeft trouwens nog zijn woning gekocht, het Huis van de Gele Sterren, zoals wij het noemden, om hem de financiële armslag te geven waar hij om vroeg. Wat er tijdens de bezetting is gebeurd weet niemand met zekerheid. Ik was op kostschool en daar werd niet speciaal voor het lot van de joden gebeden. Toen ik thuiskwam voor de zomervakantie van ik weet niet meer welk jaar was de familie Blijwater pleite. Het land ontvlucht? Opgepakt en weggevoerd? Een zonnige toekomst of Nacht und Nebel? Niemand wist waarheen en geen mens heeft achteraf nog wat van ze vernomen.

Hij kan wat hebben, die Katz, je ziet het hem aan, maar ik moet zijn laatste hoop omtrent zijn vrienden voorgoed de grond hebben ingetrapt. Hij krijgt een bittere trek om de mond en doet zichtbaar moeite om het glas dat hij in zijn hand geklemd houdt niet te vermorzelen. Tot heden leefde ten huize Katz de quasi zekerheid dat Bram met vrouw en kinderen in Amerika woonde en als hij niets van zich liet horen was dat enkel en alleen om het lot niet uit te dagen. 't Was een strohalm waar ze zich graag aan vasthielden. Katz kent verschillende uitgeweken joodse families die zich Europa herinneren als één groot crematorium en om veiligheidsredenen alle bruggen met het oude land achter zich hebben verbrand. Zelfs hun adres in het nieuwe vaderland willen ze niet bekend maken nu sinds kort de Palestijnen voor een eigen staat vechten en daarbij joodse doelwitten uitkiezen op het Oude Continent om aanslagen te plegen. Die landverhuizers vrezen overal ter wereld voor hun vel, ze voelen zich nergens veilig. Achter het hol van die mensen kom je niet. Die laten zich nooit meer uitgraven.

'Misschien is het Bram na de oorlog toch nog gelukt om de plas over te steken,' prevelt hij. Het is bijna bidden. Hij houdt voet bij stuk. Hij zit zichzelf wat wijs te maken. Na de oorlog? Hij zou toch als eerste moeten weten welke sinistere grap het bestaan met zijn volksgenoten heeft uitgehaald! 'Misschien,' zeg ik. Ik wil niet alle spiegels stukgooien waarin de man af en toe een mens wil zien die niettegenstaande alle smeerlapperij toch nog de glimlach heeft. Ik weet wel beter. Bram was de pijp uit. Bram was rook.

Net op dat ogenblik zie ik nog meer slecht nieuws. Sofie Vierkantswortel zit momenteel toch op het atelier van Ding Dong die haar wil konterfeiten als de godin van de liefde en de vruchtbaarheid? Niet langer dan deze morgen bij het ontbijt heeft zij met veel verve verteld hoe hij haar wil afbeelden. Naakt of hoogstens losjes in een kimono gestoken, lonkend achter een waaier, likkend aan een kersentros of met haar tanden in een watermeloen, op de rug van een pony of met een papegaai op de schouder. En daar zie ik haar flaneren over het plein met niemand minder dan Papa, alsof ze samen met vakantie zijn. Ze gaan hand in hand, ze doen neusjesneusje, ze verdrinken in elkaars ogen.

Ik voel mij met al mijn gekke verwachtingen lelijk bij het vuur gezet. Sofie en haar cavalier hebben het best naar de zin, zo te zien. Ze blijven in opperste bewondering staan voor het gebouw van de Stadsschouwburg. Theater? Dat is pas haar levensdroom! Daarvoor zou ze alles geven, of toch bijna alles, dat heeft ze niet langer geleden dan gisteren nog gezegd. Ze vergat er compleet haar gezin bij. De geitjes op stal, Karel aan de kribbe en Sofie op de Bühne om de wereld gek te maken. Zij straalt, zij lacht, zij schijnt als een zon wanneer Papa haar met brede gebaren staat duidelijk te maken hoe haar naam in koeien van letters ooit op de gevel van dit gebouw zou kunnen prijken. Beter nog. Hij is in een gulle bui vandaag en biedt haar met een theatraal gebaar meteen de hele Stadsschouwburg aan. Ze hoeft er maar d'r naam op te schrijven. Liefde kijkt niet op de kosten. Ik kan inpakken. Ik pak in. Mijn spullen en mijn hart. Weer een illusie armer, weer een ervaring rijker. Ach, het is maar best zo. Die brave Jacob Katz weet niet wat er gebeurt wanneer ik geld op het tafeltje gooi en er als een scheet vandoor ga, wanneer ik Sofie zie afstevenen op het café waar wij zitten te praten. Ik heb geen zin om oog in oog met haar te staan. Ik denk niet dat ze mij heeft gezien, ze heeft geen oog meer voor de rest van de wereld, ze ziet alleen hém.

Met Karel spreek ik af dat we elkaar zullen weerzien op de dag dat Eustachius wordt begraven. Ik hoop voor hem dat het goed afloopt met Sofie. Hij heeft niets in de gaten, hij komt de dag door met dezelfde beate glimlach op zijn smikkel als toen hij indertijd de toiletten bewaakte. Hij gelooft in de goedheid van de mens. Niks aan de hand.

In zo'n chique, muisgrijze Cadillac, achter gefumeerde ruiten met geplisseerde gordijntjes, glijdt Eustachius over het gladde asfalt als op een luchtkussen. Hij zal zonder twijfel alle doorgangspapieren netjes afgestempeld op zak hebben. Er kan hem niets meer gebeuren.

Eigenlijk mag een mens niet lachen, maar het blijft een komisch gezicht. Bij de ingang van de begraafplaats doet iedereen dan ook hard zijn best om zich in te houden als in het zog van dat koninklijk karos de puffende bloemenbak van Hippe Karel komt aangesjokt. Zo komen ze helemaal uit Amsterdam.

Eustachius wordt uitgeladen en door de slippendragers naar zijn put van vragen en raadsels gebracht. Voor de Kale is het een heel moeilijk uur, het moeilijkste uit zijn leven. De doodssmak van de Dove heeft hem verpletterd. Hij is doormidden gehakt en doolt nog steeds rond op zoek naar zijn andere helft. Als een soort homilie wil hij een gedicht voorlezen, geschreven ter nagedachtenis van zijn vriend. Erg moedig van hem maar niet zijn beste idee. Al na twee verzen stokt zijn stem en weer is het Papa die de treurzang moet overnemen en daarbij zo breed en zo diep gaat dat de stenen beelden die de graven sieren tot leven komen en warme mensentranen plengen. Na zijn vertoon buigt hij het hoofd en groet breed het publiek van waaruit, vanwege de pijnlijke omstandigheid, net geen applaus opstijgt.

Het enige levend wezen waar ik naar uitkijk is Roodborstje, maar die heeft zich onzichtbaar gemaakt om haar vriend naar zijn laatste rustplaats te begeleiden. Zij is nergens te bekennen. Aan de Kale wil ik ook niet vragen waarom zij er niet is en of zij nog wordt verwacht, want een bedrukte ziel kan een explosief mengsel zijn.

PS weet echt geen blijf met zichzelf tot Renata resoluut op hem afstapt en hem in haar armen neemt. Hij blijft maar staan snikken met zijn hoofd op haar schouder. Hij staat bloed te wenen. Wat een treurwilg! In plaats van dat klaaggeschrei over te laten aan de wijven, doet hij er nog een schepje bovenop! Als de kist in de kuil wordt neergelaten en de eerste aardkluiten er overheen worden gestrooid, ontstijgt hem het gejank van een afgeranselde hond.

Na het afscheid gaan we in de buurt koffie drinken met cognac. Na de tweede bel begint de Kale er al aardig door te komen. Hij zit bij Naatje met al zijn vingers tegelijk op de goede plaatsen. En zij laat zich vandaag van haar idool alle vrijpostigheden welgevallen omdat zij meent daardoor PS van de ineenstorting te redden. Alsook om te vergeten dat Rolfie ineens veel van zijn aandacht voor haar heeft verloren. Hij had ons niet eens willen vergezellen en onderweg had Renata zich beklaagd over zijn houding van de laatste paar weken. Het zit goed scheef met Rolfie Tonne. Ze denkt dat hij in een andere vijver vist.

Karel Coevoet neemt mij even apart om PS niet voor het kale hoofd te stoten met de vraag of ik nog steeds op zoek ben naar dat werk van Magritte. In Amsterdam heeft hij het gerucht opgevangen dat binnenkort een belangrijke en gekende collectie van kunstenaars in de surrealistische trant te koop zal worden aangeboden. Waar of niet, maar het fameuze schilderij met de pijp van onze nationale René zou zich tussen dat lot bevinden. Meteen het grote lot als zijn informatie klopt. Ik durf er niet bij stilstaan dat plots alles als vanzelf en in een stroomversnelling zal gaan. Of wordt het de zoveelste ontgoocheling? Dit kan wel het spoor zijn dat Blijwater heeft getrokken. Ik gooi alle twijfels weg. Daar moet ik zonder aarzelen op af. We spreken af dat Karel mij onmiddellijk zal telefoneren van zodra dat nieuws wordt bevestigd.

De Kale wil met mij op de lappen om zijn verdriet te verzuipen, liefst naar Oostende. Mij niet gezien, ik ben niet gek. Ik weet dat ik hem voor het hoofd zal stoten met een weigering maar ik heb geen zin in een kroegentocht die na middernacht wordt afgesloten aan de speeltafels van het lokale Casino. Mijn beginnersgeluk is opgebruikt. Als hij per se wil dat ik meega zal hij klare wijn moeten schenken over dat schilderij waar hij me ongeveer al een eeuwigheid mee aan het lijntje houdt. Ik besluit het er nogmaals op te wagen.

'Ik wil best mee maar dan wens ik eerst bij je klant langs te gaan om dat schilderij te bekijken en met eigen ogen te zien waarom die pijp nog steeds geen pijp is.' PS springt op alsof iemand hem in zijn gat heeft gebeten. De vlammen slaan uit zijn bek. 'Jij stikt nog eens in de rook uit die rotpijp! Wel, stik dan! En slik die pijp in voor mijn part! Ik wil er niet meer over horen!' – 'Goed, ik zwijg al. Jij bent er destijds mee op de proppen gekomen. Ik was geen vragende partij.' – 'Geen vragende partij? Moet je dát horen! Je kunt er niet over zwijgen. Telkenmale als je mijn kop ziet, snijd je hetzelfde onderwerp aan. Er brandt maar één vraag op je lippen maar van mij krijg je geen antwoord meer. Je komt het wel érgens te weten, want ik heb vernomen dat je zowat overal gaat rondvragen. Houd daarmee op, het is een goede raad die ik je geef.' – 'Net voor hij viel stond Eustachius op het punt mij een onthulling te doen. Over dat schilderij. Dat heeft hij me zoveel woorden laten verstaan.' – 'Zie je wel! Wat ik je daarnet al zegde. Dat ding brengt ongeluk.' – 'Ik zie het verband niet.' – 'Hij had beter zijn mond gehouden. 't Is zijn dood geweest.' Jaja, zeg ik bij mezelf, jij moet ook niet dronken zijn om onzin te verkopen.

'Laat ons naar de toekomst kijken,' zegt Renata. Wat een wijs woord. Welke toekomst bedoelt zij? Die van haar en de Kale? Zij heeft zodanig haar best gedaan om PS te troosten dat zij er helemaal door in vervoering is geraakt. Zij maakt zich op om de slag over te doen die zij met hem heeft geleverd in de bloemenschuit van Karel Coevoet toen we op weg waren naar het Paleis voor Schone Kunsten. Zij herinnert zich niet eens meer dat zij met mij is meegekomen. En dat ze net de begrafenis van Eu heeft bijgewoond lijkt ze ook al vergeten. Rolfie Wie? Rolfie Tonne? Wie is dat nou weer? Na oppervlakkig afscheid te hebben genomen van mij, laat zij zich ontvoeren door haar aanbeden halfgod. Het eind van de wereld tegemoet. Dat kan nooit ver genoeg zijn. Misschien is dat wel de plek waar Roodborstje op me wacht.

Keizersgracht, Amsterdam

Ik wandel met Karel Coevoet langs al die statige panden aan de Keizersgracht, waar een van de gevels een raadsel voor mij verscholen houdt. Naarmate wij het gezochte huisnummer naderen versnelt Karel de pas en groeit de spanning. Ik krijg het gevoel te zijn beland temidden van zo'n absurd televisiespel waarin je moet rennen tegen de klok op zoek naar een verborgen schat die je dan toch niet mee naar huis mag nemen. Volgens Karel is in een van die woningen een unieke verzameling werken te koop van hoofdzakelijk surrealistische schilders. Niet zozeer mijn ding, maar ik ben er toch speciaal voor naar Amsterdam gereisd omdat er een Pijp van Magritte zou tussen zitten.

Ik viel bijna achterover toen ik het nieuws hoorde. Aanvankelijk dacht ik dat Coevoet een grapje maakte. Of had hij samen met Post Scriptum dit spel opgezet om mij er eens lekker tussen te nemen? Bekomen van de eerste verrassing, gaf ik dan ook lucht aan mijn ongeloof. Karel was lichtjes gepikeerd door mijn reactie. Hij vertelde niet zomaar eender wat, dat was tegen zijn gewoonte en zijn natuur in, hield hij staande. Bloedserieus als altijd, zo kende ik hem wel. Zijn informatie had hij van iemand die dicht bij de bron stond, hij putte ze uit de bron zelf als het ware. Ik deed mijn best om hem te geloven. Er was mij al zoveel verteld en beloofd dat dit er nog wel bij kon. Mesens had wel beweerd dat de schilder verschillende versies had gemaakt van een aantal goed verkopende werken, maar het was even waar dat ik er nog geen enkele van onder ogen had gekregen. De Pijp bleef even ongrijpbaar als de rook die zij produceerde, een denkbeeld. Haar enige spoor dat bij mijn weten naar Amsterdam kon leiden was Blijwater, een dood spoor met andere woorden.

Karel port me aan tot een beetje meer haast, alsof hij bang is dat ik te laat zal komen. De verzamelaar, naar wie we op weg zijn, is terminaal ziek. Ik kan alleen maar hopen dat hij vandaag een goede dag heeft, want die worden almaar zeldzamer naargelang de maanden verstrijken. Sneller dan verwacht vreet de kanker zich een weg door zijn weefsel. Zijn tijd is gemeten, Evert van Hoorne Verwolde is wormenvoer.

Ik heb eergisteren telefonisch rendez-vous gekregen en tijdens het gesprek heeft de zieke duidelijk gemaakt dat hij mij misschien zelf niet te woord zou kunnen staan maar zijn assistente de nodige instructies zou geven om de zaken te bespreken. Geen nood, veel te bespreken is er niet. Ik wil de zaken, meer bepaald mijn zaak, zo snel mogelijk afhandelen. Intussen weet ik ook dat die assistente zijn enige erfgename is. Coevoet heeft zich terdege geïnformeerd.

Over zijn ziekte heeft hij met geen woord gerept. Beenharde kerel. Niks aan de hand als je hem hoorde praten. Niet de minste haast om te verkopen. Als hij wat van de hand wilde doen, oreerde hij, was dat alleen om zijn collectie te verbeteren, zoals elke rechtgeaarde verzamelaar regelmatig doet, om geen andere reden. Hij deed alsof hij de eeuwigheid in pacht had. Om mij de reis te besparen en elk misverstand op voorhand uit de weg te ruimen, merkte hij droogjes op dat hij niet verkocht aan handelaars of galeriehouders en dat de gestelde prijs niet voor discussie vatbaar was. Met andere woorden moest ik het als een groot voorrecht zien dat hij voor mij de deur wilde openzetten om zijn rotschilderijen te bekijken. Hij deed uit de hoogte, sprak heel geaffecteerd, met zo'n airtje van stront wie heeft jou geschheten. Noch voor ik oog in oog stond met hem, noch voor ik een poot over zijn drempel had gezet, kreeg ik al een gloeiende hekel aan die vent. Hij leefde vast nog in de pruikentijd. Zonder moeite kon ik mij het personage voor ogen toveren als een soort afgebleekte Roi Soleil met een kanten boord en pijpenkrullen. Je hoorde de zilveren lepels kraken tussen zijn tanden.

Ik liet het langs mijn veren lopen, maar moest me wel intomen om hem niet terstond naar de hel te wensen. Ik verdroeg moeilijk dat hautaine toontje maar bleef beleefd, mijn honger was te groot. Ik kom godverdomme niet helemaal naar Amsterdam om de hand op te houden, wilde ik hem toesnauwen. Verwaande kwast! Als je denkt dat ik een knieval kom maken, heb je het lekker mis. Geen rooie biet geef ik om je collectie, het is mij om één enkel schilderij te doen. Vervolgens loog ik hem voor dat ik geen handelaar of galeriehouder was maar een gedreven verzamelaar, een bevlogen ziel die alleen kon gedijen in het licht van de Eeuwige Schoonheid. 'Net als u, meneer.' Daar bleek hij gevoelig voor. Ik had hem bij de ballen.

Aangekomen bij het gezochte huisnummer neemt Karel afscheid. Hij moet zich aan de regels houden. Geen galeriehouders, geen handelaars. 'Als je hier tot zaken komt, wees me dan indachtig in je gebeden,' zegt hij fijntjes, met een jezuïetenmondje. We staan nog even te praten aan de waterkant, goed verstopt achter een boom, onttrokken aan de ogen die ons vanuit het huis zouden kunnen observeren. Wat een gedoe! We gedragen ons als twee samenzweerders die een aanslag beramen.

Als ik aanstalten maak om mij naar het huis te begeven, gaat de deur plots als vanzelf open en komen uit het pand twee, drie, vier fel gemaquilleerde en bizar geklede figuren gedribbeld. Heupwiegend, onder druk gekir en fladderend met het slappe handje, trippelen de narren langs de stenen trappen naar beneden. 't Is heel vreemd. Je zou zweren dat ze uit een schilderij zijn weggelopen. Ze blijven elk op een trap staan en vormen zo van de deuropening tot de stoep een erehaag. Als bij weerlicht verandert die banale deuropening in een operadecor wanneer uit de schemer van de gang een boomlange schoonheid opdoemt en de drempel overschrijdt. Een bijna twee meter grote drag queen, te oordelen naar d'r figuur en extravagante kledij. Een diva! Zij blijft op de overloop even stilstaan om met haar blik haar omgeving te beheersen en te bevelen. Daarna daalt zij de steile trappen af. Haar homovriendjes steken elk om beurten de hand op om haar tot steun te dienen. Haar lange blonde haar, naar één kant gekamd en hoog tegen haar schedel met een zijden sjaal samengeknoopt, ligt over haar schouder gedrapeerd en bedekt haar linkerborst. In de lel en de onderste rand van haar ontblote oor zijn een tiental gouden ringen gestoken. De omtrek van haar ogen en haar halve voorhoofd zijn beschilderd met de krijgskleuren van een jagende godendochter. Twee wervelende schouderstukken van glanzend satijn in de vorm van enorme bloemkelken moeten haar figuur nog meer aanzien geven. Zij draagt een broekpak van pure zijde in overwegend geel en roze en daarboven een mantel die stijf staat van het goudbrokaat en wijd over de grond waaiert. De queen glimlacht naar haar pages die om beurten haar hand vasthouden om haar het afdalen van de trap te vergemakkelijken. Zij heeft volle, bloedrood aangezette lippen en grote, glanzende tanden, de gedroomde mond om een pijp als die van Magritte te eren en te loven. In één woord gezegd, zij is oogverblindend. Een natuurfenomeen, even beklijvend als de bliksem, een aardbeving of storm op zee.

Welke dooie boel valt daarbinnen nog te bekijken na het zien van dit levend kunstwerk? Een stervende in een beklemmend decor van verstijfde en gedateerde beelden die er al even dood uitzien als hun verzamelaar? Ik hoop dat zij hem nog een laatste visioen heeft bezorgd van een gezante uit verre melkwegen die is afgedaald om zijn verkilde lichaam in haar mantel te wikkelen en in haar schoot te slapen te leggen. 't Is zijn weinig te benijden maar enige vooruitzicht.

'Mathilde!' hoor ik Karel zuchten. Even verbijsterd als ik staat hij het schouwspel te bekijken. 'Je hebt me niet verteld dat Nederland een nieuwe koningin had, Karel.' – 'Nou, in zekere zin is dat wel zo.' – 'Wie is dit wezen?' – 'Superpoes Mathilde Willink.' – 'De dochter van schilder Carel Willink?' – 'Zijn vrouw.' – 'Lucky bastard,' mompel ik tussen mijn tanden. 'Ik weet niet of ie wel zo lucky is, die ouwe Willink.'

Karel trekt aan mijn mouw, we lopen weer de andere kant uit. Vooraleer ik naar binnen ga wil hij eerst nog een verhaal kwijt dat mij van nut kan zijn. De collectioneur is een groot bewonderaar van Willink, de meester van het magisch-realisme, en heeft er heel wat werken van aan de muur. Daarbinnen kan ik dus maar best op mijn woorden letten. Onlangs, tijdens een vernissage in het Rijksmuseum, was collega Coevoet in aanvaring gekomen met Carel Willink. Ze hadden elkaar net niet de neus afgebeten. Ze verschilden van mening, en niet zo'n klein beetje, over het wereldwijd veranderende kunstbeeld en over de plaats en betekenis daarin van Willink en zijn tijdgenoten.

Cobra, de nieuwe generatie beeldenstormers, schilderde met dynamiet. Kleur en materie ontploften in je gezicht. De vergane wereld van Willink leek met uiterste zorg en voorzichtigheid onder een eeuwenoude laag vulkaanas vandaan geschraapt. Nu hadden de zonen, na de klassieke maar brutaal uitgevoerde vadermoord, de scène veroverd. Zij hadden daarbij geen handschoenen aangetrokken en Carel in het moeras van de vergetelheid gegooid. De wind zat hem tegen, de tijd zat hem tegen, alles zat hem tegen. Eigenlijk stond hij zichzelf in de weg. Zijn naam was in het zand geschreven. Tot Mathilde kwam.

Wat Willink maakte, was volgens Coevoet geschilderde literatuur, net zoals Post Scriptum doet. De nieuwlichters daarentegen waren pure verfterroristen. Natuurlijk vond Willink met zijn dodelijk precieze stijl die Cobramensen maar een troep kloteschilders, waarop Coevoet had gerepliceerd dat Willink te veel hoofd had en te weinig ballen. Ik vraag mij al onmiddellijk af wat hij er dan thuis van bakt met zo'n stuk tussen de lakens. Hij moet over stierenkloten beschikken, als je het mij vraagt. Op de liggende wip bakt hij er niets van, volgens Karel. Die ouwe Willink houdt eigenlijk niet van vrouwen, maar kan ook niet zonder, daar komt hij openlijk rond voor uit. Een vrouw is voor hem niet meer dan een hebbeding, dat hij alleen maar wil strelen, zoals men poezen aait. Zijn verhouding met Mathilde vindt hij zelf incestueus omdat hij het gevoel heeft dat hij het bed deelt met zijn kleindochter.

Van toen ze nog een bakvis was, geilde Mathilde alleen op schatrijke of heel beroemde bonzen, al was zo'n kerel zo oud als de straat. Jonge mannen waren niet aan haar besteed, die zorgden toch maar voor ellende en Mathilde wilde enkel het wel delen, niet het wee. Omdat zij zelf geen creatief talent bezat, wilde zij als tweede viool op de scène toch de solopartijen voor haar rekening nemen. Zij had een jarenlange verhouding met Willink, die nagenoeg veertig jaar ouder is dan zijzelf, en trouwde hem om geen andere reden dan zijn grote faam. Maar op dat ogenblik was de troon al onder zijn gat weggetrokken. Hij was omzeggens al bijgezet. De ironie van het lot wilde dat uitgerekend Mathilde zijn getaande roem weer zou opblinken door haar fratsen en extravagante levenswijze. Jurken van dertigduizend gulden, speciaal voor haar ontworpen om mee door de stad te paraderen en op de televisie te verschijnen, spraken meer tot de verbeelding van de krentenkakkers dan de ronduit apocalyptische taferelen die Willink penseelde. Om de verkeerde redenen bejubeld, stond hij, met Mathilde als uithangbord, terug op uit zijn graf.

Nadat Dame Willink de trap is afgedaald en over de stoep zweeft naar een wachtende limousine, komt er nog een vijfde balletjongen naar buiten met onder de arm een rechthoekig pak in bruin papier gewikkeld, dat aan de vorm te zien niet anders dan een schilderij kan zijn. Daar gaat de Pijp, is de magisch realistische gedachte die spontaan in mij opwelt. Hoe kom ik er op?

Als het carnavaleske gezelschap de laan uit is, blijven we nog een vijftal minuten langs de grachtkant slenteren met gevoel dat ik het doel van mijn reis reeds volledig ben voorbij geschoten en dat een bezoek aan de stervende mecenas overbodig is geworden. Zou het niet meer zin hebben om achter Mathilde aan te hollen en haar te vragen wat zij in dat pak verborgen houdt? Ik kijk naar het huis als naar een lege doos.

Karel zit ook met een vrachtje. Hij is opvallend zenuwachtig en draait in het rond op zoek naar een plaats om zijn ei te leggen. 'Is er wat, Karel?' Hij schraapt zijn keel, de woorden komen moeilijk. 'Spuw het uit, man.' – 'Kan jij deze namiddag een paar uurtjes bij de kleintjes blijven? Ik vraag dit niet graag maar de babysit is ziek en ik moet een belangrijke afspraak nakomen.' – 'Hoezo? Waar is Sofie?' Karel wuift mijn vraag weg en kijkt naar de punt van zijn schoenen terwijl hij bromt dat zijn vrouw 'verplichtingen buitenshuis' heeft. 'Natuurlijk, man. Je kan op me rekenen.' Zonder te vragen welke verplichtingen zijn vrouw buitenshuis wel kan hebben, begint Karel al het hooi dat Sofie op haar vork heeft genomen over mijn hoofd uit te strooien. 't Is een hele hopper.

Straks heeft zij een sessie op het atelier van Ding Dong en daarna rent zij naar de studio van een fotograaf die opdracht heeft haar in alle mogelijke poses te knippen. De Chinees heeft namelijk het idee opgevat, hij heeft ideeën zat als het op de vrouwtjes aankomt, om van de reeks naakten die hij in Europa heeft geschilderd een boek uit te geven met op de ene bladzijde zijn creatie en op de andere de dame die er model heeft voor gestaan.

Voor dat boek is zelfs al een uitgever gevonden, een Parijse fijnproever, die op dit ogenblik eveneens in Amsterdam verblijft en uitgerekend met Sofie, son modèle préféré, een tochtje wil maken langs de grachten. Daarna holt zij naar de tekstschrijver, een huisvriend die als dichter niet aan de bak komt en zijn brood verdient met het schrijven van kunstkritiek. Deze verlichte geest zal zonder twijfel een aantal diepzinnige beschouwingen wijden aan haar gulzige kut en de transparantie van haar huid.

En haar toneelambities, wil ik vragen, hoe is het daarmee gesteld? Ik mag hem hier niet op zijn kop mee zitten, want ik voel me al even beroerd als ik denk aan Moedertje Geit in de klauwen van Papa. Ik heb me de scène meermaals voorgesteld, ze kwam zelfs in mijn dromen terug. Sofie Vierkantswortel die zich met haar en huid laat verslinden door dat charmante ondier.

Ik geef Karel een bemoedigende schouderklop en steven op het pand af. Ik weet echt niet wat ik verder nog tegen hem moet zeggen. Ik wil hem niet nog dieper de grond instampen door lucht te geven aan mijn vermoedens want mijn eigen bedoelingen waren ook niet zuiver op de graat. Indien ik in de plaats van Papa was geweest, had ik even genadeloos dezelfde prooi gepakt. Arme Karel! Wat doe je er aan? Je krijgt een vuurberg niet onder controle door een stop in de krater te steken. Daar moet je met de grote lepel in. Dat magma moet omgeroerd worden op zijn tijd. Dat is te veel voor één man. Je kon niet zeggen dat Karel zijn best niet had gedaan maar blijkbaar is hij tegen zoveel natuurgeweld niet opgewassen.

Om de waarheid te zeggen heb ik evenveel zin om daar binnen te gaan als een dief in het hangen, maar nu ik eenmaal zover ben kan ik mijn staart niet intrekken. Het zou al niet erg netjes zijn tegenover Karel. Met loden voeten sleep ik me de straat over en dat bordes op, waar Mathilde nog rond blijkt te zweven. De deur wordt opengaan door een vriendelijke vrouw die naar de vijftig loopt. Kortgeknipt haar, losse wollen trui en jeans. Een bij die te bezig is om veel zorg aan haar uiterlijk te besteden. 'Hallo! Ik ben Marlies.' Zij heeft koude handen. De wallen onder haar waterige ogen, de kleur van haar gezicht en haar grove gelaatstrekken verraden dat zij er eentje uit de stenen kruik lust. Ze gaat me voor op de trap naar de verdieping waar aan de straatkant een salon is ingericht en aan de achterzijde een nagenoeg lege ruimte, waar een schildersezel staat opgesteld. Beide ruimtes zijn afgescheiden door een tiental uitschuifbare rekken die tot het plafond reiken en waaraan schilderijen zijn opgehangen. Marlies vraagt me wat zij mij kan aanbieden. Thee, koffie of een borrel. 'Koffie, graag.' De tijd die zij nodig heeft om die te bereiden moet mij de gelegenheid bieden om wat in de rekken te neuzen.

Ik probeer zo geluidloos mogelijk die metalen geraamtes in en uit te trekken. Er hangen werken van Dick Ket, Wim Schuhmacher, Pyke Koch, Raoul Hynckes, Carel Willink, de belangrijkste vertegenwoordigers van het Nederlandse magisch-realisme, een kunststroming die volgens haar theoretici wil verbeelden wat mogelijk is maar niet waarschijnlijk. Zo zie je maar. De koele dramatiek van Koch spreekt mij het meest aan. Misschien omdat hij de grondslag van zijn angstwekkende nauwkeurigheid in de weergave van het menselijk gelaat is gaan halen bij de Vlaamse Primitieven. Al bij al zijn de rijpste pruimen al uit de boom geschud. Wat overblijft is niet wat je zo van het rek zou willen rukken. En van een Magritte geen spoor, geen pluimpje rook. De enige pijp die in deze ruimte valt waar te nemen, ligt in de asbak op de salontafel, uitgedoofd. Zou Marlies pijpen? Zij komt alvast met het obligate kopje koffie aangerukt.

'Nou, meneer, wat had u willen zien?' – 'Een en ander.' Ik blijf zo vaag mogelijk om het terrein af te tasten. 'Wat kunt u mij tonen?' – 'Niet alles. De heer van Hoorne Verwolde is boven aan het uitrusten zodat rondneuzen op de eerste verdieping uitgesloten is. En het komt hem alleen toe te beslissen wat hij van de hand wil doen. We kunnen in elk geval beginnen met het bekijken van de werken die aan de rekken hangen. Zo krijgt u toch al een idee.' Ik heb al een idee. Het wordt niks. Tenzij Marlies met andere kaarten op tafel komt.

Een gebrek aan geduld en voorkomendheid kan ik haar niet

verwijten. Terwijl ik mijn vingers brand aan het hete glas waar ooit mosterd heeft ingezeten en dat nu een waterachtige en volkomen smaakloze oplossing bevat die voor koffie moet doorgaan, trekt Marlies de rekken een voor een uit en geeft mij bij elk werk een omstandige en zinnige uitleg. Ze weet waarover zij het heeft. Zij is kunsthistorica voor alle duidelijkheid. Mijn oma moest haar nog kunnen horen, die zou in de wolken zijn. Zij heeft iets aandoenlijks en breekbaars, die Marlies. 't Is een uitslover die voor iedereen zo goed mogelijk wil doen, maar van zaken heeft zij geen kaas gegeten. Zij schrikt zich een hoedje bij de prijzen die neef Evert voor haar op een papier heeft geschreven. Ik zie de lichte wijnkleur van haar gezicht naar dieprood overgaan van ongeveinsde verontwaardiging. Een regelrechte schande, staat zij op het punt te zeggen, het ligt op haar tong, maar zij wil ook haar opdrachtgever en erflater niet openlijk verslijten voor dief. Ver boven de huidige marktprijs. Geen wonder dat die uitvreter geen handelaars of galeriehouders in zijn buurt gedoogt. Die zouden hem zo het masker afrukken. Ze vindt alles tienmaal te duur, mevrouw Marlies, ze gelooft haar ogen niet. Zo mag ik het horen. Ze wil absoluut eerst weer met hem praten alvorens gelijk welke zaak af te sluiten en geeft mij te verstaan dat zij, zonder hem voor het hoofd te willen stoten, toch ongezouten haar mening zal ventileren. Natuurlijk geef ik haar volmondig gelijk.

Ik wil er niet langer doekjes om winden en onthul Marlies het eigenlijke doel van mijn bezoek. 'Deze kunstenaars kunnen misschien wel allemaal prachtig en interessant werk hebben gemaakt, mevrouw Marlies, maar daartussen zal ik mijn gading niet vinden. Ik ben nogal doelgericht op zoek naar werken van René Magritte en meer bepaald naar één schilderij met het opschrift "Ceci n'est pas une pipe". Van een vriend heb ik vernomen dat dit werk zich in de collectie van de heer van Hoorne Verwolde zou kunnen bevinden.'

Met een vinger op het papier doorloopt zij haar lijst, bij elke naam neen schuddend met het hoofd. 'Geen Magritte. Neen, hoor. Jammer genoeg niet. Waar heeft die vriend van u zijn informatie vandaan?' – 'Dat kom ik nooit te weten, mevrouw. Hij is handelaar en beschermt zijn bronnen maar hij is wel betrouwbaar, voor zover ik weet.'

Zonder haar te willen schofferen kan ik niet nalaten de vraag te stellen waarop ik een duidelijk antwoord verwacht. 'Daarnet, toen Mevrouw Willink deze woning verliet, had ik het gevoel, het was niet meer dan een gevoel, hoor, dat de clown die achter haar aanliep met dat pakket, onder mijn neus zomaar met een Magritte dit huis uitwandelde.' – 'Hoe komt u daar nou bij?' – 'Het is maar gissen, niet meer dan een gevoel zoals ik daarnet al zei.' – 'Ik heb mevrouw Willink nauwelijks te woord gestaan. De heer van Hoorne Verwolde heeft haar persoonlijk ontvangen in zijn appartement en haar dat pakket overhandigd. Maar vraag me niet naar de inhoud. Aan de vorm te zien ging het om een schilderij maar om daarbij aan een Magritte te denken is wel een heel wilde gok.' – 'Kunt u hem de vraag stellen?' – 'Zeker kan ik dat, maar niet op dit ogenblik. Hij is totaal uitgeput.' – 'Hij is toch niet ziek, mag ik hopen?' – 'Zijt u dan niet op de hoogte van zijn toestand?' Ik doe of ik uit de lucht val. 'Is het ernstig?' Marlies weet even niet hoe zij dit aan moet pakken. Zij bijt op haar lip alsof zij zich versproken heeft. 'Hij haalt misschien het eind van de maand niet,' zucht ze, alsof zij zelf haar laatste adem aan het uitblazen is. Ik geef een totaal verslagen indruk en vraag of ik even mag gaan zitten. 'Wat vreselijk,' veins ik, 'en u moet zijn zaken regelen? Wat een verpletterende verantwoordelijkheid!' – 'Net wat u zegt, meneer, ik ben namelijk zijn enige erfgename. Buiten mij heeft die arme Evert niemand. Het is vreselijk.' Nou, nou, zo vreselijk is het ook weer niet, denk ik te zeggen. Als die arme Evert zijn kaars uitblaast, zal jij toch niet helemaal in het donker staan, Marliesje.

Nu zij mij heeft toevertrouwd dat de man zo ver heen is, zeg ik haar te begrijpen dat deze gekke prijzencarrousel aan niets ander is te wijten dan zijn ziekte, uitzaaiing naar de hersenen en zo, en laat het voorkomen alsof schaamte mij belet het in deze dramatische omstandigheden over geld en aardse zaken te hebben. Terwijl ik haar slappe koffie opslurp, stel ik Marlies een nieuwe ontmoeting voor van zogauw suikeroompje voorgoed het loodje heeft gelegd. Dan kunnen we van de kelder tot de nok in alle rust de collectie bekijken en een keuze maken. Met fors herziene prijzen uiteraard. Ik verzeker haar dat ik dé koper ken voor het hele zootje of tenminste iemand die alles op een discrete en ernstige manier voor haar aan de man kan brengen. Mij is het alleen om de Magritte te doen. Als hij bestaat.

Marlies staat er op dat we samen nog een borrel drinken. Op de gezondheid van. Zij staat er op mij de woonkamer van neef Evert te laten zien. Voor haar is de nu meestal verlaten kamer, die zich op de tussenverdieping bevindt en waar zijn lievelingswerken de wanden sieren, een soort bedevaartsplaats geworden. Daar zal hij altijd blijven zonder er echt te zijn, filosofeert zij. Ze doet mij teken stil te zijn en op gedempte toon te spreken. De trap naar bovenverdieping verdwijnt in het halfduister en ik huiver bij de gedachte dat de Bleke daar schafttijd houdt en geduldig zijn uur afwacht. Probeer hém maar eens om te kopen. Houd hém maar een smak poen onder de neus. Hij lacht je vierkant uit in je gezicht.

Marlies opent de deur van de woonkamer en wat ik voor mijn doppen krijg, heb ik nog nooit gezien en zal ik waarschijnlijk ook niet meer te zien krijgen. Ik sta er bijna met open mond naar te gapen. Alle kunstwerken aan de muren zijn afgedekt met een wit katoenen doek. Ik kijk naar Marlies en vraag wat dit surrealistische spektakel mag voorstellen. 'Een bescherming tegen het zonlicht,' zegt ze. Daartegen bestaan toch zonneblinden of overgordijnen? Waarom hangt een mens schilderijen aan de muur als hij ze niet kan bewonderen? Of zijn het schunnigheden die hij achter die vodden verbergt om geen kinderogen te kwetsen als er bezoek is?

Ik ga naar het dichtstbijzijnde schilderij en licht een tipje van de sluier op. 'Mag niet, hoor,' piept Marlies, 'mag niet!' Nou, 't zal mij een rotzorg wezen dat het niet mag. Ik wil zien welk mysterie in dit huis achter doeken verborgen zit. Is het dan zo vreselijk? En ik loop weinig risico dat Marlies mij dat met geweld zal beletten. Ik stap naar het volgende schilderij. Ze protesteert in alle stilte maar moet zich gedeisd houden. Ik ben zeker dat zij niet eens met mij deze kamer mag binnenkomen. Ze gaat zelf haar boekje te buiten. 'Het is maar even kijken, hoor, Mevrouw Marlies. Niets om zich zorgen over te maken.' Ik geef het gauw op omdat onder die lappen niets anders te zien is dan dezelfde waanvoorstellingen aan de rekken, terwijl Marlies daar met een hand voor de mond staat om bij zoveel ongeliktheid haar schreeuw in te houden. Zij mag niet eens haar stem verheffen, ze moet stil blijven om neef Evert niet op te wekken uit de doden.

Nadat Marlies de woonkamer weer heeft afgesloten, kan zij mij niet snel genoeg de deur uit werken. Ik ben duidelijk een stap te ver gegaan. Ik zet er dan ook de sokken in, want hier valt voor mij toch niets te rapen. Ik wens haar veel sterkte en geluk met de erfenis. Daarna gaat het richting geitenstal om het kroost van Karel Coevoet en Sofie Vierkantswortel te hoeden.

Rachel, ma belle

Dikke Floris doet nogal graag geheimzinnig. Als hij je dan met die grote blauwe bologen van hem beloert vanonder zijn wenkbrauwen, verwacht je op zijn minst de onthulling van een staatsgevaarlijk complot. Hij komt tegen je aanleunen en spreekt met gedempte stem. Je voelt je onmiddellijk medeplichtig. Meestal vuurt hij losse flodders af maar deze keer luister ik toch met meer dan gewone aandacht naar hem.

Hij bezit een foto uit het archief van Pêche-Merle waarop René Magritte is afgebeeld met zijn inmiddels beroemde bolhoed op het hoofd en zijn onafscheidelijke keffer op schoot in het gezelschap van een jonge vrouw. Ze dragen een zwart masker dat enkel hun ogen en hun mond zichtbaar laat. Het welgevormde lichaam van de jonge vrouw zit van de hals tot de enkels verpakt in een nauwsluitende zwarte jurk. Zij houdt een pijp vast, niet met de kop tussen duim en wijsvinger zoals je van een roker zou verwachten, maar met de volle hand rond de steel. Een rechte steel die zij in haar halfgeopende mond steekt en waarvan zij het uiteinde met het tipje van haar tong beroert. Zou er een verband bestaan met het voorwerp van mijn zoektocht? En met mijn theorie over zijn voorstelling? De kop van de pijp is immers naar beneden gericht, wat op zijn minst een suggestief en dubbelzinnig beeld oproept. Wat wil die foto vertellen? Wat weet die dame dat ik zou willen weten? Een masker en een pijp, voor mij is het meer dan één enigma tegelijk. Daar moet ik op af.

Floris beweert een van de weinigen te zijn die weet wie de dame op de foto is, hij kent haar persoonlijk, zeer goed zelfs. Als ik hem vraag of hij mij niet aan haar wil voorstellen doet hij een beetje moeilijk. Alsof hij plots beseft dat hij te ver is gegaan en dat alleen al het verlinken van haar bestaan inbreuk maakt op een dure eed die hij ooit heeft gezworen.

Dikke Floris haakt zijn vingers stevig vast in mijn mouw om me binnen gehoorafstand te houden. Er mag mij niets ontgaan. En opletten! Feind hört mit... Zijn ogen flitsen heen en weer hoewel er geen kat in de wijde buurt is. Deze dame is niet eender wie. Deze dame is Rachel Baes... 'Oh!' zeg ik op een samenzweerderig toontje, 'Rachel Baes?' Floris knikt en sluit de ogen om de zwaarwichtigheid van zijn onthulling te accentueren. Ik ken het mens niet, nooit van gehoord. Oh, nee? De Dikke is lichtjes gepikeerd. 'Denk eens na.' Ik doe mij best maar ik kan er niet opkomen. Hij schuift nog wat dichterbij om mijn kennis bij te lichten en mij een lesje in geschiedenis geven.

De bloedmooie Rachel is een kunstenares van wie het werk door Mesens en andere belangrijke galeristen werd gekocht en die door Magritte verschillende malen werd geschilderd als Shéhérazade, de heldenbruid uit Duizend en Eén Nacht, die dank zij haar vernuft en uitzonderlijke vertelkunst liefdesnacht na liefdesnacht haar echtgenoot op zijn bloedhonger liet zitten door hem telkenmale een onaf verhaal te vertellen en aldus wist te ontkomen aan een zekere dood die haar bij het ochtendgloren wachtte.

De geschilderde versie van Shéhérazade ken ik, ik heb er illustraties van gezien. Tegen de achtergrond van een halfgeopend rood gordijn, die een idyllisch landschap ontsluiert met een torenruïne waaruit een vlucht vogels opstijgt, heeft de schilder de onstoffelijkheid van haar schoonheid weergegeven door enkel het raadsel van haar indringende blauwe ogen en haar sensuele mond af te beelden, omkranst door een ornament van witte parels. Is zij dat? Heeft die dame daar model voor gestaan? Ik kwam steeds weer onder de betovering van die afbeelding. Het is weinigen gegeven zoveel mysterie op te roepen in niet meer dan een paar kijkers en lippen zonder gezicht.

De kinderdroom van Rachel was, naar het voorbeeld van haar vader, kunstenares te worden. Firmin Baes hanteerde de mondaine kwast en genoot een zekere roem als naaktschilder en portrettist van prominenten. Mogelijk nog meer dan om zijn kunst was hij berucht om zijn recepties waarop steevast le Tout Bruxelles was genodigd en waarop de jonge Rachel als uithangbord en lokeend fungeerde.

Kunstenares worden was haar droom, zij wilde niets anders, maar papalief brak haar penselen op zijn knie. Hij wilde geen tweede zon in huis die zijn eigen licht zou doen verbleken. Al wat zij voor zijn part mocht leren was mooi opzitten, mooi wezen en mooi zingen in haar gouden kooi, meer werd van haar niet verwacht. Zij zou zich pas veel later creatief kunnen uitleven. Eerst moest zij zich vrij kunnen vechten, wat in haar tijd en haar situatie niet voor de hand lag..

Het was op een van die ontvangsten dat zij werd overrompeld door de sterreporter van le xxème Siècle, Robert Leurquin, die model stond voor Kuifje, beroemdste aller Belgen, waarschijnlijk omdat het mannetje nooit echt heeft bestaan.

Rachel werd door haar vader in het bed gedwongen van deze globetrotter die haar op zijn beurt in zijn chic herenhuis aan de avenue Molière in Brussel als vliegenvanger gebruikte om zakenmensen en politici te lijmen. 't Was een louche figuur, die Tintin Leurquin, een dubbelagent van zowel het Deuxième Bureau als de Abwehr. Een gladde aal ook. Hij mocht interviews met Goebbels en Mussolini op zijn conto schrijven. Naast avontuurlijke reisverslagen was Kuifje ook niet vies van spionage. Het is hem slecht bekomen, want op een dag lag hij levenloos te drijven in een openbaar zwembad. Had men hem enkele geheimen weer laten inslikken die hij wat te roekeloos had uitgebraakt?

Aan de dis van Kuifje was de zwartste en vetste vlieg die aan de slinger van Rachel bleef hangen de roemruchte fascist Joris Van Severen, in de bordelen van Oostende gekend als le beau Georges. Een man die met zijn vele minnaressen verstoppertje moest spelen als hij een nacht alleen wilde slapen. Hij werd haar grote liefde. 't Was wafel en ijzer, die twee. Voor hem liet ze alles in de brand, haar man, haar huis en het rijke leven. Tot het deeg aanbrandde. Brussel was te klein en het schandaal te groot voor papa Firmin die furieus reageerde en zijn hooggeplaatste vriendjes inschakelde om Rachel zonder blikken of blozen te laten opsluiten in een zothuis om te bekoelen van haar passie. Het mocht niet baten. De gedachten van zijn dochter zou de vader echter nooit meer de baas kunnen. Rachel had God op aarde gevonden en zou vanaf die dag haar Joris als dusdanig vereren.

Vooraleer Dikke Floris het kroonjuweel van het Groot-Dietse Rijk ontbloot, wil hij nog even uit de biecht spreken om een donker kantje van zichzelf prijs te geven, een goed bewaard familiegeheim. Ik voel dat hij daar een dringende behoefte aan heeft en, ofschoon welgebekt, heeft hij deze keer de woorden niet voor het oprapen. Hij legt er de nadruk op dat in zijn handelskring, die voornamelijk bestaat uit zonen van Juda, verborgen moet blijven wat hij me nu gaat vertellen maar de toon die hij zet staat bol van trots.

Floris Niedrig slingerde tijdens zijn apenjaren in de boom van het Verdinaso, een fascistische beweging waarvan de wortels in Vlaanderen stonden maar die de ambitie had zijn takken uit te strekken over de oppervlakte van het rijk dat de Hertogen van Bourgondië eertijds over de Nederlanden, Vlaanderen en Frankrijk hadden gevestigd. Haar leider, Joris Van Severen, had de messiaanse roeping als Duc Georges le Bel van Groot-Dietsland de geschiedenis in te gaan. En Floris was zijn page geweest. Niet minder dan dat.

Uit zijn dagboeken blijkt dat Joris van nature uit een romantische ziel was die zich voor het slapengaan graag besprenkelde met het parfum van zijn geliefde, de dichter die er maar niet kon toe besluiten een letter op papier te zetten, de ijle anarchist die voor een stevig gezag stond, de asceet in de dop die bezwijmde bij de geur van vrouwenvlees; zijn leuter liep altijd sneller dan hijzelf, dus moest hij er wel achteraan.

Zoals elke heerser in spe kampte de voorbestemde hertog met voortdurend geldgebrek. Om zijn eigen status, de stand van zijn partij, en zijn resem maîtresses op peil te houden, liet hij zich met de zegen van het Brugse episcopaat royaal onderhouden door een aantal rijke aristos. Want laten we wel wezen, hij boerde niet in grof proletendom, le beau Georges, neen, hij bedreef een soort edelfascisme. Hij had een maatschappij voor ogen die uit liefde voor zijn kinderen de roede niet spaart, zuiver op de graat is en geschoeid op militaire leest. Geen plaats voor uitschot. Zijn lijfblad, waarin hij al die mooie boodschappen van raszuiverheid en virulent antisemitisme verpakte, dreef op de gulle giften van lui die hun goeie centen graag besteedden aan spijkers voor het oprichten van concentratiekampen, waarrond zijn Dietse ridders lachend de wacht wilden optrekken. Dat kon je nalezen in zijn lijfblad. Met die man wist je tenminste waar je aan toe was.

Bij het uitbreken van de oorlog werd Van Severen als staatsgevaarlijk individu op een spooktrein gezet en naar Frankrijk gedeporteerd. In Abbeville zat hij met een aantal lotgenoten onder een kiosk opgesloten toen het stadje door zijn Duitse vrienden werd gebombardeerd. Brute pech voor hem. Hij werd door dolgedraaide Franse soldaten uit zijn hok gehaald en neergeschoten als een hond. Naast het massagraf waarin het lijk van haar farao werd geworpen heeft Rachel een lapje grond gekocht om er later begraven te worden. Daar moet haar eigen kleine piramide worden gebouwd.

Wij worden in audiëntie ontvangen door hertogin Shéhérazade, de vrouw die er ooit van droomde het rijk van Duc Georges te delen. Dikke Floris loopt net op eieren, 't is gewijde grond die hij betreedt. Hij heeft me aangekondigd als een beginnend galeriehouder die overweegt een tentoonstelling van haar werk te organiseren. Op een fluistertoon zegt hij me dat ik de ware reden van mijn komst pas moet bekendmaken als het gesprek goed gelanceerd is. Hij wil niet meteen de deur op de neus krijgen.

Zij kijkt ons aan alsof zij spoken ziet. Een wereldvreemde vrouw die is vergeten dat er buiten haar voordeur nog leven is, dat er nog andere stemmen te horen zijn dan die van zichzelf of van haar papegaai. Ik kijk haar aan – een schaduw van schoonheid – terwijl zij langdurig mijn hand vasthoudt om zich ervan te vergewissen dat zij een wezen van vlees en bloed aanraakt. Daarbinnen ruikt het naar vogelpoep.

't Is een vreemde wereld waar we in belanden. In de hoek staat een ledenpop die hetzelfde kleed draagt als koningin Marie-Antoinette toen zij onder de guillotine ging. Rachel heeft trouwens een hele reeks werken gewijd aan deze tragische figuur die vond dat het gepeupel bij gebrek aan brood maar taart moest eten. Zij voelt zich sterk met haar verwant. Net als zij vertrapt en uitgespuwd door de geschiedenis. Zij heeft een bittere mond omdat noch haar liefde noch haar kunst door de wereld ooit zijn begrepen.

Zij schildert kleine, bange meisjes in sombere kamers, poppedeintjes in vreemde tuinen verdwaald, steeds angstig op de vlucht, rennend door lege straten en over verlaten pleinen, zich schuilhoudend voor gevaar dat overal aanwezig is maar nergens te zien. Een dreigende omgeving waar jonge vrouwen zonder hoofd zich aan het balspel overgeven, lege kinderjurken die aan een waslijn bengelen, vertellingen waar Shéhérazade zichzelf niet meer in terugvindt.

Als wij willen gaan zitten doet zij teken dat de lege stoel bij het venster bezet is. 'C'est la chaise à Marcel. Quand il vient, il se met là. Il vient de temps en temps, Marcel. C'est le seul...' De stoel van Marcel? De plaats waar hij steeds gaat zitten als hij komt? Floris fluistert me in het oor dat zij Marcel Broodthaers bedoelt. Marcel la Moule, zoals Magritte hem smalend noemde. Rachel wil niet dat een vreemde krent de stoel ontwijdt waar de man, die zij als de belangrijkste kunstenaar van zijn generatie beschouwt, zijn onzichtbare stempel op heeft gedrukt. Een door hem geproduceerde wind volstaat om dit banale meubelstuk de onsterfelijkheid in te blazen zoals hij eerder al, alleen door zijn artistiek gezag, de mosselschelp tot de status van heiligenbeeld heeft verheven. Broodthaers is de enige van de ganse Brusselse kunstenaarsgilde die haar eens om het jaar een bezoek brengt. Dan gaan ze zich graag even onderdompelen in de melancholie van de oude stad. Zij kijkt naar niets anders meer uit dan naar dat ene bezoek. Alle anderen zijn behalve haar kunst ook haar bestaan vergeten. Dikke Floris en ik nemen dus maar plaats op de smalle bank.

Het enige werk van een andere kunstenaar dat de wanden bij Rachel siert is trouwens van de hand van Broodthaers. Het is een plastic plaat met daarop de afbeelding van een pijp en het onomwonden statement: Ceci est une pipe. Dit is een pijp! En verder geen onzin. Marcel is tenslotte een dichter die de waarde en het gewicht van woorden kent. Hij heeft daar onlangs nog maar eens blijk van gegeven in het diepzinnige interview dat hij heeft afgenomen van zijn kat.

Rachel neemt plaats in de schommel die aan de post hangt tussen de woonkamer en de salon. Met een voet zet zich zij af op de grond en wiegt heen en weer. Ze praat. Ze heeft het niet tegen ons maar spreekt tegen haar papegaai die de plaats van Duc Georges heeft ingenomen. Hij heet Léon, genoemd naar Léon Degrelle, de Waalse tegenhanger en geestesgenoot van haar gefusilleerde minnaar. Hij kwettert er al even uitbundig op los. Het is net een meeting uit de jaren dertig toen de stupiditeit volop triomfeerde. Léon geeft de cadans aan, het volk marcheert. Hij imiteert verbazend goed het stampen van soldatenlaarzen. Dat moet hij vast van een Schallplatte hebben geleerd. Hij zegt zijn les op voor alle papegaaien die na hem zullen komen. Hij schrijft de geschiedenis van Rachel en haar tijd.

'Rachel Baes is vergeten,' zegt ze, sprekend over zichzelf in de derde persoon, 'haar laatste tentoonstelling was een flop.' Zij is alles kwijt, haar schoonheid, haar jeugd, haar liefde, haar kunst. Haar vrienden zijn dood, haar wereld gaat ten onder. Zij vraagt zich hardop af wat wij hier eigenlijk komen doen en ondervraagt haar papegaai waarom zij er ons heeft in gelaten. 'Pourquoi, Léon? Dis-moi pourquoi.'

Vooraleer die pluimbal weer zijn bek opentrekt, veroorloof ik mij het bestaan op te rakelen van die foto uit het archief van Pêche. Zij glimlacht. 'Ce cher Magritte...' René hield van spelletjes, van surrealistische composities als levende voorstelling die hem ideeën gaven voor nieuwe creaties. Ofwel speelde hij gewoon bestaande beelden na die hij ooit had geschilderd. 't Was een soort poppenkast voor hem. 'Welke foto?' vraagt zij. 'Deze met het masker en de pijp, madame.' – 'Oh, die! Oui, oui, bien sur, je me rappelle.' Plots begint zij onbedaarlijk te lachen. Alsof zij weer sedert lange tijd tot leven komt. Ik kan mij niet van de indruk ontdoen dat de Shéhérazade van het Bourgondische Rijk met mij de gek zit te scheren. Haar ogen stralen weer als vroeger op het schilderij dat haar beroemd maakte. Haar lippen krijgen plots weer de kleur van bloed. En haar tanden... Haar tanden zijn bijgevijld, op een punt geslepen, scherp genoeg om in één hap een keel over te bijten.

Ik snap onmiddellijk dat zij mij het geheim, dat achter deze maskerade schuilgaat, lekker niet zal verklappen. Een verhaal als dit houdt zij in petto voor later, om in het hiernamaals met haar hertog de slapeloze nachten door te komen. Ik heb er het gissen naar. Heeft Magritte haar een paar pittige woordjes in het oor gefluisterd op het moment dat de fotograaf hen vroeg naar het vogeltje te lachen? Pak dat ding beet, Rachel, en geef het de beurt van zijn leven. Zo snap je eens en voorgoed wat er echt op dat doek staat geschreven. Want dat en niets anders heb ik echt bedoeld met die onzin.

Het duurt wel even tot zij weer kalmeert. Als zij stilvalt, probeer ik het nog even. 'De voorstelling op die foto, madame...' Verder kom ik niet. 'Mystère, jeune homme, mystère...' La belle Rachel strijkt met een vinger over haar lippen om haar mond te verzegelen. Het is niet aan ons dat zij een sprookje uit Duizend en Eén Nacht zal vertellen. Zij wiegt in haar schommel, neuriet een hoogstemmig lied en sluit zich weer op in zichzelf. Vanuit haar verre wereld wuift zij naar ons, terwijl wij onze weg zoeken naar buiten. Léon geeft van zijn lat.

De gracht van Toulouse

Ik heb er een maand over gedaan om mezelf te overtuigen, maar vandaag wil ik naar Melodie. Bij dat gesmoezel tussen haar en Eustachius, net voor zijn val, blijf ik me vragen stellen. Wat kunnen die twee elkaar hebben verteld? Waarschijnlijk is het bij wat oppervlakkig geflikflooi gebleven omdat Pim Pee op hun vingers zat te kijken. Maar omdat de ene over het adresboekje van Pêche beschikt en de andere wist waar de Pijp van Magritte was te vinden, hadden ze elkaar in elk geval dingen te zeggen die ik ook wil weten. Ik ben benieuwd.

Toen ik bij Rachel Baes vandaan kwam had ik er meteen naartoe willen rijden, het was vlakbij, amper dertig kilometer buiten Brugge, niet meer, maar Dikke Floris was niet meer aanspreekbaar. Hij zat in zak en as. Voor hem was de ontmoeting die hij in scène had gezet op een complete ontgoocheling uitgedraaid. Uit pure weemoed had hij nog even het sfeertje willen opsnuiven van het interbellum, toen hij aanliep achter de zwarte laarzen die weldra de wereld zouden vertrappelen. 't Was vergane glorie, een leeggelopen ballon.

Dat Rachel bovendien die sprekende pluimbal genoemd had naar de man die hij boven allen bewonderde was er voor hem teveel aan geweest. Hij vond het een smet op zijn Weltanschauung. Léon! Hoe kwam zij er bij? Hij voelde zich gekrenkt. Laatst was hij nog in Spanje bij Degrelle op bezoek geweest en daar was de Bourgondische droom levendiger dan ooit. Dat Vierde Rijk zou er komen! De draak stak nog eenmaal de kop op en zakte toen puffend naast mij in elkaar op de passagierszetel.

Naast zijn ongenoegen was er nog een reden waarom Dikke Floris niet de minste zin had om bij Toulouse langs te gaan. Hij vindt hem onuitstaanbaar. Een aansteller van het ergste soort. Om maar niet te spreken van zijn kunst! Of wat er moet voor doorgaan! Die smakeloze acts, dat willekeurig geploeter in een plas verf. 't Is eender wat. Dat een vrouw als Melodie zich leent tot dergelijke toestanden doet zijn gal naar boven komen. Hoe laag kan een mens vallen? De kunst vraagt offers maar Melodie moet wel diep in de shit zijn beland om zich op dergelijke wijze door zo'n etter te laten misbruiken.

'Toch nog altijd beter dan werken in een bordeel.' opperde ik. 'Oh ja? En wat is er mis met bordeelwerk?' repliceerde Floris. 'Als er geen pooier achter je reet aanzit, verdient het lekker. En Melodie heeft vlees in de kuip. Dat kan Toulouse niet zeggen. Hij verkoopt gebakken lucht.' Ik sprak hem niet tegen, hij kon het weten. Dikke Floris is een geoefende bordeelbok en een gedegen kunstkenner.

Hij had goed spreken van een ander, maar hoe het zat met zijn eigen financiële situatie? In plaats van daar naar te vragen had ik beter wijselijk mijn mond gehouden. Hij was blut, zoals altijd. Toen we Knokke naderden vroeg hij aarzelend of het niet mogelijk was enkele dagen bij mij te logeren. Om voor de zoveelste maal op mijn kosten zijn vetlaag op peil te houden en zijn bodemloos keelgat te vullen met mijn drankvoorraad? Dat zag ik niet zitten, ik wist waartoe het zou leiden. Als het aankomt op eten en drinken telt hij voor drie. En zo lang moet ik het ook niet laten hangen. Mijn toestand is de laatste tijd weliswaar wat verbeterd door een paar lucratieve zaakjes maar nog niet van aard om er een ceremoniemeester als Dikke Floris op na te houden.

Om de honger te paaien van de verzamelmicrobe die mij eveneens vies heeft gebeten, vloeien mijn eerste centen even snel weg als ze zijn gekomen. Ik ben nu aan het sparen om een werk te kopen van Marcel la Moule. Met lege eierschalen deze keer. Hij heeft het weer fijn uitgevogeld. Hij heeft ze verdorie in een kooi gestopt, heel diepzinnig dus. Misschien bedenkt hij er in de toekomst wel een muziekje bij om ze te laten zingen. Delicate klus met die schalen en zo. 't Is niet eender wat en zomaar in willekeurige volgorde geplaatst. Neen, hoor. De schikking volgt een vooropgezet patroon. Zijn vrouw heeft er drie volle dagen aan gewerkt tot het arme mens d'r vingers niet meer gewaar werd, tot het naar de zin was van meneer. Hij is niet snel tevreden. Wat moest ik overigens met de Dikke? Eigenlijk loopt hij alleen maar in de weg. Als je hem hoort is hij overal thuis maar durft hij zich nergens te vertonen. Hij kent elke plek waar de lamp brandt, maar eens ter plaatse krijg je nooit wat te zien omdat het er zo donker is als in je reet. Hij sleept je altijd ergens naartoe om onveranderlijk nergens te belanden. Hij zuigt honig uit mijn goedgelovigheid maar wat heeft mij ooit al in de plaats gegeven? Bij mij logeren? Hij moest niet goed bij zijn hoofd zijn!

Ik wilde niet meer rond de pot draaien en vroeg het hem op de man af. 'Hoeveel moet ik betalen om dat adresboekje te krijgen, en aan wie?' Hij moest bekennen dat hij het niet zeker wist maar dat hij wel een vermoeden had. Ach, schei uit, man. Weer niet het zoveelste kluitje om mij in het riet te sturen. In het bedenken van smoesjes was hij sterk. De beste. Hij zat me opnieuw te beloven dat hij van zijn kant alles zou doen om mij dat ding te helpen vinden. Van zogauw de gelegenheid zich voordeed zou hij zijn hartsvriendin Mama Merle polsen, op een diplomatische manier, wel te verstaan, zoals hij alleen dat kan. Hij vond het beter dat ik zelf tegenover haar daarover mijn mond niet opendeed, kwestie van geen argwaan te wekken. Zij zou mij kunnen aanzien voor een lijkenpikker. 'Zou zij dat? Ik vraag toch niet meer dan een doekje voor het bloeden. Is dat ook al te veel? Het is verdomd nog het enige wat zij in de plaats van haar zoon voor mij kan doen.'

Ik zag het aan zijn ogen van geslagen hond, het kon niet uitblijven. 'Kan je me niet wat lenen?' – 'Alweer?' – 'Ik zit krap.' – 'Hoeveel heb je nodig?' – 'Duizend.' Ik bliksemde hem neer met mijn ogen. Hij bond onmiddellijk in. 'Met vijfhonderd red ik het ook wel.'

In mijn portefeuille had ik een leuk sommetje gestopt om bij Rachel Baes op tafel te leggen in de stiekeme hoop dat zij ergens in een hoekje een werk van Magritte of een andere beroemde tijdgenoot verstopt hield. 'Zorg dat je een voorschot op zak hebt.' De suggestie was van niemand anders gekomen dan Dikke Floris zelf. Hij had weer enkel aan zichzelf gedacht. Hij wist maar al te goed dat het arme mens waarschijnlijk met moeite van het ene brood tot het andere geraakte.

De Dikke bleef maar geld kosten zonder dat daar ooit wat te-genover stond. Ik besloot er korte metten mee te maken. 'Luis-ter, Floris,' zegde ik hem, 'luister goed. In plaats van een luizige vijfhonderd, geef ik je er vijfduizend. Neen, het dubbele. Tien-duizend krijg je van mij.' Hij wist niet wat hij hoorde. Hij begon al te zweten bij de gedachte hoe gelukkig hij daar een meisje mee zou kunnen maken. 'En je hoeft ze mij niet eens terug te beta-len,' vervolgde ik. Hij zong Hallelujah! Dit was hem nooit over-komen. Hij ging onmiddellijk akkoord, de voorwaarden interes-seerden hem niet meer. 'Op één voorwaarde, Floris. Dat je me nooit meer, van je levensdagen niet, nog om één rooie duit vraagt.' Hij stak direct zijn hand uit. Ik kon er de brieven niet snel genoeg in neertellen.

We hebben nog samen wat gedronken rechtover het station van Blankenberge, waar de verbindingen met het binnenland beter zijn. Toen het uur van vertrek naderde, zette Floris er de sokken in om zeker zijn trein niet te missen. Hij zweefde bijna naar de sporen, zijn buit gaf hem vleugels. Verder dan een paar straten in de buurt van het Centraal Station van Antwerpen zou hij er niet mee geraken. Tegen het eind van de dag zou hij er even berooid voor staan als daarnet. Ik was niet zinnens hem nog op te bellen voor eender wat. Hij zou me niet gauw terugzien.

Dacht ik althans. Tot niet langer dan vorige week. Toen heeft hij de druppel gemorst die de emmer deed overlopen. Lag ik in mijn bed, nog niet zo heel lang overigens, toen ik om vier uur in de ochtend werd gealarmeerd. Het was alsof ik uit de ruimte het aardse duister induikelde zonder te beseffen waar ik mij bevond. Ik bleef maar vallen tot ik een vreselijke klap maakte en wakker schoot van het kabaal dat die rottelefoon in mijn kop maakte. 't Was Dikke Floris. Dubbele tong, een feesttoeter in de keel en een vrolijk muziekje op de achtergrond. Zoals altijd alles kits en geen zorgen om morgen. Eén klein probleempje, niet eens het vernoemen waard, hoor, maar op dat onheilige ogenblik kon hij er niet omheen. Hij zat ergens in een tent feest te vieren en de lellebel van dienst had hem juist een gepeperde rekening onder de neus geschoven. Net op dat moment ontdekte Floris dat hij geen rotte knop meer had. Hij had er mee gestrooid tot zijn zak-ken leeg waren en nog lang daarna. Het gulle hart rekent niet.

En dat was het ogenblik waarop hij de cavalerie ter hulp riep om hem uit zijn hachelijke situatie te bevrijden. Hij rekende écht op mij. Voor de deur langs waar hij naar buiten moest stonden een pooier, gewapend met een slaghout, en een hongerige rottweiler. Hij had geen keuze. Het enige telefoontje waar hij recht op kreeg was naar een vriend die hem uit de penarie wilde helpen. Daar zijn vrienden tenslotte voor. Hij had aan mij gedacht! Op een toontje alsof hij mij een dienst aan het bewijzen was. Hij liet goed tot me doordringen dat ik deze hulpactie niet voor niks zou ondernemen. Eindelijk kon hij eens wat terugdoen. Ik zou tienvoudig worden beloond. Het met schulden beladen verleden zou in één keer zijn weggeveegd als hij daar maar levend en liefst zonder kleurscheuren vandaan kwam. Want diezelfde morgen, om tien uur precies, had hij een afspraak met een klant die hem een aquarel van Marc Chagall zou toevertrouwen om te verkopen. Een zaakje zoals hij er in jaren geen was tegengekomen. Zelfs de koper zat al vol ongeduld te wachten met de munitie in de aanslag. We zouden voor een tijdje uit de regen zijn. En terwijl hij toch aan zijn goed-nieuws-show bezig was, probeerde hij mij in één adem wijs te maken dat er, ongelooflijk maar waar, bij diezelfde klant zelfs nieuws viel te rapen over de onvindbare pijp. Morgen zou blijken of ik niet al die tijd in de verkeerde richting had gezocht. Ik was bijna geneigd hem te geloven. Een mens zou elke waarheid geweld aandoen om te horen wat hij graag wil geloven.

Heb me laten aflikken. Ben erin gestonken. Wij hebben de tent gesloten om achten, zijn naar Knokke gereden om te douchen en een ontbijt te nemen en daarna naar het adres waar de Dikke verwacht werd. De klant gaf niet thuis. Ik was vooral ontgoocheld omdat ik in het ongewisse zou blijven over de Pijp. Op datzelfde ogenblik kreeg Floris Niedrig last van een volledige black-out. De Pijp? Hij herinnerde zich niet eens dat hij over die zaak had gespróken.

Over dat geniale schalending kon ik een kruis maken. Als ik wat in het genre van Broodthaers wilde hebben, kon ik de eerstvolgende dagen zelf eieren slurpen en mijn eigen kunstwerk in elkaar flansen. Daarbij zou de Dikke een welgekomen hulp zijn. 't Was iets.

Ze wonen in het hol van Pluto, Pim Pee en Melodie, een gebied van kreken, dijken, sloten en lage wolken. De wind gaat erg tekeer, hij rammelt af en toe mijn kar door elkaar. Eerst laat ik mij de verkeerde weg opsturen door een boerentrien die het verschil niet kent tussen links en rechts. Ik dwaal wat rond en stop bij een afgelegen hoeve om de weg te vragen naar de bewoonde wereld. Ik stap uit en hoor alleen de wind die over het land giert en takken uit de bommen rukt. Als hij even gaat liggen om op adem te komen stijgt er vanachter de gesloten hoevepoort een gehuil op, angstwekkend genoeg om de dood op de vlucht te jagen.

Door de gleuf van de brievenbus zie ik drie mannen in blauwe overall die aanstalten maken om een varken te kelen. Het ligt gevloerd en ze houden het in bedwang door twee touwen die ze rond een voorpoot en een achterpoot hebben gebonden in de tegengestelde richting te trekken. De derde man heft zijn slaghamer en laat hem met volle kracht neerkomen op de snuit van het dier in plaats van op zijn schedel. Nu breekt de hel pas voorgoed los. Het varken schreeuwt alle duivels bij elkaar, slaat vervaarlijk zijn kop heen en weer en spert zijn muil. Eén knauw van zijn kaken volstaat om je been er af te bijten. Het rukt met zijn poten aan de touwen, de mannen moeten al hun kracht gebruiken om ze gespannen te houden. Dan zwaait de hamer voor de tweede maal naar beneden en splijt zijn kop. Het beest valt stil. De slager gaat er bovenop zitten, trekt zijn mes uit de schede en steekt toe, recht in de keel van het zwijn. De jongere man knielt en houdt een teil onder het gat waaruit het bloed gutst. Plots krijgt het varken hevige stuiptrekkingen alsof het weer tot leven komt. Dan is 't afgelopen.

Ik duw het deurtje open dat in de poort zit. De drie verweerde koppen draaien tegelijkertijd mijn richting uit. Een staat er met een mes in de hand dat druipt van het bloed, een ander klemt de slaghamer wat vaster in zijn vuist, de derde stapt op mij af. Hij wil direct weten of ik misschien een controleur ben van het ministerie van Volksgezondheid op zoek naar sluikslachters, een bemoeial uit de stad. Indien dat zo is kan ik terstond een plaatsje krijgen naast dat dooie zwijn. Ik sta ze te knijpen.

'Goed volk!' zeg ik. Ik stel hem gerust, ik ben maar een verdwaalde voorbijganger. Om aan geloofwaardigheid te winnen zeg ik dat mijn vader eveneens een boerenbedrijf uitbaat en dat ik wel meer varkens heb zien slachten. Er komt een ouwe, schurftige hond op me afgewaggeld. Hij is blind en doof, de enige die niet in de gaten had dat er bezoek was. Hij snuffelt aan mijn broekspijp. Misschien rest hem nog een beetje neus.

Als ik dan toch vertrouwd ben met het ritueel van het slachten, zullen ze mij als onverwachte maar toch welkome gast graag een oor, een poot of de staart aanbieden. Het is van harte. Ik kan niet weigeren, ze zouden het opvatten als een belediging.

Het varken wordt neergelegd op een bed van stro dat in de fik gaat om het huidhaar te verschroeien. Het knettert. Ik hou wel van die geur. Daarna wordt de huid afgeschraapt met een rakel. Poten, staart en oren worden afgesneden en in het bijeengeharkte strovuur gelegd. Daar komt nog wat brandhout bovenop waarin ze verder kunnen smeulen.

Vervolgens worden touwen aan de achterpoten bevestigd en wordt het kadaver langs een opstaande ladder omhoog getrokken, de slager zet het mes op de wetsteen en snijdt het beest van boven tot onder open, verwijdert de ingewanden en hakt dan het kreng in de lengte van de ruggengraat in twee stukken. Ondertussen heeft de oude boer enkele broden verbrokkeld tot kruim, dat met bloed en vet wordt vermengd en op smaak gebracht met peper en zout. De brij wordt gekookt en door de jonge boer met de duim in de schoongemaakte darmen geduwd.

Ik zit wat te kletsen met die boeren, een weduwnaar met zijn ongehuwde zoon die onder hun beidjes de boerderij en het huishouden beredderen. Daarbinnen is sinds lang geen vrouwenhand aan het werk geweest. 't Is een zootje. Als ze mijn verbazing bemerken word ik direct verlicht met wat boerenwijsheid. Twee dingen die een man moet mijden zijn, volgens de ouwe, het voorste van een vrouw en het achterste van een paard. En de muil van een varken, voeg ik daar aan toe. Ze kunnen mijn opmerking best smaken, ze weten waar ik het over heb. Ze gebruiken elk niet meer dan een bord en een tas die onmiddellijk na gebruik onder de pomp in de keuken worden afgespoeld en in de wasbak te drogen gezet. Zwoerden, kruimels en ander afval worden met de hand van de tafel geveegd en op de binnenhof gegooid voor de hond. Voor die blinde sukkel ooit doorheeft dat er wat te peuzelen valt zijn er al een paar ratten met het spek gaan lopen.

Boven de schouwmantel is een schap aan de wand bevestigd waarop zeven meerschuimen pijpen in slagorde staan opgesteld. Drie met een rechte, vier met een gekromde steel, waarvan de holle kop met een dikke, zwarte koollaag is bedekt en het benen uiteinde door geknabbel van tanden is afgesleten. De hangplank is versierd met een koperen plaat waarop in zwarte letters een ondubbelzinnig standpunt wordt verkondigd: *Het is geen man die geen pijpje roken kan.* Zonder verdere flauwekul en zonder wat dan ook af te kijken van ene meneer Magritte. Misschien heeft niet minder dan zo'n doodgewoon pijpenrek de kunstenaar ooit geïnspireerd tot het maken van zijn wereldberoemde woordschilderijen en heeft hij voor het meest beroemde en beruchte van alle welbewust een pijp uitgekozen om ons beter rook in de ogen te kunnen blazen. Niets is toeval.

De zwarte gaten van de pijpenkoppen staren mij wat beschuldigend aan alsof zij mij op het appél willen roepen. Wat zit ik hier tussen boerenpummels mijn tijd te verbeuzelen in het vooruitzicht van een neutje jenever en wat halfgaar geroosterde varkensresten, terwijl enkele straten verderop Melodie misschien zit te wachten met een schat aan informatie die me naar mijn uiteindelijke doel moet leiden?

De oude boer zoekt heel bedachtzaam een pijp uit het rek en vist een bundeltje tabak uit een pot van gevlochten stro. Hij plukt het goedje uit elkaar en vult de pijpenkop met eerst grote en dan kleine vlokken die hij deskundig aanstampt. Hij zuigt en blaast een paar keer lucht door de steel om te zien of de tabak naar behoren vastzit, drukt hem nog even aan met de vinger en steekt dan een lucifer aan. Met de vlam strijkt hij over het oppervlak en neemt kleine trekjes tot het vulsel gelijkmatig brandt. Net zoals ik steeds heb zien doen door mijn vader voor wie het pijproken een vorm van levenskunst is.

Voor het houden van een groot banket, wordt het hoofd op de tafel gezet. Als laatste eerbetoon aan het slachtoffer en alvorens te worden gekookt en aan mootjes gehakt, wordt de kop van het varken op de tafel geplant en met jenever besprenkeld. Om niet uit de toon van het gezelschap te vallen, krijgt hij een hoed opgezet en de pijp, die de boer daarnet heeft opgestoken, in zijn bek gestopt. Voor zijn snuit wordt een borrel neergezet en neusgaten en oorholten opgevuld met een pluk tabak. Hetzelfde ritueel dat in mijn kinderjaren bij ons op de boerderij werd uitgevoerd.

Ze hebben me nog niet eens naar het doel van mijn bezoek aan de streek gevraagd, ik ben al een beetje van de familie. Als ik achteloos laat vallen dat ik op zoek ben naar een huis waar een kunstenaar woont, kijken ze elkaar vragend aan. Een kunstenaar? Wat voor kunstjes voert zo'n man dan wel uit? Een artiest, dat begrijpen ze beter. Hij heet Pim Pee. De naam zegt hen niks. Ik beschrijf hem. Klein, met een baard, kreupel, meestal onderweg in een rolstoel. Ze zijn meer geïnteresseerd in wat er achter die rolstoel aanloopt. Dat lekkere wijf met haar aangebrande tepelschijven, dezelfde die ze voor een schijntje konden naaien in die kroeg langs de grote baan. Melodie had in de streek de zaterdagavondkoorts doen uitbreken. De boerenkinkels kregen wat om naar uit te kijken. Ze schrobden er zich voor af onder de pomp, met groene zeep van Heymans, meneer. Die manke dwerg is er met hun schone vandoor gegaan. Wat is er van haar geworden? Hij heeft in elk geval zijn straf niet ontlopen. Hoezo? Welke straf?

Die boeren vertellen me, niet zonder enig leedvermaak, dat Toulouse er een paar weken geleden op zijn eentje was op uitgetrokken met zijn rolkar. De oude boer had hem gekruist bij valavond toen hij terugkeerde van de akker. Het was hem opgevallen dat hij zich niet liet voortduwen door Melodie, zoals gewoonlijk. Hij had zelfs zijn groet niet beantwoord. Hij zag er woest uit, hij wielde er op los met het schuim op de lippen. Hij sprak hardop in zichzelf. Het lag voor de hand dat het helemaal scheef zat tussen die twee, maar als er partij moest worden getrokken was de boer volledig op de hand van Melodie. Die Hottentot had meer dan genoeg met hen de draak gestoken toen zij met hun staart liepen te kwispelen. Wanneer het gewone volk te dicht in zijn buurt kwam, trok hij zijn neus op alsof hij een poepje rook. Zijn handicap is zijn geluk geweest. Hij mocht zich meer permitteren dan iemand die stevig op zijn poten staat. Indien zij hem hadden aangepakt, zoals dat hier in de streek met uitschijters gebeurt, was hij dood onder hun handen gebleven. Je moest geen waarzegger zijn om te voorspellen dat het met die pestkop verkeerd zou aflopen. Je hoefde niet eens naar de sterren te kijken om te weten dat het er in geschreven stond. De dag nadien was hij nog steeds niet opgedoken en een week later evenmin. Tot een visser paling aan het peuren was in een brede, diepe sloot. Zijn net was vast komen te zitten aan de rolstoel van Toulouse. En hij zat er nog netjes in, helemaal opgezwollen, dubbel zo dik als anders, met de kop naar beneden en de handen rond de leuning geklemd. Verzopen als een rat.

Toen de veldwachter het nieuws ging melden aan Melodie, was zij er niet. Alles zat potdicht, de deur was op slot, het rolluik naar beneden en het tuinhekje met een hangslot vastgemaakt. Sindsdien heeft niemand nog wat van haar vernomen, geen mens heeft haar daarna gehoord of gezien. De politie is naar haar op zoek. Die knarren willen weten wat er is gebeurd. Ze houden het voorlopig op een ongeluk maar omdat die schreeuwlelijk hier niet geliefd was, weet je maar nooit. Een duwtje aan zo'n kar is gauw gegeven. Er gaan zelfs geruchten dat Melodie ook zal gezocht moeten worden in een van de talloze kreken, sloten of beken.

Ze bieden mij een neutje jenever aan in een borrelglas waar duidelijk een vette vingerafdruk op te zien is. A la guerre comme à la guerre, ik ga er niet aan dood. 't Is drank van eigen stook. De boer tapt van het vat, een literfles vol, die we met zijn vieren in minder dan een uur soldaat maken. Dan wordt een kan gerstenat voor onze neus gezet. Met een lange vork wordt de varkensstaart uit het vuur geprikt en voor mij op de tafel gelegd. Ik kluif hem helemaal af bij het genot van een kroes bier. De anderen nemen een oor en een poot met een lik mosterd. Het is een soort galgenmaal ter nagedachtenis van Pim Pee en dat doet het alleen maar beter smaken. Tenslotte heeft die klootzak niet meer gekregen dan zijn verdiende loon. In het naar huis rijden zal ik nog een glas en een plas plengen op zijn graf. Hij ligt aan het verste eind van het kerkhof, droog ondergestopt, de hele dag zon. We drinken op de gezondheid van Melodie die ik gauw terug hoop te zien.

Floris, bye bye!

Dikke Floris Niedrig is gestorven. Plots. In het huis van Jenny Pêche-Merle nog wel. Dat heeft zij me net laten weten. Zij wil dat ik haar kom opzoeken. Zijn begrafenis moet worden geregeld en hij heeft geen stuiver nagelaten. Ze wil wat geld inzamelen bij de paar mensen die hij kende. Vrienden had hij niet. Wel kinderen, heb ik nu pas vernomen, drie om precies te zijn, waar hij sinds hun geboorte niet naar heeft omgekeken. Die geven geen sjoege, geen van de drie. 't Interesseert ze geen reet dat hun vader er niet meer is. Wat maakt het uit? Toen zij hem nodig hadden was hij er ook niet. Wat moeten zij dan met zijn stoffelijke resten? Ze bedanken voor de eer en de last. Bekijk het maar, zingen ze alle drie in koor. En op zijn zuster moeten wij al helemaal niet rekenen.

Ik werp op dat hij me tijdens zijn leven geld genoeg heeft gekost. Hij was er nog maar pas met tienduizend frank vandoor, zonder te spreken van de poen die hij om de haverklap had gebietst en nooit terugbetaald. Ik had het niet precies bijgehouden, maar 't was intussen opgelopen tot een aardig sommetje. 'We kunnen hem toch niet als een hond onder de grond stoppen,' bezweert Jenny Pêche-Merle mij, 'het blijft verdomme toch nog altijd een mens.' Zo is dat. Dikke Floris heeft altijd geteerd op de kosten van een ander en dat zal na zijn dood niet anders zijn. Een deelname in de onkosten voor zijn laatste maatpak in hout en voor de eredienst is niet te ontlopen.

Kort na de middag rijd ik naar Antwerpen en weet bij mijn aankomst nauwelijks nog welke weg ik heb genomen. De ganse tijd heb ik met Floris zitten praten, net alsof hij naast mij in de auto zat. Ik heb herinneringen opgehaald aan de leuke momenten die we samen hadden beleefd, want die waren er ook. Rode wijn, rood vlees en rode lippen waren in zijn leven de enige waarheden waarvoor hij wilde bloeden en betalen. Ik heb lekker meegedaan als de gelegenheid zich voordeed. Ik zou liegen als ik het anders zegde. Op puur zakelijk gebied was hij een wandelende ramp en bleef hij de kampioen van de loze beloftes. Virtuele verzamelingen, virtueel geld. Hij geloofde bovendien nog zelf wat hij ter plaatse verzon. Sin non è vero, è ben trovato. Hij loog de waarheid. Je kon het hem zowaar moeilijk kwalijk nemen.

Dat zat ik zo allemaal samen met hem te overlopen. Wat ik van hem had geleerd, en dat was toch heel wat, was hoe ik de bisnis niét moest aanpakken. Daar op aansluitend begon ik op een bepaald ogenblik zelfs grappen te maken. Tegen Floris, nondeku. Hij die altijd zo bloedserieus was in zijn gesprekken, zelfs in galant gezelschap. Hij bleef in alle omstandigheden een heer van stand. Volgens Jenny veranderde hij 's nachts in een weerwolf maar ik ben bijna zeker dat hij in het liefdesledikant niet eens zijn witte boord losknoopte of zijn stropdas aflegde. Floris was een lam.

Het was een absurde situatie. Bij leven hield de Dikke niet van grappen en ikzelf mis compleet het talent om ze te vertellen, misschien was dat de reden dat ik er maar op los kletste. Om dat onbestemde angstgevoel te verjagen dat me had overvallen bij het vernemen van zijn overlijden. Een andere uitleg heb ik daar niet voor. Het hielp in elk geval. Ik was ook opgelucht dat ik hem zijn schulden had kwijtgescholden. Niet dat het voor een van ons beiden nog enig verschil maakte, maar ik voelde me daar toch een stuk beter bij. Als ik bij het huis van Mama Merle arriveer, kan ik niet zeggen dat ik in een rotstemming verkeer.

Het lijkbiddersgezicht dat Kapsel opzet als zij de deur openmaakt, Worstelaar die er bij staat alsof hij net in zijn broek heeft gekakt, Jenny, ingepakt als een halve mummie en beide masseuses die op de bank zitten te rouwen in hun doorschijnende schort, kortom het hele sfeertje van echte of gespeelde verslagenheid in dit hoerenhuis mist zijn effect op mijn lachspieren niet. Ik voel de neiging opkomen om te vragen of er misschien iemand dood is. Ik doe mijn best om me in te houden maar voel de bui onweerstaanbaar opzetten, ik krijg verdomme de slappe lach. 'Excuseer,' probeer ik te zeggen, maar dat maakt het alleen maar erger. Het werkt aanstekelijk. De blonde en de sproetenkop loeren naar me en proesten het uit. Jenny reageert woedend en wil recht komen om de meisjes manu militari naar boven te jagen. Zij maakt een verkeerde beweging, zakt terug op haar stoel en grijpt met een pijnlijk grimas naar het harnas waarin zij gesnoerd zit. Ik loop naar buiten om tot bedaren te komen. Ik maak een ommetje en een kwartier later ben ik er weer.

'Ik ben helemaal gebroken,' zucht Jenny. Haar schouder uit de kom, een polsbreuk en enkele gekneusde ribben. Dat was het resultaat van het bezoek dat Floris haar gisteravond had gebracht, zijn laatste. Van bij het binnenkomen gedroeg hij zich erg onrustig. 't Was de gewone Floris Niedrig niet. Hij danste rond als een hond die naar zijn eigen staart hapt. Dat lome lijf leek plots onder stroom gezet, de speklaag vervangen door vloeibaar helium, hij kon zo de lucht ingaan. Dan ging hij weer zitten en kromp helemaal ineen, bang als hij was dat hij uit elkaar zou spatten. Op een bepaald ogenblik ging hij zich verbergen onder de tafel, de blik angstig op de deur gericht alsof hij verwachtte dat er elk moment kon worden aangeklopt om hem te halen. Hij had begrepen dat de dood hem kort op de hielen zat.

Toen Jenny hem met veel moeite had kunnen overreden om onder die tafel vandaan te komen en hij in ogenschijnlijke rust naast haar op de bank zat, begon hij het plots heel warm te krijgen. Het zweet regende van hem af want hij wist verduveld goed wat hem overkwam. Hij zette het op een hollen rond de tafel, rukte het venster open en stond daar voor dat open gat te brullen. Even dacht zij dat hij er door zou springen maar daarvoor was hij veel te bang. Hij zat in de piepzak, hij huilde van angst. En plots barstte hij uit elkaar. Hij spuwde bloed en gal tegelijk. Hij spoog dat vieze vocht er uit als braaksel, met hele stromen. In een laatste wanhoopspoging gooide hij zijn ton lichaamsvet tegen Jenny aan, klampte zich radeloos aan haar vast en kraakte haar ribbenkast tussen zijn armen. 'Help mij! Houd mij vast! Laat me niet sterven!' Hij schreeuwde als een varken tegen het mes.

Jenny begon voor haar eigen leven te vrezen. Zij kreeg geen adem meer. 'Ik dacht dat hij me plat ging drukken', zegt ze, zo uitzinnig bang was hij. 'En tussendoor maar bloed spuwen. Over mijn hoofd en mijn kleren. En maar schreeuwen! Plots begon het te stinken, alsof het deksel van een beerput werd weggetrokken. Ik zat klem tussen zijn armen, met mijn neus er bovenop, terwijl hij zijn broek volscheet.'

En dan viel hij om. 't Was een slagveld. In zijn val sleurde hij Jenny mee, het tafellaken met alles wat er op stond en verpletterde de salontafel. Hij liet een reutel horen en dat was het.

Jenny had van alles voelen kraken in haar lichaam. De Dikke lag met zijn volle gewicht bovenop haar en zij kon niet meer op eigen kracht onder die 180 kilogram dooie massa vandaan komen. Zij dacht dat zij er ook was geweest. Er was geen millimeter beweging meer in dat lijk te krijgen. In haar wanhoop heeft zij zelfs in zijn oren en zijn nek gebeten om hem alsnog aan het schrikken te brengen maar hij was er helemaal geweest.

Worstelaar en Kapsel waren net naar huis, maar gelukkig was Worstelaar op zijn stappen teruggekeerd omdat de anders zo minzame Floris bij het binnenkomen niet eens gegroet had en hem straal genegeerd. Hij gedroeg zich heel opgewonden alsof er iets ongewoons was gebeurd of alsof hij iets in de zin had dat niet koosjer was. Dat was Jenny haar geluk geweest. Anders was zij dood onder dat kadaver gebleven. Verpletterd, versmacht.

Worstelaar kon met veel moeite die zak blubber van haar af rollen. Daarna heeft hij Jenny voorzichtig op de bank gelegd en onmiddellijk de hulpdiensten gebeld. De verplegers waren er binnen de tien minuten en even later kwam de brandweer al aanrukken. Jenny kan zich trouwens niet eens herinneren hoe zij onder dikke Floris vandaan is gekomen. Ze was buiten bewustzijn geraakt. De pompiers hebben haar zuurstof toegediend want ze zag al blauw, beweert ze.

Dat corpus de deur uit krijgen was nog een ander avontuur. Ze hebben onmiddellijk de grote middelen ingezet want op de gewone manier konden ze de klus niet klaren. Dat lijk, dat intussen helemaal opgezwollen was en twee keer zoveel leek te wegen, hebben ze na de grote verkeersdrukte door het venster naar buiten getakeld. Ze hebben er de straat voor afgesloten. Er was geen kist te vinden die Floris kon bevatten. Alleen een container bleek groot genoeg om hem in op te bergen.

Ik ga zijn dood melden aan zijn zuster. Jenny heeft dat niet over de telefoon willen doen, zoiets moet persoonlijk gebeuren, vindt ze. Ik weet niet goed hoe ik het zaakje aan moet pakken. Hoe meld je iemand de dood van een nauwe bloedverwant? Ik zal mijn beste lijkbiddersgezicht opzetten. De ogen neergeslagen, tanden op de onderlip en een fezelende stem. 't Is een ondankbare taak omdat je nooit weet hoe mensen reageren op een onheilstijding. Elk woord moet je wegen want ze kunnen als stenen op iemands hoofd vallen. Je kunt ze niet terugnemen.

Ik dus op naar die zuster. Niet bepaald een prettig vooruitzicht, dat mens niet en het nieuws dat ik voor haar heb evenmin. Als ik blijf staan voor het huis aan de Van Rijswijcklaan, waar ze samen woonden, zinkt de moed me helemaal in de schoenen. De gevel lijdt aan schimmelziekte, de dakgoot is zo lek als een zeef en aan ramen en deuren hangt geen spatje verf meer. Ik ben er eerder geweest met Floris, verschillende keren zelfs, hoezeer hij zich ook schaamde om mij er in te laten.

Aan de binnenkant is het huis eveneens gesloopt. De gesculpteerde marmeren schouwen zijn uitgebroken. Melkachtige plastic platen zitten nu in de plaats van het gebrandschilderd glas. De meubels zijn grotendeels naar het venduhuis of de lommerd gebracht en de Venetiaanse luchters vervangen door peertjes. Deuren zijn uit de hengsels gelicht en de houten lambrisering is uitgebroken. Op het laatst knaagden ze het behang van de muren, Florimond en Chrétienne Niedrig, de uitgeschudde erfgenamen van een steenrijke familie. Hun vader was een ingenieur geweest die over de halve aardbol spoorwegen had aangelegd, tot in China toe. Hij had zelfs belangen in de mijnbouw. Ze waren er in gelukt in hun eigen tijd het hele fortuin op te souperen en plukten elkaar de luizen van het hoofd om te overleven.

Binnen hangt een zure pislucht. Chrétienne is al jaren bedlegerig en ontvangt haar gasten op een stoel in de slaapkamer naast haar bed. Zij woont in de achterbouw, helemaal aan het einde van de lange gang. Met veel moeite geraakt zij nog tot bij de voordeur om open te maken maar na een bezoek is zij telkens zo uitgeput dat zij de kracht niet meer vindt om je er weer uit te laten. Een uitgedoofd hoopje miserie in een rafelige peignoir op groezelige lakens. Haar leven is één lange weeklacht. Zij heeft een snerpend, hoog stemgeluid, net als dat nijdige keffertje van haar dat de vloeren onderpoept omdat hij niet op tijd wordt gelucht. Een gemeen beestje. Hij wilde telkens een hap uit een van mijn kuiten, bij elk bezoek. Daarvoor nam hij een lange aanloop, trok zich op snelheid, stoof de lange gang door van de slaapkamer tot de voordeur en liet zich de laatste meter op zijn pootkussentjes over de uitgesleten tegels glijden om zijn tanden in mijn been te zetten. De eerste keer was ik behoorlijk geschrokken. Telkens vroeg ik haar dat kreng bij zich te houden, maar daar had ze de kracht niet voor ofwel liet ze hem expres op me los.

Ik vertel haar wat er is gebeurd en daar begint dat mens me toch te janken dat horen en zien vergaat. Het snijdt door merg en been. De keffer valt in en samen geven ze een langgerekte lamentatie over haar eigen uitzichtloze lot ten gehore. Zij weet niet hoe het verder met haar moet. Over haar broer Floris geen gebenedijd woord tenzij om zich te beklagen over zijn spilzucht. Zij is van haar kwelduivel verlost, daar komt het op neer. In feite is zij bijna opgelucht dat het huis niet verder zal worden geplunderd, hoewel er niets meer te jatten valt. Alleen het dak kon nog van boven haar hoofd worden weggehaald. Enkel de bouwstenen schieten over.

Ik raad Chrétienne aan die puinhoop te verkopen en naar een rusthuis te gaan. Daar zal ze tenminste alle verzorging krijgen die zij nodig heeft. Geen sprake van, zegt ze, omdat Filou niet mee mag naar zo'n instelling. Ze aanvaarden er geen honden en die haarbal staat op de waardeschaal van het leven op aarde veel hoger dan gelijk welk menselijk wezen. Van dat laatste soort is zij zo zat als van gespogen spek.

Zij haalt een sleutel onder haar oorkussen vandaan en krabbelt recht, trekt zich sleepvoetend op gang en strompelt naar de wandkast. Ik schrik me een hoedje als zij de lade opentrekt. Daar, in die stomme kast van dat kramakkige huis, zie ik twee voorwerpen liggen waar ik al langer naar op zoek ben. De tekening met het zelfportret van Ensor die ik aan Pêche heb verkocht en de foto van het schilderij met de Pijp van Magritte. Even denk ik er aan die dingen te pikken maar dat kan ik de sloor niet aandoen.

Ik zeg haar wel dat die tekening van mij is, trek mijn portefeuille uit mijn kontzak en toon haar de cheque.

Die tekening, zegt ze, wordt hier bewaard voor iemand die er een flink voorschot heeft op betaald aan haar broer, hier, voor haar ogen, maar vraag haar niet wat die met de centen heeft aangevangen. Zij kan het raden en ik zou beter moeten weten want wij gingen toch bijna wekelijks met elkaar om, heeft hij haar verteld. Trouwens, in dezelfde kast ligt een gesigneerd verkoopsakkoord dat hem door de koper is overhandigd en ingaat op de dag dat het bewijs van authenticiteit wordt geleverd. Ik vraag haar of ik dat even mag zien. Chrétienne ontplooit een netjes opgevouwen blad dat ze stevig tussen haar vingers geklemd houdt en laat het mij lezen. Ik registreer de naam en het adres van niemand minder dan de heer Salmèk, broekenverkoper te Brussel.

Als ik meer wil te weten komen over de foto van het Magritteschilderij trekt zij instinctief haar hoofd in, alsof mijn vraag haar bang maakt. Kom ik een goed bewaard geheim openbreken? Weet zij waar het werk zich bevindt of zit het hier ergens in deze ruïne verborgen? Misschien ligt hier de sleutel waarmee ik toegang krijg tot de schuilplaats van mijn graal. Ik moet omzichtig te werk gaan om haar de foto, die in feite mijn queeste voorgoed op gang heeft getrokken, te ontfutselen.

Wanneer zij daadwerkelijk een sleutel onder haar hoofdkussen vandaan haalt en wijst op een sleutelgat dat verborgen zit achter een rechthoekig plat vlak van een stuk lambrisering dat is overgebleven, denk ik gewonnen spel te hebben. Ik open het paneel en zie daar in een soort kluis netjes gerangschikt een reeks schilderijen staan van klein en middelgroot formaat. Haar broer wist niet af van het bestaan van deze berging, gelukkig maar. Indien hij de inhoud ervan had gekend zou hij ze in geen tijd hebben geplunderd. Het is alles wat zij voor de Grote Verkwisting heeft kunnen behoeden en waarvan zij hoopt dat het zal volstaan om in propere armoe het eind van haar levensdagen te halen. Zij vraagt me of ik die spullen ten gepaste tijde voor haar aan de man zou willen brengen. Zij moet iemand kunnen vertrouwen, immobiel en machteloos als zij is. En over mij heeft zij haar broer nooit een onvertogen woord horen spreken.

Ik wil haar maar al te graag helpen, zeker wil ik dat. Met geen woord rep ik nog over een deelname in de kosten voor de begrafenis, genereus als ik ben vandaag heb ik haar die al kwijtgescholden. Ik stel voor meteen een inventaris te maken van hetgeen zij daar verborgen houdt, kwestie van mij te kunnen vergewissen of – bij mirakel – de Pijp van Magritte daar niet tussen verstopt zit. Als ik aanstalten maak om in haar schattenbak te rommelen, heb ik al direct een vinger teveel uitgestoken. Zij is bang dat ik haar ga beroven. Ze begint zwaar te hijgen, zij heeft zowaar een angstaanval. Straks begint zij te krijsen. Filou wordt ongedurig, trekt zijn bovenlip op en laat grommend zijn tanden zien.

Zij sloft tot aan de rand van het bed en laat zich neervallen op de matras. De foto van de Pijp houdt zij stevig in de hand geklemd. 'Mag ik die foto?' vraag ik. 'Neen,' zegt ze kortaf. Ik dring aan. 'Als souvenir.' – 'Ik zal je een dienst bewijzen,' zegt ze, terwijl zij de foto versnippert. 'Waarom doe je dat?' – 'Hij brengt ongeluk. Het is mijn broer zijn dood geweest.' – 'Hoezo?' – 'Ga nu maar. Het heeft niet het minste belang meer.' Ik aarzel. Misschien zal het belachelijk klinken, maar ik vraag het toch: 'Mag ik misschien de snippers?' Ze antwoordt niet eens, kijkt me heel achterdochtig aan met haar waterige ogen en klemt de restjes papier in haar vuist tot haar knokkels er wit van worden.

Ik ben bijna bij de voordeur als ik Chrétienne hoor schreeuwen naar de keffer die haar weer is ontsnapt en als een projectiel op mij af komt gevlogen. Ik blijf staan, zet mijn voet met de punt stevig op de grond en houdt de hiel opgericht ter hoogte van zijn snuit. Zoals gewoonlijk legt hij die laatste meter glijdend af maar in plaats van tegen een zacht been te belanden slaat hij met zijn bek tegen mijn harde hiel te pletter. Onder heidens kabaal en met de staart tussen de benen spurt hij terug naar de slaapkamer onder luid geschreeuw van Chrétienne die overtuigd is dat ik haar hond aan het vermoorden ben.

Mager klokgelui. Een lege kerk. 't Is een kale bedoening. De pastoor rammelt zijn oremus af, mummelt wat moordenaarslatijn en daarna gaat het richting kerkhof. Gezien het gewicht van het lijk zijn er meer dragers dan volgers. De lijkbezorger heeft ze opgetrommeld bij het kantoor voor steuntrekkers. Daar blijven er altijd enkele lanterfanten om zich als getuige aan te bieden bij de aangifte van een geboorte en aldus een grijpstuiver te verdienen. Nieuwe vaders zijn vrijgevig. Vandaag zijn ze er aan voor de moeite. De koning van de royale fooien ligt tussen de planken. Achter de kist lopen twee man en een paardenkop. Worstelaar, ikzelf en Kapsel. Van alle hoertjes die dikke Floris ten koste van het familiefortuin in leven heeft gehouden is geen schaduw te bespeuren. Jenny is in de auto blijven zitten. Ze beklaagt zich al dat ze mee is gekomen. Haar borstkas zit ingesnoerd en elke beweging doet pijn.

Ze laten Floris Niedrig neer in zijn kuil. Elk om beurten strooien we een schepje aarde over de kist. En dan is het uit.

Als ik aanstalten maak om te vertrekken, laat Jenny me nog even wachten. Zij fixeert het silhouet van een jonge vrouw in de nabijheid van het graf van Floris. Haar van vloeibaar goud? Roodborstje? Ik wil uitstappen en op mijn stappen terugkeren. 'Rijden,' zegt Jenny. 'Het duurt maar even,' zeg ik, 'ik ben zo terug.' – 'Rijden. Direct naar huis. Ik hou het niet langer uit. Ik heb teveel pijn. Ik wil absoluut gaan liggen.'

Ik breng Jenny, Worstelaar en Kapsel naar de Britselei en roetsj dan in sneltreinvaart terug naar dat kerkhof. Tegen het hoopje aarde naast het graf van Floris Niedrig ligt een krans die er daarnet niet lag. Een jonge vrouw is hem komen deponeren, zegt de grafdelver. Op het paarskleurige lint staat in gouden letters het geijkte opschrift. 'Aan mijn betreurde vader.'

Oude bekenden

De weg langs het golfterrein is smal met enkele richting. Om het huisnummer zeker niet te missen, rijd ik traag. Veel te traag naar de zin van de chauffeur achter mij die nerveus wordt omdat hij niet kan voorbijsteken. Hij heeft al een paar keer getoeterd en door de achteruitkijkspiegel kan ik zien dat hij een kop krijgt als een kalkoense haan. Ik laat me niet opjutten, hij moet maar even zijn ongeduld voor lief nemen. Honderd meter verder heeft hij geluk. De weg verbreedt tot twee ruime vakken. Ik draai de ruit naar beneden en doe die zenuwlijer teken dat hij de weg voor zich alleen heeft, maar hij blijft ostentatief achter mij aanrijden. Nu begint hij ook al met zijn lichten te flikkeren. Wat moet hij van mij?

Nauwelijks honderd meter verder ben ik ter bestemming. Daar staat mijn klant bij wie ik een schilderij moet presenteren, mij al op te wachten om een handje toe te steken. Het is een werk van buitensporig formaat en om het te vervoeren heb ik het bestelwagentje van Rolfie Tonne geleend. Zijn naam staat in koeien van letters op de beide zijwanden geschilderd. Ik parkeer aan de zijkant, vlak voor het huis van mijn kandidaat koper.

Zodra het de ruimte krijgt, schiet dat kleine, rode wagentje mij als een speer voorbij. Met luid motorengebrom en gierende banden lucht de zenuwpees zijn ongenoegen. Ik geef hem een middenvinger. Dat schiet die hardrijder in het verkeerde keelgat, want aan het eind van de straat zwaait hij om en vliegt recht op me af.

In een wolk van stof en verbrand rubber slaat hij alle remmen dicht en komt vlak naast dat karretje van Rolfie tot stilstand. Weer zo'n klootzak die denkt dat de wereld voor hem moet wijken. Die driftkop draait het raampje naar beneden. Hij snuift van woede.

Vooraleer ik sorry kan zeggen slaan de vlammen al uit zijn bek, hij heeft gloeiende kolen geslikt. 'Luister eens, hoerenjager! Je moet mijn vrouw met rust laten. Heb je dat gehoord? Als je nog één keer in haar buurt komt laat ik jou je tanden uitspuwen!'

Zijn vrouw? Waar heeft ie het over? Ik weet verdomd niet eens wie hij is en wie hij met zijn vrouw mag bedoelen. Ik ben te verbouwereerd om hem van repliek te dienen. Voor zijn kop helemaal uit elkaar barst, schreeuwt hij mij nog toe: 'En de eerstvolgende keer dat ik je wagen voor haar zaak zie staan, sloop ik hem eigenhandig!' Hij spuwt een flinke fluim naar dat karretje van Rolfie en verdwijnt in een rotvaart, de verboden richting in. Ik wacht nog even om te horen of hij geen klap maakt. Ik wens het hem bijna toe.

Mijn klant, een deftige heer van het type kerkuil, is helemaal van zijn melk. Zo'n taaltje is hij niet gewend. Hij weet niet wat hij van me moet denken. De boze wereld kent hij van horen zeggen op de preekstoel en nu komt hij voor het eerst tot de vaststelling dat die écht bestaat. Hij bekijkt me maar zuur. Ik excuseer mij voor het gedrag van die hufter. Straks heeft hij die zaak nog verknald. Ik sla een mal figuur, want met wie men verkeert wordt men vereerd.

Terwijl ik dat doek in hun woonkamer presenteer op de plaats waar het moet komen, wordt de aandacht van mijn klant en zijn vrouw afgeleid door het gepiep van hard remmende autobanden. Ik durf bijna mijn ogen niet geloven. Daar is hij weer! Hij stapt uit en koelt zijn woede op de wagen van Rolfie. Een paar keer plant dat straatschorem met volle geweld de zool van zijn voet in het koetswerk, springt in zijn wagen en scheurt weg. Het heeft niet meer dan een paar seconden geduurd maar dat was lang genoeg om mijn kopers te doen besluiten dat zij nog eens willen nadenken over de zaak. Ik kan inpakken.

Onverrichter zake keer ik terug naar mijn galerie. Terwijl ik het schilderij uitlaad komt Renata in sneltreinvaart op haar fiets aangereden en springt al rijdend van het vehikel dat twee meter verder in de goot belandt. Iedereen heeft grote haast vandaag. Natuurlijk is het eerste wat haar opvalt het paar flinke blutsen in het koetswerk van de Rolfie Royce. 'Vandalisme,' zeg ik. 'Dat komt ervan als iemand zijn wagen 's nachts voor de deur laat staan.' – 'Omdat die iemand waarschijnlijk te dronken was om hem nog in de garage te rijden.' Zij is kort van stof. Bijt me de neus niet af, Naatje! Ik ga niet in op haar antwoord om geen pijnpunten aan te raken. Het vuur van Rolfie voor Renata brandt op het laagste pitje en ik wil met hun perikelen niet geconfronteerd worden. Mijn vriend heeft sinds enige tijd zijn oog laten vallen op een verblindend mooi kapstertje dat zich aan de Zoutelaan heeft gevestigd rond de periode dat ik mijn galerie heb geopend. Hij was daar eveneens aan de slag. De dagen dat hij niet kwam opdagen om bij mij het schilderwerk af te werken, was hij bij haar met de kwast in de weer. Dat kind was net getrouwd met een matroos van de wilde vaart die weinig aan de wal kwam. Rolfie zat toen al op vinkenslag om door de eerste scheurtjes te glippen die onvermijdelijk in die bruidsjurk zouden komen. Hij heeft me nooit gezegd dat er iets aan de gang was tussen hen maar de laatste weken loopt hij opvallend hard te fluiten. Wat hem verraadt is zijn kop. Zijn wilde manen liggen in de plooi alsof ze elke dag netjes worden getrimd. Hij begint meer op een poedel te lijken dan op een leeuw. En hoe langer ik er over nadenk hoe meer ik ervan overtuigd raak dat die verkeersagressor niemand anders kan zijn dan de echtgenoot van het kapstertje. Omdat ik met zijn wagen reed zal die zeevaarder mij voor Rolfie hebben genomen.

Naatje laat zich neervallen op de bank en vraagt of ik koffie voor haar wil zetten. Ze heeft nieuws en ze weet niet precies of het nu goed of slecht nieuws is. Die dronkenlap van haar is gisteren uit de ontwenningskliniek ontslagen en zich vrolijk en blijmoedig thuis komen nestelen alsof hij maar voor een uurtje de deur uit was geweest. Gewoon met de huissleutel langs de voordeur naar binnen. Ik had haar nochtans op het hart gedrukt de sloten te vervangen. Ze weet zich geen raad, de arme ziel.

'Pak je biezen,' zeg ik haar. Doet ze niet omdat zij vreest dat haar man daardoor weer aan de drank raakt. Alsof hij daar ooit vanaf zal geraken. Zij is te goed van hart, die meid, te gul van natuur. Ik zeg haar dat nogmaals met zoveel woorden, maar ze pruilt: 'Als ik er vandoor ga, wordt het zijn ongeluk.' – 'En als je bij hem blijft het jouwe.' Zij buigt het hoofd, ze weet het niet meer. 'En trouwens, waar moet ik heen?' Rolfie ruimt geen plaatsje meer in zijn bed en van een leven op eenzame hoogte met de aanbeden Post Scriptum durft zij niet eens te dromen. Maar ze hoopt wel. Eens komt de dag. Blijven hopen, Naatje. Ik sta op het punt haar een kamer in mijn altijd lege huis aan te bieden, maar de idee dat ze er nest zou kunnen maken langer dan me lief is, houdt me tegen.

Terwijl ik haar probeer te overtuigen om bij haar meneer Mokka weg te gaan – waar bemoei ik me eigenlijk mee? – komt plots al dat schuldbewustzijn in één keer naar boven als kwalijk riekend rioolwater na een slagbui. Zij trekt me naast haar op de bank en zo blijven we een hele tijd zitten, zij met haar blonde kopje tegen mijn borst. Ik troost haar zo goed als ik kan en elke keer als zij mij aankijkt met dat magische blauw in haar ogen moet ik vechten tegen de verleiding haar te herinneren aan betere tijden en haar mee te slepen naar de kelder om haar al die ellende met één goeie beurt te doen vergeten.

De duvel is er mee gemoeid. Renata is nog maar pas de deur uit of haar zuipschuit Bonenstaak vaart met volle zeilen mijn galerie binnen. Hij ziet er patent uit, opgelaten, net terug van vakantie. Hij doet zijn ronde bij oude vrienden en kennissen. Ik bied hem een glas water aan maar na twee slokjes vraagt hij al of ik niets hartigers in huis heb. 'Meen je dat?' – 'Ik wil mezelf op de proef stellen,' beweert hij. Hij wil de drankduivel verslaan door hem onder de tafel te drinken. Ik weiger hem wat anders te schenken dan een tap van de waterkraan. Hij probeert op mijn gemoed in te werken door te beweren dat zijn binnenwerk onder een roestlaag zit door de sloten water die hij voor zijn ontwenning had leeggedronken. Hij kan geen water meer door zijn keel gieten. 'Een glas melk dan?' vraag ik. Dat kan hij krijgen van mij, meer niet. Hij vraagt of ik een grapje maak, we zijn toch oude drinkebroers? En daar begint hij een heroïsche vertelling af te steken waarbij de inval van de Noormannen in het niets verzinkt, hij bezingt de woeste drinkgelagen, de orgieën en de vechtpartijen die we samen hebben beleefd. Ik zit hem met open mond aan te gapen. De man doet aan mythevorming ofwel heeft hij de verkeerde

voor. De bedrading in zijn hoofd hangt dicht bij de kortsluiting.
Ik ben nooit met hem op stap geweest behalve die ene, memora-
bele keer dat ik hem na een kroegentocht naar huis heb gesleept
en zijn vrouw geneukt, vlak voor zijn stomme neus. Dat ware nog
een wapenfeit om aan zijn epos toe te voegen. Hij verveelt me. Ik
scheep hem af.

En alsof het op één voormiddag nog niet genoeg is, verschijnt
even later Rolfie Tonne als derde in het rijtje. Hij komt zijn be-
stelwagen terughalen. Hij is er al van op de hoogte dat Dronken
Lot is teruggekeerd. Hij heeft hem door de straten zien dweilen.
Voor hem komt dat in feite niet ongelegen, het is zelfs een beetje
welkom. Maar het gaat over zijn hout als hij met bittere spijt staat
te vertellen dat hij Renata in de toekomst niet veel meer zal kunnen zien omdat zijn vrouw lucht heeft gekregen van hun affaire.
'Maak het nou, Rolfie! Jij rotzooit met dat krullenkind! Waar of
niet? Ik zie je auto elke dag voor haar zaakje staan, meestal na
sluitingstijd. Wat doe je daar? De haarresten opvegen? Bekijk je
zelf. Met die mooi gekamde kop ben je nauwelijks te herkennen.
Bij zoverre zelfs dat een wildeman mij een uur geleden had kunnen vermoorden omdat hij dacht ik Rolfie Tonne was.'

Als ik hem mijn wedervaren van deze morgen vertel, ligt Rolfie
bijna krom, hij schuddebuikt. Zo'n goeie heeft hij in tijden niet
gehoord. Ik moet hem nogmaals de hele scène naspelen met die
woeste matrozenkop in zijn rooie, verroeste turkenbak. Om de
deuken in zijn karretje kan hij minder lachen maar hij beschouwt
zoiets als randschade in de strijd die een man moet leveren op
het slagveld van de liefde. Dat neemt niet weg dat hij straks even
bij die woesteling langsgaat om over een vergoeding te spreken.
'Hoezo?' zeg ik, 'je naait toch al zijn vrouw!' – ' Da's gratis.' – 'Let
toch maar op. Die matroos ziet er mij geen zacht eitje uit.' – 'Ach,
wat. Van zulke eitjes slurp ik er drie voor mijn ontbijt! Rauw!' Verder maalt hij er niet om.

Eén ding weet ik. Als ik in de toekomst nog een groot formaat
te bestellen krijg, pas ik wel op. Dan ga ik bij het verhuurbedrijf
een auto halen in plaats van een pak slaag te riskeren omdat een
of andere hoorndrager mij voor Rolfie Tonne neemt.

Voor ons beider goed vindt hij dat we nodig eens de benen

moeten gaan strekken in de Warme Landen. Sinds Pim Pee het hoekje om is, zit Melodie weer op haar hoerentroon. 't Is er nog drukker dan voorheen. Haar grot is een heus bedevaartsoord geworden. Uit de vier windstreken komen ze er op af om haar te aanbidden als troosteres der bedrukten en toevlucht van alle zondaars.

Rolfie heeft met haar zitten babbelen, over haar familie en zo, het was leerrijk. 'Ze moet een verrek mooie dochter hebben. Zoals ze met die foto zat te pronken, is ze behoorlijk fier op dat kind, op haar Serafina. Niet direct mijn genre, niet genoeg vlees om de knoken, meer jouw smaak. Daar gaan we samen eens op af. Ik moet nog uitvogelen waar die schat te vinden is.' – 'Die schat is er wel met Melodie haar grote liefde vandoor, mijn beste Rolfie. Die schat is godverdomme met haar stiefvader naar Londen gevlucht om met hem te trouwen. Met de minnaar van haar eigen moeder! Mooie dochter, als je het mij vraagt.' – 'Moeder en dochter? Die vent kreeg alles ineens geserveerd. De boter en het geld van de boter. Wat een luxe! Het gebeurt een mens alleen in zijn stoutste dromen.' – 'Hij heeft het met zijn leven bekocht.' – 'Dat is dan weer net iets te duur betaald.'

Melodie had aan Rolfie eveneens haar wedervaren van de laatste weken verteld. Nu gaat het wat beter met haar, maar zij heeft het een tijdje knap lastig gehad. Na de verdwijning van Toulouse dacht het gerecht dat zij een handje had in die hocus pocus. Er werd geroddeld. Vooral de vrouwen ontpopten zich als wraakgodinnen. Ze hadden hun tijd afgewacht om af te rekenen met de lichtekooi waar hun mannen geld en eer bij verspeelden. Op het jaarlijks bal van de burgemeester, enkele maanden voordien, hadden Pim en Melodie flink ruzie gemaakt. Naar de zin van meneer danste zij te warm en dicht met een paar van die potige boerenkinkels. Hij was stikjaloers, hij kon het niet hebben. Op de koop toe lachten ze hem nog uit ook. Ze hadden ergens horen waaien dat hij in het publiek op de vrouwen kroop en daarbij verkondigde dat het kunst was. Daarom daagden ze hem uit op de dansvloer een demonstratie te geven van zijn bokkensprongen. Zo zagen ze daar in dat achterlijk gat ook nog eens wat. 'Toon ons je kunstjes, Pim! Laat nou eens zien wat je kan! Ga maar alvast liggen, Melodie! En omhoog die rokken!' Pim werd zo kwaad dat hij zijn wandelstok stuksloeg op de ribben van Melodie. Zij moest het bekopen.

Zijn verdwijning kwam als een zegen om haar van alles en nog wat te beschuldigen, zijn lijk ontvingen ze als een godsgeschenk. Toen Toulouse werd opgevist, werd Melodie met de vinger gewezen. Ze werd verdacht hem met kar en al in de plomp te hebben gereden. Het was een signaal om op te hoepelen. Melodie bleef. Wat heeft zij tenslotte nog te verliezen? De mannen aanbidden haar, de vrouwen haten haar. Het zij zo. Zij heeft met alles leren leven, ook met de bedreiging van een paar dolle wijven om haar peesbarak in brand te steken.

Als iedereen de deur uit is neem ik mijn gitaar van de haak om wat te bekomen van al die opwinding. Zij is weigerachtig en laat zich zomaar niet in een twee drie manipuleren omdat het weeral een poos is geleden dat ik haar nog heb gekoesterd. Ik span haar ontstemde snaren om haar het wijsje te laten zingen dat mij bij de strandwandeling van deze morgen met de golven is aangespoeld, een broos deuntje. Het lag er voor het rapen, tussen het andere wrakhout. Ze is weerbarstig, mijn gitaar, ze jankt een beetje. Ze heeft de blues, net als ik. De laatste tijd ben ik er niet voor haar geweest, het is waar. We knuffelen niet meer en raken van elkaar vervreemd. Ze laat me voelen dat ze niet in een handomdraai weer te versieren valt. Het zal moeite kosten en die kan ik al een hele tijd niet meer opbrengen.

Net als ik de eerste akkoorden aansla, zie ik een verschijning. Roodborstje? Een korte ontlading elektriciteit van hoog voltage schroeit mij aan de bank. Haar schaduw schuift over mijn gitaar. 'Stop vooral niet met spelen omdat ik er ben,' zegt de jonge vrouw die ik in het tegenlicht niet meteen herken. Rank silhouet en een jonge stem die zacht klinkt en mij weer tot rust brengt. Ik sta recht om haar te begroeten. 'Ik had je niet mogen onderbreken. Ik ben dol op gitaarmuziek.' Strakke jeans en topje in kalfsleder, een mooi maar gekweld gezicht dat de sporen draagt van vele veldslagen. Zij steekt haar hand uit. 'Ken je me nog? Suzy Mandemakers uit Antwerpen.' – 'Troetel...' – 'Meteen geraden. Blij dat je me niet compleet vergeten bent.'

Troetel. Mijn zinsbegoocheling. Hoe zou ik haar kunnen vergeten? Bijna had ik haar een derde maal voor Roodborstje gehouden. De eerste keer was dat bij mijn bezoek aan Mama Merle toen ik de cheque op het lijk van Louis kwam verzilveren en ik haar met een schijn door de andere kamer zag lopen. Ik had haar meteen geboekt in de mening dat zij de vrouw was die mijn dagen en nachten behekste. Toen ik mij op onze afspraak oog in oog bevond met deze mooie onbekende in plaats van met Roodborstje, op wie ik al mijn hoop had gesteld, was ik te verlamd om een poot naar haar uit te steken. Uit loutere beroepseer en alleen voor het plezier van mijn ogen, heeft zij mij daarop haar uiterste bedrevenheid in het vingerspel gedemonstreerd.

De tweede keer, heel recent nog, heb ik haar gezien op het kerkhof, na de begrafenis van Dikke Floris. Zij was het die een krans naast zijn kuil had neergelegd, dat heb ik later van Jenny vernomen, want toen ik mij terug haastte naar dat graf, was de pleureuse alweer verdwenen. Zij, delicium Troetel, het snoepje van de familie Meier, schone van één dag en getrouwd met een homo, komt mij het lang beloofde bezoekje brengen. Ik ben blij verrast.

Haar telefoonnummer ben ik kwijtgeraakt. Dat had zij mij destijds gegeven voor het geval ik er op een blauwe dag toe zou besluiten met haar in de koffer te duiken, al was het maar gedurende een luttel uur. Al was het maar om van mijn onnozele verliefdheid te genezen. Troetel gelooft in het alleenzaligmakend en therapeutisch effect van de lichamelijke liefde. Niets beter dan een goeie beurt om alle geestelijke en lijfelijke ellende te vergeten. Seks balsemt het hart en geneest de ziel. Treuren is nergens goed voor. Sinds haar echtgenoot zich uitsluitend aan de herenliefde wijdt, brengt zij met zichtbaar succes haar theorie in de praktijk. Ze ziet er beeldig uit.

Troetel is mij niet vergeten omdat ik een van de weinige mannen ben die in haar handen zijn deeg niet kon laten rijzen. Zij dacht toen dat het aan haar lag, maar op dat punt stel ik haar onmiddellijk gerust. Het had alleen te maken met mijn verliefdheid op een vrouw die voor altijd wel een schim zou blijven. 'Verliefdheid? Ach, maak het nou!' had zij mij toen gezegd. Ze moest er een zelfs een beetje om lachen. Voor Troetel was dat een kort-stondige aandoening, net als een verkoudheid, die even gauw weer overgaat. Het had er in elk geval voor gezorgd dat ik mij tegen-over haar had gedragen als een eunuch en zij aasde alleen op mannen met ballen in de broek. 'Verliefdheid?' zegt ze aarzelend, 'zwijg stil...'

Wat haar in jaren niet was overkomen, gebeurde toch. Zij werd verliefd op een vriendje van haar man, een jonge, knappe stud van Siciliaanse origine die zaad spoot als een geiser. Een bi die zowel de afwerking van voorzijde als achterkant verzorgde. Ver-blind, verschroeid, totaal uit haar bol, zondigde zij tegen alle re-gels. Waar zij anders goed geld voor kreeg, mocht die schooier gratis met haar doen. En bovendien wilde hij alleen naaien zon-der vingerhoed. Hij kon haar door het dolle heen brengen, ze vond het fijn met vuur te spelen. Tot Predictor positief meldde. Troetel was zwanger.

Zij gaat nu naar Nederland voor een abortus bij niemand min-der dan mijn goede klant dokter Zonnebank. Die is sinds kort ergens in Zeeland aan de slag nadat hij door de Orde werd ge-schorst voor de zoveelste vruchtafdrijving. Wat hij hier bij tijd en wijle uitvoerde in het grootste geheim en op gevaar van gevange-nisstraf, werkt hij nu af aan de lopende band. Hij draait shifts van acht uur per dag. Neerliggen op de tafel, asjeblieft. Relax. Oogjes dicht. Beentjes open. En floep! Voor dat moedertje het beseft is haar foetus al in een emmer gekieperd en weg ermee! De volgende alstublieft! 't Is proper afgewerkt. Dezelfde dag kan je nog naar huis. Een echtgenoot hoeft niet het flauwste vermoeden te heb-ben dat het vrouwtje even de grens is overgestoken voor iets an-ders dan goedkopere boter. Troetel is naar Knokke gekomen om bij de echtgenote van de dokter het zwarte gedeelte van de in-greep af te dokken en het adres op te halen van de kliniek waar de engeltjes worden gemaakt.

Ik vraag haar wat zij daar deed op die begraafplaats, helemaal in haar eentje, met een krans met het opschrift "Aan mijn diep betreurde vader". Het is een vraag die mij is blijven bezighouden. Bij mijn weten was Floris allesbehalve haar vader. 'Een beetje wel,' zegt ze. Het was trouwens de enige krans in de bloemenzaak die op gepaste wijze uitdrukte wat zij aan de Dikke wilde zeggen als afscheid voor zijn laatste reis. Dat er, hoewel zijn kinderen hem uitspuwden, toch iemand achterbleef die zich een beetje wees voelde. Zij wilde niet dat hij als een hond onder de grond werd gestopt. 't Was geen kwaaie kerel, hij heeft haar altijd als een echte dame behandeld, aardig en waardig.

Dikke Floris was klant bij haar, zij het onregelmatig. Hij had bijna nooit geld en een enkele keer is hij zelfs op de pof gekomen. Het zat hem heel hoog die dag, Louis Pêche was net gestorven en hij zat dieper dan diep in de put. Zij heeft zich toen over hem ontfermd. Veel moeite kostte dat niet want hij werd nooit handtastelijk. 'Net als jij.' Hij nam niet eens de moeite zijn stropdas los te knopen, laat staan zijn schoenen of zijn broek. Hij wilde alleen praten, dat was alles, en af en toe wat bijval krijgen, dat beetje begrip dat elke ongelukkige man bij een andere vrouw dan de zijne denkt te vinden.

Als hij een greep stuivers had verdiend kwam hij bij haar op de sofa zitten. Voor hem had dat meer effect dan een bezoek aan de zielenknijper. Hij zat daar maar en praatte. Geen oeverloos gelul, hoor, de Dikke was best een intelligente man. Je moest je klassieken kennen om hem te kunnen volgen. Geschiedenis, politiek, kunst, wetenschap en ga maar door. Zijn hoofd zat zó vol met die dingen dat hij niet eens meer wist waarvoor zijn snikkel diende. Als ik bedenk dat hij mij geld kwam afluizen om op de schoot van Troetel neer te tellen had ik dat evengoed in zijn plaats kunnen doen.

Ik draai de deur op slot en lok haar mee naar mijn ondergrondse. Als wij de trap naar de kelder afdalen vraagt Troetel of ik nog steeds in de verlammende greep van die vrouw zit. 'We kunnen beter niet vrijen als je het doet met mij terwijl je denkt aan Serafina.' – 'Aan wie?' – ' Aan Serafina. Toen ik daarnet binnenkwam was je in verwarring. Ik dacht even dat je mij weer voor haar had aangezien.' – 'Serafina? Ik ken Serafina niet eens. Ik heb al veel meer dan me lief is over haar horen praten maar ik heb haar nog nooit gezien.' – 'Zoals ik je vroeger al zegde, lijken we op elkaar, niet als twee druppels water, maar we zouden wel zussen kunnen zijn. Lichte ogen, bleke huid, dezelfde kleur van haar. Zij draagt haar natuurlijke kleur, mijn goud komt uit het flesje. Maar we zijn even groot en hebben nagenoeg dezelfde lichaamsbouw. Lange benen, tietjes, een strakke kont. Je moet ons bijna naakt zien om het verschil te merken.' – 'Dan moet je mij dat maar gauw even tonen,' zeg ik. Ik sla haar gade terwijl zij nogal haastig haar kleren uittrekt en op een hoopje gooit. Een condoom hoef ik niet om te doen, zij is full proof. Zij strekt zich uit op mijn brits. Onder het hoofdkussen ligt nog de envelop met de foto van Roodborstje.

'Het zit hier,' zegt Troetel, terwijl ik haar bestijg, 'het verschil tussen haar en mij.' Zij tekent met de donker gelakte nagel van haar wijsvinger een ovale vorm tussen haar tieten. 'Serafina heeft een bloedrode vlek tussen haar borsten. Zij draagt haar hart aan de buitenkant.'

In de kelder

De ontdekking dat Roodborstje en Serafina – godbetert, de dochter van Melodie! – één lichaam en bloed zijn, heeft me de ballen afgesneden. Ik heb er geen fluit van gebakken. Toen Troetel onder mij haar slangendans uitvoerde, kwam Roodborstje uit haar huid tevoorschijn gekropen en lokte mij naar een soort niemandsland tussen de onbereikbare droom en het veile vlees. Ik probeerde zonder kleerscheuren doorheen een mijnenveld van gemengde gevoelens te komen, maar ik liep recht in de armen van het duivelinnetje met het engelengezicht dat het hart van haar moeder had uitgerukt om het aan de honden te voeren, het bruidje dat in hun huwelijksbed haar ontvoerder zijn drieste overmoed met zijn leven had doen bekopen, het sletje dat een vader moest doen geloven dat hij zijn eigen dochter neukte, de schone voor wie helden waren opgestaan uit het graf om juichend hun eindelijk verdiende liefdesdood te sterven, de muze der dichters die een meesterwerk van de vlammen had gered, de nimf die met haar gouden lippen en haar vurige tong een onbestaande pijp lava deed spuwen, het meisje met de rode borst in wiens harde billen de oorlogen van de toekomst stonden opgetekend. Het was, het is en het blijft Roodborstje. Steeds weer.

Ik neem de kartonnen envelop vanonder het hoofdkussen en leg hem in de handen van Troetel. Ik zeg geen woord. Zij vist er de foto uit en fronst de wenkbrauwen. 'Dat is dus de reden. Nog steeds. Arme kerel, je hebt het lelijk te pakken,' zegt ze bij het bekijken van Serafina's vage beeld. Traag en nadrukkelijk leest zij de tekst die ik er in dikke letters heb aan toegevoegd na onze nachtelijke escapade op de begraafplaats. 'Ceci n'est pas une femme. Dit is geen vrouw. Heb jij dit geschreven?' – 'Ja, maar het komt niet uit mijn koker. Een kunstenaar heeft die woorden bedacht.' – 'Hoe kan hij het weten! Tenminste iemand die haar doorheeft.' Ze schuift de foto terug en schiet de envelop als een frisbee door de ruimte. Hij slaat te pletter tegen de muur en valt met een droge smak op de vloer, in de verste hoek. Niet bepaald een gebaar van liefde.

'Hoe ben je aan de foto van Serafina gekomen?' – 'Die heeft zij hier vergeten. Of moedwillig achtergelaten.' – 'Maak je over dát meisje maar geen illusies.' – 'Omdat zij haar hart aan de buitenkant draagt?' Troetel geeft geen antwoord. Ik dring aan. 'Wat bedoelde je eigenlijk met die uitspraak? Dat zij een groot hart heeft voor anderen of helemaal geen?' – 'Aan jou om dat uit te zoeken.' – 'Daar krijg ik de kans niet toe. Roodborstje speelt verstoppertje met mij ofwel is er steeds iemand anders die haar doet verdwijnen.' – 'Roodborstje? Is het zo dat je haar noemt? Wat schattig. Jij hoort thuis in de eeuw van de romantiek, beste kerel.' – 'Ik kende enkel haar achternaam. Roodborstje vond ik goed bij haar passen. Ik heb haar slechts een paar keer ontmoet. Meestal was zij onvindbaar of wilde ze niet gevonden worden en als ik haar al eens te zien kreeg, bleek zij ook nog de gave te bezitten om zich onzichtbaar te maken.' – 'Dat ga ik ook doen. Ik moet er vandoor.'

Ik vind het sneu voor Troetel dat ik niet even haar Siciliaanse vuurspuwer in de vergeethoek heb gespeeld. 'Sorry van daarnet,' zeg ik, terwijl zij zich verfrist aan het wasbekken, 'maar het zit nog te diep.' Zij wurmt zich in haar spannende jeans van broekenverkoper Salmèk. Zijn naam staat als een brandmerk op haar bil. 'Ken je hem, die Salmèk?' – 'Veel beter dan me lief is. Een afschuwelijke vent. Ik werd door Meier aan hem uitbesteed om zijn feestjes op te vrolijken. Serafina kent hem ook. Zij heeft nog fotoshoots voor zijn merk gedaan.' – 'En ook de andere dingen?' – 'Ga dat zelf maar eens uitvissen.' – 'Waar?' – 'Aan de Britselei. Bij de moeder van de betaalde liefde.' – 'Bij Jenny Pêche-Merle?' – 'Die dame heeft grote plannen met haar schoondochter Serafina. Zij zou haar wat graag opnemen in haar massagesalon voor het echte werk. Volgens haar heeft dat 'Roodborstje' van jou een hoerenhart en kan zij daar maar beter munt uit slaan. Mama Merle droomt ervan die meid op te leiden om de zaak later aan haar over te maken. Dan krijg je haar te zien wanneer en zo dikwijls als je maar wilt. Op bestelling, zoals ik.' – 'Ik snap het plaatje niet helemaal,' zeg ik. 'Ik dacht dat beide vrouwen kat en hond waren. Tegenover mij beweerde Jenny dat zij Serafina vervloekte omdat die met haar zoon was weggelopen. Zij begreep niet wat Louis had kunnen bezielen. Hij moest behekst zijn geweest, als ik haar hoorde. Zij had bovendien geweldig te doen met Melodie.'

Troetel barst in lachen uit. 'Melodie bestaat niet voor Jenny. Zal ik jou eens het ware verhaal doen? Ik heb met mijn neus bovenop die hele geschiedenis gezeten.' Zij komt naast mij op de brits zitten en vertelt.

Toen Melodie met haar dochter introk bij Louis Pêche-Merle, begon Serafina vrijwel onmiddellijk met vuur te spelen. Die kleine snol liep haar nieuwe vader constant uit te dagen. Ze geilde hem op tot het zweet in zijn schoenen stond. En Melodie wilde ook haar dagelijks brood. Die had niets in de gaten, ofwel sloot zij de ogen voor wat zij niet wilde zien. Louis kreeg geen rust meer. En dat met zijn zwakke hart! Na enkele maanden hing hij te waaien in zijn broek. Op de duur liep hij er bij als een afgekloven geraamte. Je zag hem zo van de graat vallen. Jenny waste dat varkentje op haar eigen manier. Zij porde hem aan om er met zijn madeliefje van onder te muizen en ergens in het buitenland te gaan trouwen. Naar Gretna Green voor een huwelijk tussen hamer en aambeeld of naar Las Vegas waar de dominee aan de kost komt met het ringeloren van weglopers. Zo kon hij tenminste half op adem komen. Met de zegen van zijn moeder is hij dan de plas overgestoken en in het huwelijksbed zijn dood gaan zoeken. Aan rust zal het hem niet meer ontbreken.

Nu zou Jenny zijn jonge weduwe aan zich willen binden. Zij heeft haar lang genoeg kunnen observeren om te weten wat haar vele talenten zijn. Volgens Jenny is die meid een geboren hoer. Een koud hart in een warm lijf. Makkelijk te krijgen, graag gepakt en ongrijpbaar tegelijk. Ze kan voor haar pezen en later misschien de zaak runnen en voor haar zorgen. Dat is het plan waarop zij zit te broeden. Jenny houdt niet op met intrigeren. Serafina mag haar vooral niet ontsnappen. Haar kutje is de goudader die Mama Merle wil aanboren om van een zorgeloze toekomst te dromen.

Troetel betwijfelt of het haar zal lukken Serafina aan banden te leggen. Die meid is te wild. Die is gemaakt om op eigen vleugels verder te vliegen. En ze heeft zo haar eigen plannen, daar heeft ze al wat over verklapt. Zij wil voor de televisie gaan werken. Zij is fotogeniek, de camera houdt van haar. En de toneelopleiding die zij heeft gevolgd zal goed van pas komen. Zij is een waardige dochter van Papa.

Ik kleed me aan en raap de omslag op die Troetel tegen de grond heeft gekeild. Uit de envelop haal ik de foto van Serafina, mijn stille troost in eenzame dagen. Troetel steekt een sigaret op en reikt me de aansteker aan met het dansende vlammetje. 'Eén goede raad. Maak je d'r vanaf. Heb je de moed?' vraagt ze. Ik trek mijn schouders op. 'Neen, die heb je duidelijk niet. Zal ik het voor je doen?' Ik berg de foto terug op, voorzichtig, om zelfs de randen niet te beschadigen. Ik ben lang niet klaar voor een rituele verbranding. Daarbij zou ik alleen mezelf in de as leggen, zij zit me nog te diep onder de huid. Eigenlijk heb ik geen ander verlangen dan bij haar te zijn, in geluk en tegenspoed, in goede en kwade dagen.

We gaan naar boven en installeren ons in de galerie. We kletsen nog wat. Troetel begrijpt niet hoe mensen geld willen uitgeven aan al die rare toestanden die de muren van mijn galerietje ontsieren, dat moet ik haar eens uitleggen. Er valt niets uit te leggen, je krijgt wat je ziet. 'Omdat ze er teveel van hebben,' ik wrijf mijn duim over mijn wijsvinger, 'waarom anders? Status, speculatie, snobisme of pure liefhebberij, iedereen heeft zowat zijn eigen reden. Denk jij dat de meesten er meer van snappen dan jij?' – 'Dus de hoofdzaak van je bezigheden is zoiets als boeken verkopen aan mensen die niet kunnen lezen.' – 'Valt wat voor te zeggen.'

We beloven elkaar terug te zien, maar niet bij Jenny Pêche. Troetel kent een discreet hotelletje vlakbij het museum van Antwerpen. Le Sud. 't Is een heel rustige buurt. Terwijl we nog wat staan te flikflooien remt een sportkar met gierende banden voor de deur. De chauffeur heeft een lederen kap over het hoofd en een dikke stofbril. Hij draagt handschoenen. Theatraal, met weidse gebaren en drijvend op een diepe bariton, komt hij binnen gemarcheerd. 't Is net de Commandeur die met één mokerslag van zijn geharnaste vuist de muur stukslaat om Don Giovanni bij het nekvel naar de hel te slepen. Post Scriptum! De bedruktheid na het verlies van zijn wapenbroeder Eu is helemaal verdwenen. Hij is weer zijn oude zelf. Als ik rechtsta om hem de hand te drukken, slaat de dranklucht mij in de neus. Hij begroet mij met een stevige slag op de schouder als een oude vriend. Mijn eerste gedachte is dat hij eindelijk komt opdagen met dat lang beloofde schilderij waar hij al zoveel geheimdoenerij heeft rond gecreëerd. Misschien bestaat het wel echt en weet hij zelfs te vertellen waar het zich bevindt.

PS, erg tevreden met zichzelf en voor Troetel met veel zwier en zwaai optredend als een acteur, sommeert mij, dwingend en autoritair. 'Ik kom de tijd halen!' – 'Welke tijd?' – 'Deze die staat aangegeven op het horloge met de vrijers op de wijzerplaat.' Met zijn vinger tikt hij de maat als een metronoom.

Ik wil duidelijk zijn. 'Dat horloge is het jouwe van zohaast jij mij dat schilderij met de pijp in handen speelt,' zeg ik hem. Hij repliceert: 'Je gaat toch niet steeds over hetzelfde zeuren. Magritte ligt onder de zoden, zijn pijp is uitgerookt. Doe verdomme eens wat met mensen die nog in leven zijn. Place aux jeunes! Nietwaar, jongedame? Hoe is uw naam?' – 'Suzy.' – 'Wel, Suzy,' zegt hij op een preektoontje, 'normaliter zou aan deze muren mijn eigen plastisch werk moeten prijken.' Hij draait zich met beschuldigende vinger en misprijzende blik naar mij. 'Maar om onnaspeurbare redenen heeft deze galeriehouder tot hiertoe de boot afgehouden. Hij zal wat ik maak maar niks vinden, veronderstel ik. En bovendien houdt hij er eigenaardige principes op na. Voor hem moet een kunstenaar eerst onder de grond worden gestopt om vruchten voort te brengen. Alsof die kunst niet eerst bij leven moet worden geproduceerd. De waarheid is dat hij mijn waar niet lust, schoonheid.'

Hij kijkt opmerkzaam rond, mompelt wat en laat de noten van zijn vingers kraken. 'Toch een leuke galerie. De ruimte staat me aan. De uitbater al wat minder.' Is dat ironisch bedoeld of geeft hij mij een steek omdat ik in een hoek twee werkjes heb opgehangen van Renata? Hij staat ze met gefronste wenkbrauwen te bekijken en voelt zich zonder twijfel gepasseerd. Zijn eigen werk had daar moeten hangen.

Terwijl PS rondkuiert vraagt Troetel me op gedempte toon. 'Wie is dat?' – 'Een dichter. Hij schildert ook.' – 'Wat een onaangename man!' – 'Het is geen kwaaie kerel. Alleen wat mistevreden omdat ik niet in aanbidding neerkniel voor zijn scheppingen.' – 'Kan ik hem ooit bij Jenny gezien hebben? Was hij niet bevriend met Louis en Serafina?' – 'Met Serafina in elk geval. Ze waren samen toen zij voor het eerst over de drempel van deze eigenste galerie kwam binnenzweven.'

PS haast zich naar buiten. Tegen Troetel zegt hij: 'Sorry dat ik u daarnet zo heb aangestaard, maar u lijkt bijzonder goed op iemand die wij kennen.' – 'Daar word ik af en toe aan herinnerd, en meer dan me lief is. Jammer genoeg valt dat steeds in mijn nadeel uit.' En in mijn oor fluisterend, voegt zij er aan toe: 'Zoals vandaag weer is gebleken.' Ik knijp in haar kont. Wees maar zeker dat ik het goedmaak.

PS wipt elegant over het portier van zijn open sportkar en laat zich in de zetel glijden. 'Wees paraat, minstreel. Smelt het lood en houd het poeder droog! Alle munitie die je kunt gebruiken, zal je nodig hebben. En nog veeleer dan je denkt. Er staat een wonder te gebeuren.' Hij klakt met zijn tong als een wagenmenner, viert de teugels van de wilde paarden onder de motorkap en legt er voluit de zweep over tot zij er huilend met hem vandoor gaan. De ogen tot spleetjes geknepen en de tanden op elkaar geklemd laat hij zijn voertuig als een projectiel de ruimte in schieten. Hij steekt een vuist in de lucht en joelt als een rodeorijder. PS verdwijnt om de hoek met een luide schreeuw van doodsverachting. 'En nog gek ook,' zegt Troetel.

Post Scriptum en Troetel zijn maar net de deur uit of ik jaag mijn kar al volgas over de weg naar Antwerpen met de sleutel van het paradijs op zak. Ik kan niet snel genoeg bij Jenny Pêche-Merle zijn. Ik heb niet eens opgebeld om mijn komst te melden. Straks gaan de poorten van de hemel voor mij open. Uit met verstoppertje spelen, Serafina! Maskers af en kaarten op tafel! Engel of duivel, het kan me niet schelen wie of wat je bent. Ik snel naar je toe om uit te schreeuwen dat ik van je hou! Ik kom je halen! Ik wil je schaken!

Worstelaar en Kapsel zitten naast elkaar aan de kleine tafel in de hal, opvallend bedrukt. Mij hebben ze blijkbaar niet verwacht. Ze zien me op zich afkomen als de hond in het kegelspel. Kapsel reikt mij aarzelend een handdoek aan en vraagt door wie van de twee masseuses ik onder handen wil worden genomen, de tengere blonde of de robuuste rooie. 'Een kopje sterke koffie zal deze keer volstaan. Ik wil Jenny spreken, het is dringend.'

Ze kijken elkaar aan. Niet erg toeschietelijk vandaag, geen van de twee. Koffie? Ze hebben meer zin om me meteen weer naar buiten te werken. Ik negeer ze en ga recht naar de belendende salon. Daar installeer ik mij in een van de zetels alsof ik hier thuis ben. Kapsel komt mij schoorvoetend achterna om te zeggen dat ik even geduld zal moeten oefenen, Jenny rust. Zij heeft een bed in de woonkamer laten installeren omdat traplopen haar te moeilijk valt. Zij is nog niet bekomen van de kwalijke smak die Dikke Floris bovenop haar heeft gemaakt. De ribben genezen maar heel langzaam en bovendien is bij het geneeskundig onderzoek botontkalking vastgesteld, wat de genezing niet bevordert. Zij is ingebusseld als een kerstekind en bij elke verkeerde beweging vergaat zij van de pijn.

Kapsel gaat poolshoogte nemen. Zij komt terug met de boodschap dat Jenny mij niet liggend op haar bed wil ontvangen en ook niet in kamerjas. Het kan even duren voor zij is aangekleed. Zou ik mij in de tussentijd toch niet laten verwennen? Ik bedank. Met een druipgat keert de vrouw terug naar het tafeltje en schuift haar stoel dicht bij die van Worstelaar. Ze zitten onder elkaar te fezelen. Ik kan geen verstaanbaar woord opvangen en ze betrekken mij ook op geen enkel ogenblik bij hun gesprek. Er wordt niet eens over het weer gepraat, wat al heel ongewoon is. Hier is meer aan de hand dan een paar gekneusde ribben.

Jenny zit aan tafel, stijf als een hark. De zware opmaak kan niet verhullen hoe bleek en vermoeid zij er uitziet. Om een gesprek aan te knopen, vraag ik haar hoe het gaat met Troetel. Die stelt het opperbest, verneem ik. Jammer genoeg heeft zij enkele dagen vakantie genomen, dus als ik ben gekomen om een uurtje pret te beleven zal ik mij met een van de meisjes moeten tevreden stellen. Om een andere vriendin te bellen is het vandaag te laat, ik had moeten verwittigen.

'En Serafina?' Jenny krijgt een doodskleur. 'Serafina? Hoe ken jij Serafina?' – 'Van de tijd toen je zoon nog leefde natuurlijk.' – 'Zij heeft me nooit over jou gesproken.' – 'Waarom zou zij over mij hebben gesproken? In verband met die ongedekte cheque misschien? Dat onderwerp zal zij liever vermeden hebben.' – 'Ze had het met Louis nooit over zaken. Hoe kom je er trouwens bij Serafina hier te zoeken?' – 'Jij bent toch haar schoonmoeder. Die treurende weduwe moet toch ergens heen, zegde ik bij mezelf. En omdat ik toevallig in Antwerpen was, dacht ik...' Ik haal die cheque uit mijn portefeuille en steek hem onder haar neus. 'Misschien wil ik een kruis maken over de zaak.' Jenny grabbelt. Ik trek snel mijn hand terug. 'Als ik haar dit papiertje hier eigenhandig kan teruggeven.'

Plots geeft Mama Merle een heel verslagen indruk. Wat moet iedereen toch van Serafina? Sinds enkele dagen staat ook de Antwerpse Molière onder het balkon te janken als een bandhond om haar te spreken te krijgen. Ooit was zij zijn uitverkoren leerlinge, zijn diva adorata, zeg maar. Jenny wil niet dat de jonge vrouw weer in zijn klauwen valt, zij heeft in haar eigen huis het ware gezicht van deze wolf in schaapskleren gezien.

De Toneelvorst doet trouwens weer van zich spreken. Na uit het zothuis te zijn ontslagen door een psychiater die mogelijk nog gekker was dan hijzelf, is Papa zijn talenten gaan verkopen aan de filmwereld boven de Moerdijk. Met succes. Op een teken van Jenny overhandigt Kapsel haar het chique tijdschrift "Avenue" waar over twee glanzende bladzijden de snuit van Papa staat afgebeeld tussen drie paar tieten. In het artikel staat te lezen dat alles klaar is voor het maken van een film die door zijn groot talent zal worden gedragen. De casting voor het vinden van een waardige tegenspeelster is volop bezig, hoewel aan de voltallige pers reeds is opgelepeld dat de vrouwelijke hoofdrol zal worden vertolkt door een aanstormend talent. Vandaag nog volslagen onbekend, morgen misschien een nieuwe ster, want er hangt veel mysterie rond haar persoontje. Zelfs haar naam wordt nog niet bekend gemaakt.

Ik draai de bladzijde om en zak meteen door mijn stoel. Daar staat ze afgebeeld, de onbekende, de starlet, het geheime wapen van de nieuwe cinema. Haar van vloeibaar goud, ogen van jade, een huid van zuiver albast. De mooiste onder alle vrouwen. Dezelfde foto in flou artistique die ik van haar bewaar onder mijn hoofdkussen in een bruine envelop en die ik eer in verweesde uren. 'Is zij weer bij hem?' vraag ik, 'bij die paljas?' – 'Neen,' zegt Jenny, 'zij is niet weer bij hem.' – 'En naar het zich laat aanzien komt zij ook hier niet wonen.' – 'Neen. Ook hier niet.' Ik zit een hele tijd naar de mij zo welbekende foto te staren alsof ik hem voor de eerste keer zie. En in zekere zin is dat ook zo. Hij blijft meer vragen oproepen dan hij mij antwoorden geeft.

Ik val van de ene verbazing in de andere. De volgende foto is die van de Kale met opgeblonken schedel. Niemand minder dan hij zal het scenario leveren. Het verhaal zal gebaseerd zijn op het avontuurlijke leven van de auteur in de mooie stad Antwerpen en vertellen over de hondsdolle dagen die hij er doorbracht bij wijntje en trijntje.

Op de volgende pagina wordt uitgebreid aandacht besteed aan de financier van de film, Mister Blue Jeans himself. Op de foto naast de tekst staat Salmèk zijn eigen lelijke zelf te zijn. Met zijn air van wie doet me wat en een sigaar als een disselboom in zijn afschuwelijke drakenkop. De triomfator. De haai met de glimmende tanden. Hij staat bijtensklaar.

'Serafina gaat het maken,' zeg ik, om iets te zeggen. Jenny knikt. 'Het ziet er naar uit.' – 'Weet jij ook waar ik haar kan vinden?' – 'Waar ik haar niet zou willen zoeken. Niet langer dan een uur geleden is die broekenjood haar hier met veel bombarie komen ontvoeren.' – 'Salmèk?' – 'Ja, Salmèk! En zij was bijzonder meegaand, laat ik je dat maar vertellen.' – 'Dat kan je niet menen.' – 'De hufter! Als ik hem hoorde, reden ze van hieruit recht naar het paradijs. Op weg naar het grote geluk! Hij heeft zelfs zijn vrouw aan de deur gezet. Voor haar.'

De Minotaurus heeft zijn familie geofferd. Voor Roodborstje. Hij port zijn hoorn in haar jonge vlees en laaft zich aan haar bloed. Door de gangen en kamers van dit liefdeslabyrint blijft zijn geile geloei luid nagalmen. Serafina bij Salmèk? Ik had net zo goed het dak op mijn hoofd kunnen krijgen.

Ad Patres

Renata komt naar binnen gestrompeld als een slaapwandelaar. De zware koffer die zij meezeult maakt haar het lopen niet makkelijker. Ik neem haar last over. Ze valt neer op de bank en zit me aan te staren zonder een woord uit te brengen. Ik vraag wat er scheelt maar zij blijft stom als een vis. Ze hapt naar adem, haar lippen zijn droog. Ik kan haar hart zien kloppen in haar keel. Grappend vraag ik of ze thuis is weggelopen. Ze knikt ja en neen tegelijk. Ze draait haar tong rond in haar mond op zoek naar speeksel en bazelt wat over een ongeval. Kan het waar zijn – hoe rampzalig ook voor het stedelijke drankbestand – dat die zuipschuit van haar definitief is gezonken? Naatje schudt heftig het hoofd. Neen, meneer Mokka laveert nog volle kracht voorwaarts. Er is erger nieuws. Haar kannenkijker zelf is er mee komen aanzeilen. Ze hakkelt iets over een auto en stamelt: 'PS... PS...' Dat is alles wat zij kan uitbrengen. Ze klemt zich vast aan de handgreep van haar koffer. 'Wat is er met PS?' Ze hoort me niet. 'Wat is er met PS, Renata?' Zij zit naar de grond te staren en schudt het hoofd alsof ze de boodschap niet kan bevatten die zij wil meedelen. 'De waarzegster... Zij heeft het voorspeld...' – 'Wíe heeft wát voorspeld, Renata? Kom even tot jezelf.' – 'Eerst van Eustachius en het is uitgekomen. Nu is mijn schat aan de beurt.' – 'Nogmaals, Renata, wat is er met PS?' – 'Hij is dood...'
't Is net of ik de zee vuur zie vatten. PS, haar schat? PS dood? Ik kan het amper geloven. Naatje was in de badkamer toen haar drankorgel thuiskwam. Hij had nog maar net zijn kop door de voordeur of daar draaide hij al aan zijn zwengel om hardop muziek te maken. Hij trok alle registers open. 'Een van je vriendjes heeft het loodje gelegd! Scriptus Posthumus of hoe ie ook mag

heten! De dichtende kaalkop!' Zij liep naar de overloop en daar stond hij met beide handen aan zijn mond als een roeptoeter de hele buurt bij elkaar te schreeuwen. Het leek net of hij een zegebulletin afkondigde. 'De klootzak heeft zich doodgereden. Weer eentje minder om zich zorgen over te maken.' Dat spuwde hij haar in het gezicht! Zij voelde zich duizelig worden en moest zich vastklampen aan de leuning om niet van de trappen te donderen.

Ik bezweer Renata niet alles klakkeloos te slikken wat uit dat jenevervat klokt. Misschien raaskalt hij wel. Dronkemanspraat. Hij kan het uit zijn duim hebben gezogen om haar op de kast te jagen. 'Het was op de radio, volgens hem. Hij heeft het zelf gehoord.' Dat zit helemaal scheef, ik voel het. 'Misschien heeft hij het verkeerd begrepen,' zeg ik, 'wat hebben ze precies omgeroepen?' – 'Dat PS frontaal met zijn sportkar op een andere wagen is ingereden. Op slag dood.'

Ik laat haar eerst al de tranen uit d'r lijf huilen. Tot ze leeg is. Elk heeft recht op zijn portie verdriet. Trouwens, ik zou niet weten hoe haar te troosten, ik ben niet goed in die dingen. Als het verkeerd loopt moet je incasseren, het is niet anders. Janken kan misschien soelaas brengen, mij helpt het niet. En van situaties waarbij iedereen met de kop in de grond loopt durf ik nog al eens de komische kant zien.

Om haar af te leiden geef ik haar wat valse hoop. 'Het zou niet de eerste keer zijn dat de media een kwakkel de lucht insturen. Ze doen van alles om de aandacht te trekken.' Ze kijkt me aan met ongeloof, wringt haar handen stuk en vecht met zichzelf. 'Een bericht als dit kunnen ze niet zomaar lanceren.' – 'Ach, zeg ik haar, misschien is het voorbarig. Een mens is niet altijd zo dood als hij er uitziet.' Ze kan er niet mee lachen.

Ik geef niet op. 'De media? Ik zal jou eens wat vertellen tot wat die kletsmajoors in staat zijn. Weet je wat Stijn Streuvels ooit is overkomen? Heb je dát al gehoord, Renata? Die ouwe zat op een morgen bij de koffie een pijpje te stoppen toen hij zijn dagelijkse krant onder de neus kreeg. Geen roddelblad, hoor! De Standaard, mevrouwtje. Een bloedernstige gazet. En daar staat het! Op de voorpagina! In koeien van letters! Streuvels overleden. Daar verneemt de brave man dat hij dood is. Sinds de dag tevoren al. Nog goed dat het in de krant stond of hij had het zelf niet geweten.'

Om haar op te monteren vertel ik Renata nog een geschiedenis – baat het niet, het schaadt ook niet – die me onlangs zelf is overkomen. Ik zat met Rolfie Tonne in Het Nest van een pilsje te genieten toen iemand met het nieuws kwam dat een drinkebroer van ons in Spanje met de wagen zijn dood was gaan halen. Uit pure verslagenheid zetten we het op een zuipen, zo aangeslagen waren we door het bericht. Op die manier dachten we weer een eindje weg te komen met ons eigen hachje. We klonken dus lang en luidruchtig op de zielenzaligheid van de overledene die al bij al geen kwaaie kerel was. Hij troefde wel geregeld zijn vrouw af maar ik wist uit eigen ervaring dat hij daar een paar goede redenen voor had. Die avond en de hele daaropvolgende nacht hebben we hem toegedronken en bij elk rondje voor hem een glas gevuld en in zijn plaats geledigd. Tot die vogel amper een week later doodgemoedereerd dat café, waar we zijn afscheid hadden gevierd, kwam binnengewandeld. Recht uit het hiernamaals! De eerste sinds Lazarus! Een echt mirakel dus. Verbijstering alom. Een bominslag zou niet dezelfde uitwerking hebben gehad. Niemand kon zijn ogen geloven. Iedereen wilde hem aanraken, even aan zijn haar plukken of in zijn wang knijpen. Die kerel was zo van streek door het onthaal dat hij dadelijk weer naar buiten moest om verse lucht te happen. Hij bestierf het bijna. Maar eens bekomen van de klap hadden we alweer een reden om te feesten. We hebben hem in de watten gelegd en samen flink wat achterovergeslagen om zijn terugkeer te vieren.

Verkeerde timing, ongepaste toon. Mijn verhaal heeft niet het verhoopte effect. Voor Renata is de hemel net ingestort en daar hoeft niemand luchtig over te doen, ik zeker niet. Uit haar handtas haalt zij een papier met daarop een handgeschreven gedicht dat PS aan haar heeft opgedragen, zijn laatste. Zij geeft het mij te lezen, het is een van zijn beste teksten. Een onvervalste maar dubbelzinnige liefdesverklaring die zich even goed laat lezen als de lofzang op een nieuwe passie of als een testament met een verborgen boodschap.

Voor Renata bestaat er geen twijfel over de inhoud, zij kijkt uit één oog. Hier heeft het fatum de hand in. Zij wachtte op PS om er met hem vandoor te gaan toen zij het nieuws vernam. Haar koffer was gepakt, haar ultieme levensverwachting zou in vervulling gaan. In haar geest had zij al afscheid genomen van iedereen en afstand gedaan van alles. Haar man, haar huis en haar vrienden. Haar leven zou nog alleen aan PS en zijn kunst zijn gewijd. Hij mocht met haar doen wat hem zinde, haar op een voetstuk plaatsen en aanbidden of haar uitknijpen als een van zijn verftubes en wegwerpen. Misschien speelt de verbeelding haar linke parten maar zij gelooft rotsvast in wat ze zegt. Ik wist niet eens dat er tussen hen wat ernstigs aan de gang was. Wat vrijblijvend geflikflooi, dat wel, zonder dat iemand van beiden daar het hoofd dreigde bij te verliezen. Nu zij alles kwijt is vindt zij haar leven nog weinig zin hebben. Zij ook al? Wat een verkwisting!

Ik zet een bakje troost voor haar en schenk mezelf een biertje in. Ze komt los. In haar sentimenteel leven heeft het de laatste tijd niet meegezeten en de terugkeer van haar man had er de zaken niet eenvoudiger op gemaakt. Waarschijnlijk was hem tijdens zijn afwezigheid een of ander ter ore gekomen want thuis liep hij te grauwen als een jaloerse kater. Hij toonde graag zijn tanden en de scherpte van zijn klauwen. Renata was er zich onveilig bij gaan voelen. Om hem bij de les te houden kon zij geen beroep meer doen op Rolfie. Die zat te broeden op een ander nest. Sindsdien had zij zich uit arren moede volledig op haar kunst geworpen. Daarbij was PS haar grote inspirator en bezieler geweest. Haar bron waren zijn verzen, zij dreef op zijn woorden als op water en liet zich de hemel in dragen op de warmte van zijn stem als hij haar toesprak door de telefoon. Ze begonnen elkaar stiekem te ontmoeten en Renata besloot voorgoed de hielen te lichten. Met het geld uit de erfenis van een tante, had ze voor hen beiden al een huisje met een ruime werkplaats gekocht in de Nederlandse polder, net over de grens. Voor een prikje. Van niemand minder dan Mister Florida, de man die de wereld houtsnip had leren eten en die ik niet zo lang geleden in de armen van Diana had gedreven. Hij heeft maar verdomd kort van haar gunsten genoten. Zij heeft zijn laatste bezit als een scheet tussen haar billen door geblazen.

Zijn boontjes voor de directe toekomst had PS te weken gelegd op een zaak die hij eerstdaags met mij wilde afhandelen en waar hij zeer geheimzinnig over deed. Aanvankelijk dacht Renata dat ik een expositie van zijn werk in elkaar wilde steken en dat daar een blijvende samenwerking zou kunnen uit groeien maar hij had het over een winstgevend zaakje waardoor zij voor een hele tijd uit de regen zouden zijn, zodat hij zonder materiële zorgen zou kunnen schilderen en schrijven.

Intimi uit zijn wijde schare van bewonderaars bezaten een uiterst zeldzaam en duur schilderij van Magritte, dat zij noodgedwongen moesten verkopen door een verkeerde draai aan het rad van fortuin. Iets met een pijp d'r op en een tekst die iets heel anders bedoelde dan wat hij zegde, zo had hij het haar beschreven. Hij kon er een winst op nemen die zo gigantisch was dat hij waar ook ter wereld een nieuw bestaan kon opbouwen. Een zaak die zich maar eens in een mensenleven voordoet. Het was enkel nog een kwestie van dagen, maar in de tussentijd mocht er vooral niets over uitlekken.

Er hing een floers van geheimzinnigheid rondom de hele zaak, waar PS al heel lang mee bezig was. Oorlogsbuit die onder de hoed moest worden gehouden. Gefluisterde verhalen over verraad, smouserij, bloed aan de paal. Hij hield van fabuleren, onze dierbare overledene. Hij had haar verboden er zelfs met mij een gebenedijd woord over te reppen. Zelfs met mij!

Hij moest op eieren lopen, de grootste omzichtigheid was geboden, want er waren kapers op de kust. De naam van Meier was gevallen en die van Salmèk, maar meer nog dan voor die twee aasgieren was hij als de dood voor Monsieur Roulette, de eigenaar van het lokale casino.

De bezitter van het schilderij had de schulden opgestapeld, een berg. Had eerst zijn fortuin verspeeld, geld en aandelen, en dan zijn huizen, het ene na het andere. Op het einde bleef nog enkel zijn vrouw over. Iedereen wilde haar hebben maar niemand wilde haar houden. Hij bevond zich met de rug tegen de muur. De gokbaas stond te trappelen om dat kunstwerk in te pikken en aan zijn reeds fabelachtige collectie toe te voegen. Op een eendere manier had hij enkele jaren tevoren een ander beroemd werk binnengerijfd. Aan zijn speeltafel was de teerling geworpen over *De Intrede van Christus in Brussel*, het absolute meesterwerk van James

Ensor dat de schilder tijdens zijn leven steeds had geweigerd te verkopen en dat zijn roem over de hele wereld zou uitdragen. Het werk was ontstaan op het zolderatelier van de kunstenaar en omwille van zijn buitensporig formaat gedeeltelijk aan de zoldering, aan de wand en aan de grond gespijkerd om het te kunnen realiseren. Dertig jaar lang is het daarna opgerold blijven liggen in dat schamele atelier. Dat werd even anders toen Monsieur Roulette het met toeters en bellen binnenhaalde. Om ruimte zat de man allesbehalve verlegen, hij had plaats te over om poen en kunst op te stapelen. Hij liet een aparte zaal inrichten om zijn nieuwe bezit te exposeren met de luister die het verdiende, zoals hij later zijn eigen Sixtijnse Kapel gestalte zou geven door een reusachtige muurschildering van Magritte in zijn goktempel te laten aanbrengen.

Ik zit haar verhaal gelaten te aanhoren. Sinds ik wakker ben geschoten uit mijn dromen over Roodborstje is het schilderij, waar ik al die tijd naar op zoek ben geweest, zijn toverkracht kwijtgeraakt.

Renata vraagt of ik haar wil vergezellen naar de begrafenis. Ze twijfelt er aan of ze sterk genoeg zal zijn om de hele ceremonie alleen te doorstaan. Ik weet niet of ik daar zin in heb. Zo dik was ik niet met PS en de leden van zijn familie ken ik helemaal niet. Voor Naatje echter is dit niet zomaar een uitvaart. Veel gaat de grond in. Ze vreest dat zij haar emoties niet de baas zal blijven.

Zoals een weduwe betaamt, zal zij die dag in het zwart gekleed gaan, dat heeft zij zonet besloten. Arme Renata, niet eens op de eerste rij en vast niet de enige die voor de illustere dooie de vlag halfstok zal hangen. 'Ik wed dat PS het op prijs zou stellen mocht je onder dat pakje ook zwarte lingerie en zwarte nylons aantrekken, Naatje. Dat mag je hem voor zijn laatste dag op aarde niet ontzeggen.' Haar grote, blauwe ogen gaan wijdopen, eerst verwonderd, maar daarna beginnen die tranen op te lichten als parels. Zij beaamt mijn voorstel. PS was namelijk dol op kledij die alleen werd gedragen met het doel ritueel te worden uitgetrokken. Daar genoot hij van. Haar ogen schitteren bij de gedachte dat zij hem in zo'n uitrusting misschien weer tot leven zal kunnen wekken. Ze mijmert. 'En daar onder mocht ik dan geen slipje dragen. Dat wond hem op.'

Geen slipje. Geil hem nog maar eens lekker op, zeg ik bij mezelf, hij zal er meer van genieten dan van de smoelen die voor de gelegenheid strak in de plooi liggen. Laat hem klaarkomen in zijn kist, een allerlaatste keer. Misschien staat hij wel op uit de doden en komt hij in je kont knijpen. Span maar lekker aan die kousen die ik zelf nog heb betaald omdat hij te gierig was om ze jou cadeau te doen.

In Paradisum

De uitvaart heeft plaats in een klein kerkje waar een van de oud-leraren van PS nu kapelaan is. Het is eigenlijk niet meer dan een grote kapel, klaar om uit haar voegen te barsten met de massa mensen die is komen opdagen. De rouwenden hangen tegen elkaar geperst als haringen in een ton. We wringen ons naar binnen langs de zijdeur. Renata speelt met het onzalige idee om een plaatsje te bemachtigen helemaal vooraan, waar de familie zit en al het mooie volk. Bekleders van macht en waardigheid, dichters en schilders, kunstbroeders, galerichouders en dealers die er plots allemaal wel zijn. Karel Coevoet is met zijn Sofie helemaal uit Amsterdam gekomen, Meier met Diana aan zijn arm, Pa Rooms geflankeerd door zijn tweeling Kruit en Lont, dokter Zonnebank met zijn eeuwige vakantiekleurtje die onlangs heeft te horen gekregen dat zijn verzameling barokschilders zuivere ncp is. In de lichtspiegeling van de glasramen kan je zelfs een glimp opvangen van de onzichtbare slippendragers die hun compagnon uitgeleide zullen doen, Pêche, Eustachius, Dikke Floris en Pim Pee.

De priesters zijn met een voltallige batterij uitgerukt en bezetten het podium. Ze hebben het lijk te elfder ure gerecupereerd en slepen hun buit naar binnen met geklingel van bellen en engelengezang. Nu maken ze zich op om zijn zieltje te wassen. Bij leven geloofde PS geen fluit van wat ze rondbazuinen, hij heeft ze vaak genoeg op de hak genomen. 'Over mijn lijk!' zou hij d'r uit hebben geflapt op de vraag of hij in de kerk wilde begraven worden. Ze hebben hem te pakken, ze hebben hem verdomd goed te pakken. Ze warmen de kist op met wolken van wierook, besprenkelen de baar met wijwater en murmelen geheime spreuken. "In paradisum te deducant angeli..." Op de vleugels van engelen zal je naar het paradijs worden gedragen waar eeuwige vertroosting wacht in de armen van maagden die liefdesgedichten met de tong op hun buikje laten schrijven. De kraaien drijven zijn duivels uit en beloven hem de eeuwigheid. Hij is zelfs niet dood, als je hen hoort, hij is nu veel beter af dan hij ooit is geweest. Hij mag zich gelukkig prijzen.

Zwart. Ik kijk uit naar de jonge vrouwen die in het zwart gekleed gaan. Ik tel er vijf, Naatje Blauwoog meegerekend. Vijf weduwen. Ze dragen stuk voor stuk zwarte kleren, zwarte nylons en in de hand een witte zakdoek om hun tranen te betten. Zouden ze hun schaamlapje hebben afgestroopt om het later als geheim eerbetoon samen met zijn kist aan de aarde toe te vertrouwen? Voor PS wordt het alvast postuum genieten, het toetje op de rouwtaart.

Tijdens de offergang stijgt zij vanachter een zuil op uit de menigte. De zesde weduwe. Ik zie haar op de rug. Haar gouden haar golft als een vlag boven haar zwarte jasje. Roodborstje in rouw. Ik ga op mijn tenen staan. Zwarte rok en nylons van dito kleur. Ook haar ogen zitten verborgen achter de zwarte glazen van een blindenbril. Zwart? Waarom draagt zij zwart?

Ik baan mij nogal ruw een weg door de menigte. Boze smoelen, gesmoorde vloeken, elleboogstoten. Net wanneer ik in haar spoor kom, wanneer ik mij tegen haar aan wil schoren, word ik de pas afgesneden door de groengeschubde drakenkop met bloeddoorlopen ogen van Salmèk. Ik moet wijken want hij blaast een damp van look en solfer voor zich uit. Opzij! Iedereen opzij! Wie niet tijdig wegkomt wordt onder de voet gelopen. Met zijn stierenrug verspert hij mij de weg en het zicht op Serafina. Alsof hij haar in een onzichtbaar web wil spinnen en wegstoppen in een cocon. Ik wil haar zien bewegen, de soepele tred van haar benen volgen, de billen zien wiegen waarin ik geschiedenis heb geschreven. Ik zou vooral dat monster van voor mijn voeten weg willen schoppen. Kon ik maar de lans uit de handen rukken van de Romeinse kruiswegsoldaat aan de wand om die meedogenloos midden in zijn ruggenmerg te planten.

In het zog van Salmèk schuifel ik langs de katafalk. Ik groet PS en wens hem goede reis. In de schaal leg ik een obool voor de overtocht. Het voorgenomen filmscenario is voor hem anders uitgedraaid dan voorzien. Dit is de laatste hoofdrol die hij te vertolken krijgt.

Serafina neemt weer haar plaats in naast de pilaar. Salmèk plant zich voor haar neer om haar aldus ook aan het zicht van PS te onttrekken. Met wat wringen en duwen lukt het mij tot vlak achter haar te komen. Ik ruik haar, ze draagt hetzelfde discreet parfum als tijdens ons eerste uitstapje in de duinen, ik voel haar lichaamswarmte. Ik moet me schrap zetten om niet tegen haar te worden aangedrukt maar er is geen ontkomen aan. Plots is het net een dijk die begeeft. Ik word voortgestuwd door een bewegende massa lijven en neem haar als een golf mee in mijn schoot. We worden opgelicht en tegen elkaar geplakt. Ik moet de armen strekken en mijn handen tegen de pijler drukken om haar niet te verpletteren. Ik voel haar warme reet. Ik ga barsten.

Rechtover het kerkje, in het dorpscafé, wordt een andere mis gecelebreerd, die van de geuzen. Ze nemen er geen vrede mee dat PS, ingepakt als een kerstpakket, door de papen naar het paradijs wordt verzonden. Ze roepen zijn geest op tijdens een boertig drinkgelag, net het soort eredienst waar PS van hield en wat de Vlamingen een begrafenisfeest noemen. De man die zijn verzen tot boeken kneedt, die voor PS de broden vermenigvuldigt en het water in wijn verandert, steekt een tirade af waarin hij al die spontane verontwaardiging ventileert. Hij leidt de dans op deze bokkenfuif en moedigt een donkergebrilde Galliër aan bij deze gelegenheid voor een laatste maal in de huid van PS te kruipen. Dit zootje goddelozen wil de aflijvige nogmaals horen tempeesten zoals hij alleen dat kon, op de tafel zien springen en verzwelgen in sloten bier. Hem zullen ze niet klein krijgen! Nooit! Ik zou mij bij hen willen aansluiten maar ik mag Roodborstje niet uit het oog verliezen. Ik drink snel een glas bier op de gezondheid van de dooie en maak dat ik wegkom.

Renata en ik willen voor de lijkstoet op het kerkhof aankomen. Het wordt een zoekplaatje. Door lanen en dreven, langs scheefgezakte wegwijzers en majestueuze huizen waar geen mensen blijken te wonen, hobbelen we over de keien. Een man die de grachtkant maait en leunend op een zeis een pluk roltabak in een vloeitje draait, wijst ons de richting met zijn neus. Na wat gerij links en rechts volgen we een lange blinde muur tot we halt houden voor een monumentale poort. Ik krijg een wee gevoel in de maagstreek en maak geen haast om de begraafplaats te betreden. Hier ben ik nog geweest. De gedachte dat PS hier zijn eeuwigheid moet doorbrengen vrolijkt me niet op. 'Ik ken deze plek,' zeg ik, 'hier ben ik eerder geweest.' Renata huivert: 'Ik griezel van kerkhoven. Kijk,' zegt ze. Ze heeft kippenvel. 'Naar zo'n plek kom ik nooit voor mijn plezier. Zelfs niet op Allerheiligen.' Je moest eens weten, Naatje, wat er op een kerkhof zo al kan voorvallen. Je gelooft het nooit. Ze wil weten of ik toen een geliefde heb begraven. 'Het was puur toeval dat ik hier ben aanbeland. Ik bracht een vriendin naar huis, midden in de nacht. Er hing een dikke mist en er was niets anders te horen dan kattengejank en het gekotter van een uil. Een echt horrorsfeertje. Dat mokkel bracht me in de waan dat we ons voor de ingang bevonden van het familiaal domein dat zij met haar moeder bewoonde. We zijn hier toen binnengedrongen langs dat zijpoortje en voor ik het goed besefte dwaalde ik als een blinde aan haar hand door het hiernamaals.' Ik zie Naatje verbleken, ze kijkt me aan met hazenogen en wordt helemaal wit om de neus. 'En toen?' – 'Toen liet ze mij in de steek. Ik wist begot niet eens waar ik me ergens op de aardbol bevond.' Daar houd ik op. Ik wil het er niet te dik overheen smeren.

Ik neem even de tijd om te mijmeren bij het soldatenperk, vlakbij de marmeren gedenkplaat, waar ik toen alle sukkels die hier begraven liggen over me heen kreeg. Het was net de aangekondigde heropstanding van het vlees. Vertrappeld, met verbrijzelde botten werd ik opgeslokt door de maalstroom van de geschiedenis en er door de ingewanden van de aarde weer uitgeperst. Ik mijmer nog even voor het engelengraf van de kleine G. Van Aalst. Dag, maatje.

De voltallige stoet komt aangezeuld met het lijk van PS. Bij zijn open graf wordt heel wat afgeluld. Geen kwaad woord, niets dan goed, de loftrompet schalt over de dodenakker. Al dat menselijk overschot mag zich verblijden in de komst van een godenzoon. 't Is de grootste, de mooiste, de beste. Net of je hoort PS door de mond van anderen spreken over zichzelf. Ik zou durven zweren dat hij de teksten zelf heeft geleverd.

Naatje hangt aan mijn arm en weent. Zij is zwaar aangedaan door al die mooie frasen en diepzinnige beschouwingen die vlak voor dat gapende gat van eeuwige duisternis gedebiteerd worden door mensen die vooral zichzelf zo onmetelijk belangrijk vinden. Het is van lange duur, ze willen allemaal hun zegje doen. Papa heeft het laatste woord. Hij is net uit de hemel neergedaald, draagt een aureool rond zijn kruin en stapt behoedzaam van zijn wolk op aarde. Eens te midden van de gewone stervelingen, begint hij met het evoceren van een indrukwekkende stilte om zijn figuur nog beter in het zonnetje te zetten. Hij haalt diep adem en blaast zichzelf op als een brulkikker. Ik verwacht dat hij elk ogenblik bovenop die kist gaat staan om ze als podium te gebruiken. Hij gromt en sputtert, eet zijn woorden op. Ik begrijp niet de helft van wat hij zegt. Hij spreekt met een zwaar geaffecteerd accent, dat hij uit het Noorden heeft geïmporteerd, en bromt wat in zijn baard over de schoonheid van het verdriet dat wij moeten koesteren na de dood van onze geliefden. Mooi Fetriet, prevelt hij met een dikke tong en natte ogen. Mooi Fetriet... Hij waant zich warempel in het theater.

Roodborstje is gehypnotiseerd en staat hem aan te gapen als een bovenaards wezen, wat hij waarschijnlijk is. Ik weet van haar dat hij zijn rollen niet speelt maar belééft. Hij kruipt in de huid van het Fetriet als er tranen moeten vloeien. Hij wórdt verdriet. Met evenveel gemak als hij woorden kakt, laat hij een vloed van tranen los. Je kunt de acteur van de mens niet meer onderscheiden. Hij staat zelfs de dood voor het lapje te houden. Als in koor beginnen al die weduwen tegelijk te snotteren bij de klaagzang van Meester Mooi Fetriet. Vandaag wordt bij de open kuil de liefde aan de tranen gemeten. En even later, in een vingerknip, alsof hij het hemels licht heeft gezien, draait hij het knopje om, staat daar als een gek te lachen en is het leven van slag om slinger één grote farce. Alleen de eeuwigheid is van tel.

Na de laatste begroeting van het lijk komt Serafina naar me toe. Zij vraagt hoe het met me gaat en wat er van mij gewordt. Of ik nog zing, wil ze weten. Of ik nog optreed? Neen, in de anonimiteit voel ik me beter in mijn vel dan op de scène. Ik moet toegeven dat mijn gitaar een eenzaam bestaan leidt. Ze komt af en toe eens uit haar hoekje om in mijn schoot te liggen, maar nooit voor lang. Mijn schuld, ik ben niet erg trouw geweest.

Op mijn vraag of zij nog iets heeft vernomen over de Pijp, schudt zij het hoofd en wijst naar het graf. 'Hij heeft er zoveel verhalen rond verteld dat ik ben gaan twijfelen of dat ding wel bestaat.' – 'We zullen het niet meer weten.' – 'Neen. Het heeft ook geen belang meer.' – 'Zoals je zegt.' Ze liegt tegen mij, ik voel het.

Dit is haar rijk, sta ik te bedenken. Hier is ze thuis. Zoals haar ogen straalden tijdens de nachtelijke uren, gaan ze nu schuil achter twee ondoorzichtige glazen, die beginnen te tollen en zich versmelten tot één zwart gat. Ik moet hier vandaan zien te komen. Ik wil niet naar binnen worden gezogen en tot stof vergaan. Achter het donker van haar zonnebril die alle licht absorbeert, raad ik haar ogen, gloeiend als sterren die hun massa samendrukken tot een punt waarin alles verdwijnt en nooit meer tevoorschijn komt. Daaruit is ontsnappen onmogelijk, daarin blijf je voor eeuwig gevangen. Ik zou achter die glazen willen kijken maar waag het niet haar te vragen om die bril af te zetten, want ik weet dat, als ik nu langs haar ogen naar binnen glip, ik daar levend word gecremeerd, tot as verpulverd en nooit meer naar buiten kom. Ik moet alleen verder, mijn eigen duisternis tegemoet.

Met een verkrampt glimlachje monstert zij Renata die zich vastklampt aan mijn slippen. 'Je vrouw?' – 'Ja,' zeg ik. Ik weet niet waarom.

'Net voor hij ten val kwam, heeft Eustachius mij laten verstaan...' probeer ik nog, maar van ver heeft Salmèk met een korte hoofdknik Serafina het bevel gegeven aan zijn voeten te komen liggen. Zij gehoorzaamt onmiddellijk, zij rent. Hij snauwt haar wat toe. Zij buigt het hoofd voor haar meester en gebieder. Hij vindt het niet nodig mij te groeten. Ik doe ook geen moeite. Lazer op, denk ik bij mezelf. Geniet er nog een beetje van, zolang het nog kan. Je lot is bezegeld. Teringzak!

Meier kijkt eveneens de andere kant op. Zou Diana zich bij hem hebben beklaagd dat ik stoute dingen met haar had willen doen of haar onschuld heb misbruikt om haar met geweld te nemen? Hij gaat zich bij Salmèk voegen. Het lijkt er op dat de heren wat te verbergen hebben. Alsof ze mij een vuile streek hebben geleverd waarvoor ze geen verantwoording wensen af te leggen. Diana daarentegen kijkt vrank onze kant uit, ze kan mij en mijn vriendin wel omver kogelen met haar ogen. Ik gooi haar een kushandje, ze versteent. Op een invitatie voor de jacht zal ik niet meer moeten rekenen. Niet erg, mijn snippenschieter staat te koop. Ik neem Renata bij de hand, we zetten er de sokken in.

Terwijl we naar de uitgang stappen doet Renata bijna opgelaten omdat ik haar heb laten doorgaan voor mijn vrouw, dat geeft haar het gevoel dat ze niet alleen is op de wereld. Ze neemt me bij de hand en knijpt. 'Ik kon je bezwaarlijk voorstellen als de weduwe van PS,' zeg ik. 'Neen, maar je vrouw, zoveel had ik ook niet verwacht.' – 'Dat ben je in betere tijden toch een beetje geweest, Naatje. Mijn vrouw, bedoel ik.' – 'Ja, eigenlijk wel, in betere tijden, zoals je zegt. Die komen niet zo gauw terug.' – 'Ze staan voor de deur, meid. Trek die open en gooi al dat Mooi Fetriet de straat op. Het is voor een mens niet goed om te blijven treuren. Vanaf vandaag neem je de draad weer op. En nu voor jezelf. Alleen voor jezelf. Ook een weduwe moet verder met haar leven.'

Een weduwe? Eens die begraafplaats verlaten, trekt Renata haar jasje uit, dat is het eerste wat zij doet. Zij heeft genoeg zwart gezien voor vandaag. Er liepen op dat kerkhof te veel weduwen rond naar haar zin, de tranen vloeiden te overvloedig en te gemakkelijk. Haar achting voor PS heeft ter plaatse een onherstelbare deuk gekregen.

Over Serafina wil zij wat meer te weten komen. Ik hoor mijzelf spreken over Roodborstje als over het licht uit mijn vorig leven, dat nu is uitgegaan. Ik heb het over verdriet waar geen troost voor bestaat. Niet het gespeelde fetriet waar we daarnet een staaltje van hebben gezien.

'En dat schilderij? Had zij het over hetzelfde werk waar Post Scriptum mee bezig was?' – 'Ik vrees van wel.' We kunnen onze verloren illusies samen op hetzelfde hoopje vegen, Renata en ik. 'Hoe heet die vrouw?' – 'Serafina.' – 'Is zij een van zijn weduwen?' Ik moet Naatje het antwoord schuldig blijven. 'Zij is de weduwe van iemand anders, een echte weduwe dan, en de nieuwe bruid van de steenrijke brulboei bij wie zij nu aan de ketting ligt. Al wat ik over hen beiden weet is dat PS in haar gezelschap was toen ik Roodborstje heb leren kennen.' – 'Roodborstje?' – 'Onder die naam maakte zij deel uit van mijn leven. 't Is een hele geschiedenis.'

Onderweg naar huis stel ik Renata voor naar Cadzand te rijden, naar het huisje dat zij heeft gekocht, en daar samen een paar dagen frolijke fakantie te nemen. Zij vindt het een uitstekend idee, zij is er bijna dankbaar voor en het komt nog goed uit ook. Haar bagage heeft zij reeds in de koffer zitten en ik hoef enkel een ommetje te maken naar Knokke om wat gerief te halen.

Komkommer Lydie, mijn poetsvrouw, is voor een keertje vlijtig aan het werk. Mijn komst is echter een directe reden om de dweil in de emmer te gooien en een praatje te slaan. Ze maakt zich overdreven zorgen over mijn vrijgezellenbestaan en heeft al voorgesteld om af en toe voor me te koken. Ze blijft me om de oren slaan dat het niet goed is voor een mens om alleen te blijven. Net wat ik een uur geleden nog tegen Renata zei.

Ze heeft soep gemaakt met groenten uit de moestuin van haar man. Ik moet proeven. Vanuit de keuken staat ze te spieden naar Renata die in de auto is blijven zitten. Nee, het is niet dezelfde dame als de vorige keer. Een mens snijdt pijlen uit het hout dat hij vindt. Ik rep mij naar boven en sla wat fris ondergoed in, een paar hemden, jeans en stevige wandelschoenen om de duinen in te trekken. Even twijfel ik er aan of ik ook mijn gitaar mee zou nemen maar ik doe het niet.

We rijden over Sluis langs de meeneemchinees een maaltijd halen van lapjes varkensvlees in zoetzure saus en rijst. Wat verderop koop ik bij de slijter een paar flessen wijn. Ik wil het ons gezellig maken.

't Is zo'n poppenhuisje, zoals de Zeeuwen ze bouwen. Ik heb er steeds met verwondering naar gekeken. Zulke grote mensen in dergelijke minuscule hokjes. Je kunt omzeggens boven de nok van het dak uitkijken over het landschap. Een badkamer is er niet, het gemak staat buiten en ons wassen moeten we aan de waterbak. Er zijn twee slaapkamers maar slechts één bed. Ik vraag Naatje welke kant zij verkiest. Dichtst bij het toilet wil ze liggen. Welk toilet? Buiten staat een kakdoos, palend aan het huisje, een plank met een gat er in, als ze dat bedoelt. Voor de kleine boodschap kunnen we de po onder het bed gebruiken.

Terwijl zij uitpakt en haar kleren opbergt in de kast, strek ik mij uit op het ledikant. Ik lig haar te bekijken. Toch een flinke brok. Doodzonde om een bloem als deze te laten verkwijnen zonder zon of water.

Naast mij heeft ze een paar dichtbundels van PS en Eu laten slingeren. Ik doorblader de boekjes en vraag of ik haar een plezier kan doen met het voorlezen van enkele gedichten. 'Neen,' zegt ze, 'doe ze maar weg.'

Als ze alles netjes in de laden heeft geschikt en de koffer opgeborgen, laat zij zich naast mij op het bed vallen om uit te blazen. We liggen naar het plafond te staren en luisteren naar de schaarse geluiden van buiten. De meeuwen, de wind en heel in de verte de branding. Een eenzaam en teruggetrokken bestaan, er valt wat voor te zeggen.

Naatje kijkt me aan. Haar ogen geven weer een beetje licht en om haar mondhoeken bemerk ik de zweem van een glimlach. Zij heft haar bekken en stroopt haar rok af. Ze draagt geen slipje.

De tranen der dingen

Vader ernstig ziek. Overkomst dringend gewenst. 't Staat op een lichtgroen, goedkoop stukje papier dat onder de deur is geschoven. Het type telegram dat wij tijdens onze soldatentijd door een liefje aan de legerleiding in Duitsland lieten versturen om enkele dagen extra verlof te versieren. Dezelfde woorden op telexreepjes gekleefd in dezelfde verpakking. Ik bel direct op en krijg mijn schoonzuster Renilde aan de lijn. Mijn vader heeft een hartaanval gekregen. Zijn toestand is kritiek, ik kan maar beter komen. Zij is de enige die ik te spreken krijg. Mijn moeder is naar het ziekenhuis en mijn broer heeft buiten de zaken geen tijd voor beuzelarijen.

In de familie trekt één vrouwenhaar sterker dan een kabeltouw, het is een matriarchaat. Na de dood van mijn oma heeft mijn moeder de broek aangetrokken. Zij wankelt niet en verwacht dat ook niet van anderen. Daarom heb ik met mijn vader te doen. Hij kan maar gauw weer beter worden of meteen helemaal het hoekje omgaan. Als hij te lang twijfelt tussen zijn zetel en zijn kist wachten hem geen vrolijke dagen. Mijn moeder lust geen zachte eitjes, zij duldt geen halve lijken om zich heen. In haar buurt kan je beter helemaal dood zijn dan een beetje ziek. Ziekte is zwakte en zwakte laat je niet zien. Lichamelijke ellende stop je weg. Pijn verdraag je zonder een krimp te geven. Zij is nog harder voor zichzelf dan voor een ander. Haar zal je niet betrappen op een minder dagje. Haar leven lijkt wel een beste-nieuws-show, een strandvakantie onder een blauwe hemel. De donkere wolken lost zij op met donder en bliksem. Dan kan je maar beter niet in de buurt zijn. Als haar wat mankeert sluit zij zich op in haar kamer om niemand onder ogen te moeten komen. Zij is een rat die

339

haar eigen poot afbijt als zij in de val zit. Op haar sterfbed zal zij iedereen wegjagen. Niemand zal aan haar sponde mogen blijven om het einde mee te maken. Ik wil niet dat mijn vader een eenzame dood sterft.

Zoutelare ligt op een heuvelrug, een herbergzame plek in een dolgedraaide wereld. Het elegante silhouet van de campaniletoren dat boven het stadje uitsteekt, heeft vanuit de verte op mij steeds de werking van een magneet. Het is een luchtig, Italiaans geïnspireerd bouwwerk in beschilderd hout dat er veeleer uitziet als een lustprieel dat bovenop de kerk is neergezet. Als ik vroeger over het marktplein of door de straten kuierde gaf het heldere klokkengelui dat de beiaard om het kwartier laat klingelen mij steeds het gevoel dat het elke dag zondag was. Het simpelste deuntje dat uit die toren galmde, klonk feestelijk. Het noodde eerder uit tot dansen dan tot gebed.

Ik kan me geen dag herinneren dat de zon hier niet scheen, zelfs als het regende. Vandaag is het grijs, anders, doods. Ik parkeer mijn wagen aan de rand van het stadje en neem mij voor de afstand naar het ziekenhuis te voet af te leggen. Hoewel het een fikse wandeling is, kan ik er niet toe besluiten er meteen de pas in te zetten.

De klim naar de kerk langs de brede Neerstraat met de dubbele rij platanen kost mij moeite. Ik sleep mij voort alsof ik met tegenzin de weg moet gaan waarover ik in mijn kinderjaren liep te dartelen als een veulen.

Met de geest van mijn vader die voor zijn leven vecht, komen ook de spoken die zich verschuilen achter hoek en kant weer tevoorschijn. Iedere steen heeft zijn geschiedenis, elk portiek zijn verhaal, elke steeg haar geheimpjes. De tranen der dingen druipen van elke muur.

Ik hang wat rond in de omgeving van het oude klooster waar ik als kind school heb gelopen en waar ik later met mijn dronken kop mijn auto tegen te pletter heb gereden. Ik had geluk en ben heelhuids uit het wrak gekropen. Aan de muur was niks te zien, er zat zelfs geen krasje op de verweerde stenen.

Ik maak een ommetje langs het vrijerspaadje waar ik met mijn fiets ooit inreed op een koppeltje dat de eerste tonen van het fluitspel aan het instuderen was. 't Was een harde botsing, we gingen alle drie tegen de grond. Om een trap onder mijn kont te ontlopen, sprong ik op en vertrok als een pijl, hoewel de jongen, geraakt op zijn weekste plek, niet meer tot hardlopen in staat was. Die meid droeg weken later op haar smoeltje nog steeds de tekenen van mijn roekeloos rijgedrag. Dat paartje gold toen voor mij als een toonbeeld van onvergankelijke liefde. Ze zijn elk met een ander getrouwd. Later kwam ik hier zelf met mijn scharreltjes. Het paadje bood weinig comfort. Het gehengst verliep onhandig, haastig en rechtstaand want van de liefde moesten we toen nog alles leren. Straks worden ook hier de minnaars uit hun natuurlijke biotoop verjaagd. De tuintjes en weiden langs het pad zijn bouwrijp gemaakt, bomen worden steen, op de akkers groeit stortbeton.

In de boomgaard waar we peren gingen stelen, wordt al een ruime kelderput gegraven. De boze eigenares hielden wij ons van het lijf door haar jonge geitenbok te leren stoten en op haar te laten afstormen telkens als zij ons wilde verjagen. Zij ligt sinds kort in haar eigen, bescheiden put en hoeft zich nergens nog zorgen om te maken. Ook niet meer om de kwajongen die uit haar boom op de snee van een ploeg is gevallen en van wie een arm werd geamputeerd.

Ik houd halt aan de Fiefelhoek, waar Het Vrolijke Eind begint, en kijk naar omhoog. Terwijl ik op dezelfde plaats mijn zenuwen verbeet bij mijn eerste galante afspraakje, poepte een duif mijn netjes gekamde kop onder, net op het ogenblik dat mijn schone op mij toe stapte. Omdat zij het uitproestte voelde ik me ook door haar bekakt, het is nooit meer goed gekomen.

't Was trouwens een vervloekte plaats. Enkele dagen later, na schooltijd, zag ik een rozig, kleverig goedje op de straatstenen liggen in een plas bloed. Het waren de hersenen van een dakdekker die naar beneden was gevallen. Van de klap was zijn schedel gebarsten. Toen ik er aankwam legden ze hem net op een berrie en dekten zijn gezicht af met zijn pet. Enkele reis dodenhuisje. De mensen stonden in trosjes na te praten, ze gaven commentaar. Een straathond stond wat te likken aan die dril en schrokte hem toen naar binnen.

Omdat ik terugschrik voor een ongewenste ontmoeting, loop ik met een boog omheen het Huis van de Gele Sterren waar mijn vrouw zich heeft opgesloten sinds ze bij me weg is gegaan. Ze is erg op zichzelf, hoor ik zeggen, en ziet niemand. Ook vandaag zijn de rolluiken neergelaten. Om de mensen en de zon buiten te houden. Ik vraag me af wat zij de godganse dag wel mag doen. Tapijtjes weven? Rebussen oplossen? Puzzels in elkaar steken? Televisie kijken? Of houdt zij er een minnaar op na? Ik hoor niets van haar, krijg niet het minste nieuws en durf er ook niet goed naar te vragen. Mogen de goede geesten van de familie Blijwater over haar waken.

De brief, die ik enkele weken geleden heb ontvangen en die ik sindsdien op zak draag, zou in een muurspleet of een putje in de tuin van dit huis zijn uiteindelijke bestemming moeten vinden. Jacob Katz heeft mij geschreven. De joodse man die ik in een Amsterdams veilinghuis tegen het lijf liep, heeft woord gehouden en navraag gedaan naar het lot van de familie Blijwater. Een laatste sprankel hoop dat Bram naar Amerika zou zijn ontkomen, is er niet. Hij heeft zich in de lente van 1944 met zijn gezin aangemeld bij de Dossinkazerne te Mechelen in het kader van een programma van verplichte tewerkstelling in Duitsland. Blijkbaar zag hij temidden van deze compacte duisternis de zon nog schijnen, ergens in een klein hoekje. Al werd hij dan ook ontworteld en viel zijn lot van gedwongen balling hem door niemand te benijden, er was hem verzekerd dat hij ginder in het Oosten tenminste op vast werk kon rekenen om in het onderhoud van vrouw en kinderen te voorzien. De familie is op een van laatste spooktreinen gezet, enkele richting KZ Auschwitz, waar je enkel langs de schouw terug naar buiten kwam, zoals de bewakers zegden bij wijze van grapje. Voor wat het schilderij met de pijp betreft, waar ik het met hem over had, kan Katz mij geen enkele zekerheid geven. Was het nog in het bezit van Bram Blijwater toen hij is vertrokken? En zo ja, aan wie heeft hij het dan in bewaring gegeven? Aan iemand die hij kende? Of heeft hij het tezamen met andere waardevolle dingen aan zijn kwelgeesten voorgelegd om er zijn vrijheid mee af te kopen? En hebben zij dat in dank aanvaard? Dan zou daar wel eens rapport over kunnen bestaan want zijn beulen hielden een nauwgezette inventaris bij van alle dingen, 't waren minutieuze boekhouders. Wanneer het om mensen ging, durfden zij al eens de cijfers afronden achter de komma. Daar waren er genoeg van, ze keken niet op een mannetje. En indien er al een verslag over bestond, waar moest men het gaan zoeken? Het was de speld in de hooiberg, want veel bewijzen waren vernietigd. Als ik thuiskom wil ik de brief verbranden en in een urne bewaren om hun asse rust te geven. Zo blijft er tenminste iets van hen bewaard.

Mogen de goede geesten van de familie Blijwater ook waken over Vosje Brons die mij als kind in datzelfde huis initieerde en mij als knaap de liefde leerde. Later is zij met haar eerste, verboden soldatenliefde naar de andere kant van de wereld gevlucht om uit te zoeken of daar misschien wat geluk te rapen viel. Hier stond ze tijdens de oorlog aan de verkeerde kant. Bij de bevrijding heeft ze het geweten.

Ik ga koffie drinken in de bar van Hotel de la Gare. Het behang, het kramakkige meubilair, het ouderwetse servies, niets is veranderd. Ze kennen me nog, de uitbaters. Het is niet van harte dat ze mij begroeten. Ze bekijken me met enige achterdocht en spieden naar het deurgat om te zien of ik niet gevolgd word. Ze hopen vast dat ik deze keer alleen ben.

Toen Laila, mijn eerste en alles verscheurende liefde, haar man verliet voor de snotvink die ik nog was, bracht ik haar hier onder. Ik wist dat we de kamer niet zouden halen. We raakten niet verder dan de derde trap. Ik pakte haar enkel beet, haar enkel met het kettinkje, en dwong haar neer te liggen op de treden, op die muffe traploper. Zij spartelde tegen, zij sleurde aan mijn haar, zij beet in mijn oor. Zij had mijn instinct van gedomesticeerde wolf onderschat, ik was buiten zinnen. We verscheurden elkaar onder het ontstelde oog van een koppel Engelse toeristen dat naar Vlaanderen was gekomen om het graf van hun gesneuvelde zoon te bezoeken. Die bravelui hadden net hun kamer verlaten en zagen met verbijstering hoe hen de toegang tot de trap werd versperd door een stel losgelaten beesten. Ze maakten hun beklag bij de directie die beloofde in te grijpen maar verder niets deed omdat ze zich niet kon veroorloven een paar van haar schaarse klanten de deur te wijzen.

343

Laila. De volgende veldslagen hebben we geleverd op het bed, tegen de wand, op de vloer, in het bad, we bleven doorworstelen tot ver na middernacht, tot we allebei volslagen uitgeput over de rand van de sponde op de grond rolden. Geradbraakt, zalig kapot, uit ons lichaam tredend en badend in een roes die als volmaakt geluk aanvoelde. En dat ging zo door de volgende dagen. En weken. Tot haar man dreigde met bijbelse wraak omdat zij haar oren sloot voor zijn smeekbeden om terug te keren. Hij pakte de vijand aan, mij dus, hij regelde zijn zaakjes zelf, zei hij. Hij zou mij laten aftuigen, mij laten castreren, mij laten lek steken als het moest. Hij meende echt wat hij zegde. 'Hij mag de kans niet krijgen,' zei Laila, 'we moeten hem voor zijn. Ze dacht niet lang na. 'We maken hem kapot!' zei ze. Ze daagde me uit om haar op die wijze het ultieme bewijs van mijn liefde te leveren. Voor haar leek het niet moeilijker dan rosbief met erwtjes braden.

Zij rukte het gouden kettinkje af dat zij als teken van onderwerping rond haar enkel droeg en legde het in mijn handpalm. Zij vouwde er mijn vingers overheen en sloot mijn vuist in haar beide handen. Het vrijgeleide voor een rituele slachting, de opdracht om onze liefde met bloed te bezegelen. Ik moest aan een wapen zien te komen, een pistool, een jachtmes, een ijspik, eender wat.

We moesten overleggen hoe ik het aan boord zou leggen – ik – en hoe we we daarna uit de rook zouden blijven. Ik zag haar het bloed van haar lippen likken, mijn lady Macbeth. Als alles voorbij was zouden we eindelijk vrij zijn, van elkaar zijn, voor eeuwig gebonden door een geheim, dieper dan het graf.

Voor ik het goed doorhad zat ik tot aan mijn nek in een moordcomplot. Ik zat haar met verbijstering te aanhoren. Ik scheet in mijn broek. Toen ze even later Sander Slieper, de voorman van het familiebedrijf en slaaf van de clan, in haar netten wilde strikken heb ik d'r aan hem overgemaakt. Hij heeft haar in zijn huis opgenomen en beweert er de beste zaak van zijn leven aan te hebben gedaan. Zij is sindsdien van hem, zij is nog steeds van hem. Wie ooit zijn drempel schendt, zal dat betalen met zijn bloed.

Recht tegenover het Steen heeft Sander voor haar een herenhuis laten bouwen dat een getrouwe kopie is van onze woning in

Beverbeek, tot ergernis van mijn moeder en door haar smalend het Rattenkasteel genoemd. Zij heeft Sander nooit gemogen en van Laila kreeg zij helemaal het schijt.

Op de plaats waar ooit het huis van mijn grootouders stond, zijn nu grote huizen in eentonig rode baksteen opgetrokken langs een trechtervormig kruispunt. In mijn kinderjaren lag hier een mooi plein, zanderig van kleur en afgezoomd met lommerrijke platanen, waaronder de buren een noenslaapje hielden en waar 's avonds epische verhalen werden verteld over de legendarische duivenvlucht uit Barcelona, waar wielerhelden en voetbalgoden werden geboren uit de mond van de plaatselijke Homeros. 't Was een traag leven aan de rand van een slaperig provinciestadje. Als de zon scheen, leek het wel een plaatje uit de Provence. Maar in dit landje heerst de regen. Hier ploeter je op gewone dagen tot aan je knieën in de modder van Vlaanderen, de wieg van zovele oorlogen, het graf aan de Noordzee. Waar niets is zoals het lijkt. Ik hoef maar de ogen te sluiten om in een flashback te zien hoe het er op een van die verraderlijke dagen echt aan toe gaat.

De zon gaat op, het land wordt bevrijd, het leven is een groot feest. De mensen dansen, zingen en drinken alle zorgen aan de kant. Terwijl ze even het hoofd in de wolken hebben om een glimp van de hemel op te vangen, gaan de poorten van de hel wijd open en stormen alle duivels tegelijk het plein op om te moorden en te branden. Het duurt niet langer dan een uur om de stad van uitzinnige vreugde in een bodemloze poel van ellende te doen zinken. Alle huizen gaan in de fik. Na hun doortocht is dit idyllische plein één grote puinhoop. Geen steen is op de andere gebleven. De geur van de dood is overal. Doorheen de tranen is alleen nog het vale licht van het einde der tijden te zien. De stank van uitgebrande ruïnes dringt niet alleen langs de neus naar binnen, hij nestelt zich in onze kleren, onze huid zuigt hem op.

Met het puin werden ook al de geheimen weggevoerd die het huis van mijn oma ooit tussen zijn muren gesloten hield. Over de verloren inboedel van de woning werd in de familie nooit meer gesproken. 't Was taboe. Alsof dit warme nest, op het gewone meubilair na, een lege doos was geweest. Wat een schat bleek voor de een, was een vloek voor de ander. Soms, hier of daar, dook het verleden op als een open wonde onder de vorm van een oude foto. Maar beelden die herinnerden aan een feestmaal of een bijeenkomst in het huis en waar ook de muren van konden getuigen, zijn nooit meer opgedoken. Aan wie heeft hij het in bewaring gegeven? Dat zinnetje uit de brief van Jacob Katz is in mijn hoofd blijven spelen. Het kan niet anders of mijn oma was daarvan op de hoogte. En naar alle waarschijnlijkheid werd het aan haar toevertrouwd. Ik tracht zover mogelijk in de tijd terug te keren. Ik probeer mij het schilderij met de pijp en de geheimzinnige, geschreven boodschap, waarvan ik slechts een glimp had kunnen opvangen, voor de geest te halen. Wat ik zeker weet is dat het was verpakt in een roodwit geruite handdoek en op de rugzijde van het raam een groen label droeg als dat van galerie Le Centaure, waarop een steigerende Paardmens stond afgebeeld. Rond de tijd of misschien op hetzelfde ogenblik maar zeker op dezelfde manier als zijn eigenaar is het hier, op deze plek, in het vuur vergaan. Of is dit mijn zoveelste waanvoorstelling over een beeld dat mij blijft achtervolgen? Wat heb ik nagejaagd?

Hier is het verleden goed uitgeveegd. De lui hier wilden niet worden herinnerd aan de doortocht van de Ruiters uit de Apocalyps. Het plein werd vervangen door een brede verkeersader en de reusachtige platanen door bomen van steen. De weiden er rond werden geplaveid omdat het gemotoriseerde vee geen grasland meer behoeft. De vooruitgang had zijn intrede gedaan.

Een etmaal na bevrijdingsdag kwam de afrekening. Op datzelfde plein. Bijltjesdag. Dies irae. Het uur van de wraak voor de verzetstrijder en de hoorndrager, voor de lafaard en de boze buur. Kaalgeschoren en verkrachte vrouwen, beurs geslagen mannen. Zowel landverraad als burenruzies werden in één moeite beslecht. Een collaborateur wordt opgevoerd in zijn uniform van Zwarte Brigademan, met kepie, koppelriem en laarzen om er even stoer uit te zien als voordien, toen zijn verschijning alleen al angst en afgrijzen inboezemde. Het is de vader van een van mijn klasgenootjes, een bullebak. Onder zijn neus tekent iemand een snor met verbrand kurk. Hij moet de groet met gestrekte arm brengen en de hakken tegen elkaar slaan. Hij moet even hard blaffen als

346

zijn baasje uit Moffia. Harder nog, ze horen hem niet! Veel harder, tot zijn keel schor is geschreeuwd. Ze laten hem rondhuppelen in ganzenpas. Net een poesjenel aan een touwtje. 't Is puur theater. Als ze hem verplichten zich uit te kleden tot hij in zijn onderbroek staat, kunnen ze hun lol niet meer op. Hij moet spitsroeden lopen. Een mep op zijn bek, een schop onder zijn krent, niemand laat zich onbetuigd. De laatste in de rij, een vrouw, rukt zijn schaamdoek af en luidt zijn klokken tot grote hilariteit van het gepeupel. Hij heeft geen noten meer op zijn zang.

Geen kwartier later zag ik mijn kinderwereld instorten. Vosje Brons was aan de beurt. Ze namen haar kwalijk dat zij het lief was van een Oostfrontsoldaat. Ze hebben haar geschaakt, mishandeld en verkracht. Op enkele flarden textiel na werd zij naakt opgevoerd. Tussen haar tietjes, op haar borstbeen, hadden haar aanranders met een mes een hart gekerfd met een pijl erdoor. Net zoals op een toiletmuur. De tekening was uitgelopen tot één grote vlek van geronnen bloed en korstige strepen. Haar doorzichtig, roskleurig liefdesbos, dat ik de dag voordien had ontdekt toen zij mij de eerste beginselen van de liefde bijbracht, en waarvan ik dacht dat het pluimen waren, zag er morsig en vuil uit, uitgerookt. Zij was al haar fierheid kwijt. 'Kijk!' riep er een, 'een roodborstje.' En een ander: ' Het is vroeg winter dit jaar!' Daarna viel het koor in, meerstemmig, dissonant: 'En het komt helemaal uit Rusland nog wel! Laat het vooral niet vliegen, dat vogeltje! Trekt het zijn pluimen uit! Ja, kijk maar, ze krijgt het warm! Ze loopt er bij te zweten! Moffenhoer!'

De straatwijven grepen Vosje bij haar manen die glansden als vuur, schoren haar kaal en tekenden met pek een hakenkruis op haar schedel. Ze vonden dat zij de verkeerde keuze had gemaakt. Ik had nooit wat anders gekregen van haar dan liefde.

Het Steen. Waar ik mijn jeugd heb doorgebracht. Mijn ouders wonen er en mijn broer met zijn gezin, elk in een vleugel. Nu is het bezet gebied, een vijandige plek. Ik sta als een vreemde voor de deur. Een rare gewaarwording. Ik aarzel om aan te bellen. Als ik niet spontaan word uitgenodigd om naar binnen te komen, zal ik bijna verplicht zijn mij te vernederen door te vragen of ik er in mag. Misschien krijg ik de deur op de neus.

Het is Renilde die openmaakt, mijn schoonzuster. Ik kom ongelegen. Een paar knopen van haar kleed zijn haastig in het verkeerde gat gestoken en d'r haar is in de war. Ze staat me wat wankelend en met grote ogen aan te staren. Geil of dronken is ze, of beide. Ze pimpelt zoals vroeger, er is weinig veranderd. 'Blijf ik aan de deur?' – 'Neen, neen, natuurlijk niet. Kom er toch in.' Zij zegt het met weinig animo. Renilde houdt de klok in de gaten, ze is nerveus, de kinderen moeten van school gehaald. Ze weet niet goed wat ze met me aan moet. Ze durft me niet vragen het huis te verlaten tot ze terugkeert. Ik zou daar trouwens niet op ingaan. 'Ga maar,' zeg ik, 'doe alsof ik er niet ben.' In haar handtas grist zij naar haar autosleutels die ze al de hele tijd in de hand houdt. Zij is helemaal van haar stuk. Ik beloof braafjes haar terugkeer af te wachten. Ik blijf alleen achter.

Het duurt een tijdje vooraleer ik haar weg zie rijden. Naast haar zit iemand, maar ik kan niet uitmaken wie, een man. Het zou Sander Slieper kunnen zijn. Ze heeft woord gehouden. Een dik jaar geleden zegde zij mij dat zij, net als haar vriendinnen, een minnaar zou nemen sinds zij een afspraak moest regelen om haar eigen man te spreken te krijgen. Mijn broer is een lul. Hij heeft haar drie kinderen gemaakt en vindt dat zijn werk er op zit.

Ik bestijg de trap naar de slaapkamer van mijn ouders. De roodlederen dozen met speciale vakjes waar mijn vader zijn verzameling horloges in bewaart, staan nog steeds op dezelfde plaats. Met mijn vriendjes sloop ik vaak naar boven om hen het zakhorloge met het wippende paartje te laten zien, op school was het beroemd. Het staat stil. Ter ere van PS geef ik een paar draaitjes aan de knop om de veer te spannen en daar vliegen mannetje en vrouwtje er lustig op los. Hier was ik mee bij machte geweest hem alles te laten bekennen wat ik horen wilde. 't Was de sleutel tot zijn geheime grot. Nu hoop ik er zijn neus mee te doen krullen, ergens in het heelal. Ik laat het horloge in mijn zak glijden en zet de doos weer op zijn plaats. 'Ik kom de tijd halen...' zei hij. Hij heeft de tijd niet meer nodig. De eeuwigheid is nu van hem.

Mijn moeder verwijt mijn vader dat het zijn eigen schuld is, dat infarct, ik had het kunnen denken. Hij heeft het gezocht. Van zogauw hij half versuft zijn ogen opentrekt, krijgt hij de volle lading. Ze heeft niet opgehouden het hem te zeggen, als je haar hoort. Teveel sigaren gerookt, teveel wijn gedronken, te vet gegeten. Al dat teveel is wel door geen andere dan haar eigen handen gegaan en op het ogenblik dat zij het toediende was het nauwelijks genoeg. Je moet elke dosis aankunnen die ze je oplepelt, als een soort eerbewijs. Weigeren zou een belediging zijn. Zij stort met graagte de hoorn des overvloeds over je uit, dat geeft haar het gevoel dat het nergens beter is dan bij haar.

Vader weet hoe zinloos het is in te gaan tegen haar gekakel waar hij al bijna veertig jaar de oren voor sluit. Vroeger kon hij nog even ontsnappen en ging hij rondjes rijden op de fiets. Nu is hij haar gevangene, hij vermag alleen de ogen te sluiten om met rust te worden gelaten.

Mijn broer heeft nog niet de tijd gevonden om vader een bezoek te brengen. Drukdruk, achter zichzelf aan rennen, bisnis zoals steeds, hij zou een handvol zilverlingen kunnen mislopen. Maar hij krijgt, zoals in de zaken, wel informatie uit eerste hand, van moeder, dat sust zijn geweten. Hij zal er zijn als het vlagvertoon van de openbare rouw begint, als het te laat is voor spijt en verdriet. Hij vindt het niet nodig mij te komen groeten. Ik had ook niet anders verwacht.

Als mijn moeder zich even verwijdert om aan de zuster van wacht haar orders mee te geven, fluister ik mijn vader in het oor dat ik het horloge heb weggenomen. Hij glimlacht. 'Laat het mij nog even zien,' zegt hij. Zijn stem is heel zwak maar zijn ogen tintelen als hij het onvermoeibare koppeltje tekeer ziet gaan. Het moet hem aan betere tijden herinneren. Ik houd zijn hand in de mijne. Hij ziet er afgemat uit maar tevreden.

Ik neem plaats in de zetel naast zijn bed en kijk uit het raam. Van op deze plaats, op het hoogste punt van de heuvel, kan ik de omweg die ik heb gemaakt om het ziekenhuis te bereiken perfect reconstrueren. Ik heb de hele stad doorkruist en ongeveer nog eens de wijde omtrek ervan afgelegd terwijl mijn wagen in vogelvlucht op amper een paar kilometer hiervandaan geparkeerd staat.

Mijn zwerftocht op vertrouwde grond doet vragen rijzen. Waar ben ik naar op zoek geweest? Naar alles wat niet meer terugkomt? Naar de vervlogen tijd? Naar mijn kinderjaren? Wat ik hier heb achtergelaten is weg, en voorgoed. En wat koop ik nog voor dat horloge bij PS?

Pêche-Merle, Eustachius, Pim Pee, Dikke Floris, Post Scriptum. En nu balanceert mijn vader op de rand. Het leven begint naar de dood te stinken. 't Is niet meer dan de walm uit een pijp. Een poosje genot dat opgaat in rook. Het gloeit even en 't is zo weer opgebrand.